Korrespondenzblatt

des Vereins

für niederdeutsche Sprachforschung

Jahrgang 2024, Heft 131   Kiel, im März 2024

Gent. Bild und Inbild einer stolzen Stadt

Das Gent – in Flandern, im nördlichen, niederländischsprachigen Teil Belgiens – gehört, so darf mit Fug und Recht gesagt werden, zu den ältesten und bekanntesten Städten im nordwestlichen Abendland, deren ‚Ruhm in allen Landen (auch der weiteren Welt) herrlich ist'. Die Stadt ist emporgewachsen aus kleinsten Verhältnissen, als winzige und dennoch wichtige Niederlassung mit (bereits vorwiegend) Handelscharakter am direkten linken Ufer der *Schelde*, nicht weit von der Stelle, wo dieser Fluss die kleinere *Leie* aufnimmt – daher auch der Name aus vorgermanisch (wohl keltisch) *gand- ‚Mund > Mündung' (Ersterwähnung im 1. Viertel des 8. Jh.s nach Christo). In wenigen Jahrhunderten entwickelte sich die Siedlung, durch die merowingerzeitliche Gründung zweier Abteien begünstigt, zu einer der in Oberfläche und Bevölkerung umfangreichsten Städte im südöstlichen Nordseegebiet. „Durch seine ausnahmsweise günstige geografische Lage war Gent vorherbestimmt, eine mittelalterliche Großstadt zu werden".[1] Die Stadt beherbergt noch immer in ihrem eindrucksvollen Dom (Sankt-Bavo-Kathedrale) ein absolutes, für ihn eigens geschaffenes Hauptwerk der europäischen Malereigeschichte, das farbenfreudige Polyptychon „Anbetung des Gotteslammes" (1432) der Brüder Van Eyck. Auch war sie, im Jahre 1500, der Geburtsort eines so geschichtsträchtigen Römischen Königs und Kaisers, „in dessen Reich die Sonne nie unterging": des Habsburgers Karl V. Von einer glorreichen Vergangenheit zeugen zahlreiche imposante Baudenkmäler in verschiedensten Stilen, darunter u. a. weitere große und schöne Kirchen, prunkvolle Zunfthäuser (besonders an den Straßen ‚Graslei' und ‚Korenlei'), der ‚Belfried' (nl. *Belfort*, Stadt-

---

[1]   Maurits Gysseling, *Gent's vroegste geschiedenis in de spiegel van zijn plaatsnamen*. Antwerpen-Brussel-Gent-Leuven, 1954, S. 8 (übers.) [Toponymisches Standardwerk].

turm), das weitläufige, mehrstilige Rathaus und nicht zuletzt auch das wunderbare Grafenschloss (nl. *Gravensteen*), eine Wasserburg mitten in der Stadt. Die alte Hauptstadt der Grafschaft Flandern (jetzt Hauptstadt der Provinz Ostflandern) ist aber keineswegs in der Vergangenheit stecken geblieben und zählt auch heute noch zu den bedeutendsten Orten des gesamten (territorial gegliederten) zweisprachigen Belgien sowie des gesamten nord- und südniederländischen Sprachgebiets: die jetzt größeren Städte Antwerpen, Brüssel (beide im alten Herzogtum Brabant), nachher das holländische Amsterdam haben erst später ihren Aufschwung erlebt. Nur mit der kaum 45 km westlich gelegenen, ebenfalls flämischen, immer doch kleiner gebliebenen Stadt Brügge (nl. *Brugge*; Ersterwähnung 840, Hansekontor vom Ende des 14. Jh.s bis 1520; jetzt Hauptstadt der Provinz Westflandern) stand Gent, bei allen Unterschieden, in gewisser Konkurrenz, auch heute (etwa touristisch) noch.

Gent versteht und präsentiert sich heute besonders als eine ‚Hochburg‘ der Bildung und der Intellektualität: die Stadt ist ja nicht zuletzt Sitz einer renommierten Universität (seit 1817; „UGent", mit Aula und „Bücherturm"/nl. *Boekentoren* als wahren Monumenten), dreier Hochschulen und der KANTL (*Koninklijke Academie voor Nederlandse Taal en Letteren*; seit 1892). Ihr Kunst- und Schönheitssinn schlägt sich nieder im Besitz einer Oper und eines großen, hochmodernen Konzertsaals (in der historischen Abtei „Bijloke"), mehrerer Theater und verschiedenartigster Museen, auch in den vierjährlichen „Floralien", zu denen Gent sich (seit 1809) als „Blumenstadt" präsentiert. Die (klassische) Musik feiert seit 1958 im Spätsommer (Sept.–Okt.) ihre alljährliche Hoch-Zeit mit dem *Festival van Vlaanderen – Gent* in vielen Sälen und Kirchen, mit Teilnahme vieler weltberühmter Musiker, Dirigenten, Orchester aus aller Welt. Die Stadt zählt unter ihren Eingeborenen zwei Nobelpreisträger: für Literatur 1911 Maurice Maeterlinck (schrieb französisch), für Medizin 1938 Corneel Heymans.

Die Stadt verfügt über ein weitläufiges *Internationaal Congrescentrum* (ICC, seit 1975), ganz in der Nähe eines ebensolchen ‚Sportpalastes‘ (einer Radrennbahn, besonders bekannt für das Sechstagerennen). Die (sich immer modernisierende) Wirtschaft blüht nach wie vor: nicht zuletzt mit dem Hafen, der die Stadt über die Westerschelde mit der Nordsee verbindet; *FLanders Expo*, seit 1987, bietet der Geschäftswelt im Süden der Stadt ein ausgedehntes Messe- und Ausstellungsgelände mit großen Hallen.

Albrecht Dürer, Leopold mit Wolfgang Amadé Mozart, Napoleon waren hier, dem französischen Präsidenten François Mitterand war Gent bekanntlich seine belgische Lieblingsstadt.

Ein wahres buntes, breitgefächertes Volksfest sind (seit 1843, aber seit etwa 1968 ganz erneuert und erheblich erweitert) die alljährlichen zehntägigen *Gentse Feesten* in der (vor)letzten Juli-Woche auf Straßen, Plätzen und in Sälen, die bis zu einer Millionen Gäste aus dem In- wie Ausland anzulocken vermögen.

„Ghent, a Town for all Seasons" war lobend das Buch betitelt, das 1972 aus der Feder einer britischen, hierher emigrierten Historikerin (Patricia Carson) floss. Entsprechend seiner wechselvollen Geschichte ist Gent auch – wie kaum eine andere Stadt in Belgien – geprägt von den verschiedensten Baustilen, von der Romanik bis hin zur Moderne, und bietet deshalb eine wahre ‚Syn-These' der europäischen Architektur. Den allerschönsten, gleichsam zusammenfassend bestaunenden Blick über die Stadt bietet der Standort auf der *Sint-Michielsbrug* (Sankt-Michaelisbrücke), das Gesicht nach Osten gewandt: in der Tiefe links sieht man die alte Lebensader der Stadt, den alten Binnenhafen an ‚Graslei' und ‚Koornlei' und in der Ferne die Zinnen des Grafenschlosses; vorne überwältigt in schönster Flucht, und so in wohl keiner anderen Stadt anzutreffen, die eindrucksvolle Trias der drei Haupttürme der Stadt: Sankt-Nikolauskirche, ‚Belfried' (‚*Belfort*') und Dom als ‚Aufzug von Riesen'.

„*De fiere stede*" („die stolze Stadt") hat sich Gent (wohl erst in jüngerer, romantischer Zeit) als Epitheton zugelegt. Dass sie stolz sind, kann man aber den Gentern von früher wie von heute kaum absprechen.

Ein kurzer Gang durch eine wechselvolle Geschichte

Prähistorie, Spätantike, Frühmittelalter

In prähistorischer Zeit, genauer im mittleren Paläolithikum (55000–35000 v. Chr.), gab es schon Spuren menschlicher, noch nomadischer Anwesenheit in der Umgebung von „Blandinium", des "Blandijn-Hügels" (29,10 m ü. M. – also fast ein Zehntel der Zugspitze –, auf dessen höchstem Punkt sich jetzt die Philosophische Fakultät der „UGent" befindet). In der Römerzeit (bereits im 1. Jh. n. Chr.) entsteht ein paar hundert Meter nördlicher, am rechten Ufer des Zusammenflusses von Schelde und Leie, ein erster, offensichtlich *Ganda* benannter Siedlungskern sesshaften und handeltreibenden Charakters. Am Anfang des 5. Jh.s nehmen die von Nordosten einfallenden Salischen Franken die Genter Regio in ihre germanische Welt auf. König Dagobert I. (629–639) entsendet nach dem wirtschaftlich wichtig gewordenen Ort als christlichen Missionar den geborenen Aquitanier, später heiliggesprochenen Amandus, der dort zwei wichtige Klöster gründet: ‚linksscheldisch' die Sankt-Peters-Abtei auf dem Blandijnberg sowie nördlicher und ‚rechtsscheldisch' nahe *Ganda* die (erst später nach

Sankt Bavo benannte) andere Abtei. Beide Klöster, von Wikingern 861 und 879–880 heimgesucht, blühten jahrhundertelang. Erstgenannte sollte erst bei der französischen Besetzung 1796 abgeschafft werden (große Teile sind jetzt Kulturzentrum), die andere bereits, auf Geheiß Kaiser Karls V., im Jahre 1540 (siehe weiter). Im 9. Jh. verlagerte sich die *Ganda*-Siedlung ans direkt gegenüberliegende linke Schelde-Ufer, zwar etwas südwestlicher. Auf der nördlichen, leicht hügeligen („*Zandberg*") Spitze dieses sich halbkreisförmig an die Schelde anschmiegenden, noch sehr kleinen Gebiets (7 ha) erhob sich die erste, 939 eingeweihte Stadtkirche, Vorläuferin des heutigen gotischen Doms. Im späten 10. Jh. hatte sich unterdessen die Siedlung auch erheblich weiter, und zwar in westliche Richtung ausgebreitet, bis zum Leie-Ufer (‚Graslei' und ‚Korenlei', wo der Genter Binnenhafen entstand) und sogar darüber hinaus (Gebiet „*Overleie*"): hier wurde auch das Grafenschloss für den Landesherrn, den Grafen von Flandern, errichtet (das heutige steinerne Gebäude, „*Gravensteen*", datiert von 1180)[2].

Hoch- und Spätmittelalter

Die älteste Textfassung der Stadrechte datiert von den Jahren 1165–1167, in einer noch lateinisch abgefassten „*keure*" (Gerechtsame), verliehen vom flämischen Grafen Philipp vom Elsass. Die Satzungen der Genter „*leprozerie*" (Leprosenhaus) – eine für damalige Verhältnisse fortgeschrittene Anstalt – aus dem Jahre 1236 gelten als das älteste amtliche Dokument in ‚dietscher' (mittelniederländischer) Sprache flämischer Prägung.

Durch das sodann auf etwa 80 ha angewachsene Stadtareal hindurch lief der wichtige Handelsweg Brügge–Köln. 1178 verbürgte der Kölner Erzbischof den Gentern das Recht auf zollfreie Durchfahrt auf dem Rhein, was die Kontakte mit den Hansestädten Lübeck und Hamburg (Gent selbst war keine Hansestadt) begünstigte. Bis 1540 kam die wirkliche Großstadt zustande: die ummauerte, überdies von viel Gewässern umgebene Stadt umfasste nicht weniger als 644 ha und zählte die hohe, im damaligen Europa unüberbotene Einwohnerzahl von 60 000 Menschen. In der Industrie-, besonders Textilstadt Gent wurde v.a. das hochqualitative, kostbare „*Laken*" produziert, ein sehr dichter wollener Stoff, der in der „*Lakenhalle*" (Tuchhalle) unter dem ‚Belfried (s. u'.) geprüft wurde. Die Zünfte der

---

[2] Die Grafschaft umfasste die heutigen nordwestlichen belgischen Provinzen Ost- (Hauptstadt Gent) und West-Flandern (Hauptstadt Brügge) sowie einen jetzt zu Frankreich gehörenden Teil mit Städten wie Dünkirchen (Dunkerque) und Lille (dagegen sind Brüssel, Antwerpen, Leuven/Löwen und Mechel[e]n brabantische Städte).

Weber und der Walker (nl. *voller/volder*) gehörten denn auch zu den wich-
tigsten und mächtigsten der insgesamt 42 Zünfte der Stadt.
    Die für die Herstellung des Lakens benötigte Wolle kam aber v. a. aus
England, das im 14. Jh. mit Frankreich, dessen Lehngut die Grafschaft
Flandern war, im (Hundertjährigen) Krieg stand. Dem Genter Anführer
Jakob van Artevelde aber gelang es zunächst, geschickt die Neutralität
zwischen beiden Großmächten auszuhandeln (1338), später aber schloss er
ein aktives Bündnis mit England und wurde am 13.7.1345 von den Genter
Webern ermordet. Im Jahre 1339 hatte er auch eine wirtschaftliche und
militärische Union vermittelt zwischen Flandern und dem Herzogtum
Brabant (das, wie auch alle sonstigen heutigen ‚Benelux‘-Gebiete, dem Hl.
Römischen Reich angehörte): eine wahre Präfiguration späterer, größerer
Unionen in diesem Gebiet an der Nordsee (nl. *„de Lage Landen/ de Neder-
landen"*, engl. *„Low Countries"*). Im Gedächtnis der Genter avancierte
Artevelde zum Volkshelden, zum „Weisen Mann von Gent", der 1863 am
Freitagsmarkt ein wahrhaft monumentales Standbild erhielt. Während
seiner Lebenszeit sah er selbst noch die Errichtung eines anderen Wahr-
zeichens der Stadt: des *„Belfort"* (‚Belfrieds‘; Wachtturm und Symbol der
städtischen Freiheit) mit seinem Glockenspiel (*„beiaard"*), das Vater und
(noch als Wunderkind) Sohn Mozart am 4.–5. Sept. 1765 besuchen sollten
(die heutige Spitze stammt allerdings erst aus dem Jahre 1913).
    Die Gotik in der Kunst, die auch in Gent so viele Gebäude (nicht zu-
letzt Kirchen) geprägt hat, feierte am 6.5.1432 noch einmal ihren absolu-
ten Höhepunkt mit der Eröffnung des weltberühmten Polyptychons *„Die
Anbetung des Gotteslammes"* von den Brüdern Hubert und Jan Van Eyck
– zu dem auch Dürer am Ostersonntag 1521 auf seiner ‚Niederlande‘-
Reise pilgern sollte. Noch immer befindet sich das Meisterwerk in der
Kirche, für die es geschaffen wurde: die damalige Sankt-Johanniskirche
(heute Sankt-Bavo-Kathedrale), in der dann (1500) der nicht weniger
berühmte Kaiser Karl V. getauft werden sollte. Dieser war auch in Flandern der Landesherr, als Erbe großmütterlicherseits der burgundischen
Herzöge, die seit 1384 sämtliche „Nieder-Lande" (nördliche wie südliche,
germanische wie romanische, die heutigen ‚Benelux‘-Länder) „versammelt" hatten.

Die Neue Zeit: unter habsburgischer Herrschaft

Mit dem Herrschaftsantritt Karls V. im Jahre 1515 fiel also auch Gent, auf
fast drei Jahrhunderte, an das Haus Habsburg, das damals auch über Spanien regierte. Karl löste 1529 per Vertrag die Grafschaft Flandern aus der
Lehnsherrschaft Frankreichs und inkorporierte sie in das Hl. Römische
Reich; 1548 wurden dann sämtliche ‚niederen Lande‘ zum „Burgundi-

schen Kreis" vereinigt. Diese Epoche bedeutete anfangs auch für Gent die gnadenlose Bekämpfung der aufkeimenden Reformation; in Gent wurde 1530 der erste ,Ketzer' verbrannt. Als sich Gent 1540 weigerte, dem Kaiser die Steuer zu zahlen, die er für seine Kriege gegen Frankreich dringend benötigte, wurde es schwerstens bestraft mit mehreren Maßnahmen: Enthauptungen, Beschlagnahme von Gütern, Abschaffung der Stadtrechte, Umformung der altehrwürdigen Sankt-Bavo-Abtei in eine spanische Zwingburg (jetzt Ruine und Museum), am symbolträchtigsten noch die Forderung, dass 50 Bürger barfuß, im Hemd und mit der Schlinge um den Hals vor dem Kaiser kniend um Gnade flehen mussten (daher der jetzt mit Stolz getragene Spottname der Genter: *„stropdragers"* ,Schlingenträger', kurz *„stroppen"*). Trotzdem fand 1566, unter Karls Sohn und sowohl in Spanien als in sämtlichen Niederlanden regierenden Thronfolger Philipp II., in Genter Kirchen und Klöstern ein verwüstender ,Bildersturm' statt. Gent wurde sogar 1577 (bis 1584) in eine rigorose kalvinistische Republik (mit eigener dito Universität) verwandelt, und zwar ausgerechnet im Jahr nachdem noch (im Prunksaal des Rathauses) die *„Genter Pazifikation"* zwischen Katholiken und Protestanten aller ,niederen Lande' abgeschlossen worden war. 1584 aber fiel Gent wieder in spanische Hände (die nördlichen Niederlande dagegen wurden faktisch unabhängig – bis heute) und blieb dort bis 1713, als die südlichen Niederlande an die *österreichische Linie* kamen (wegen Kinderlosigkeit von Carlos II. in Spanien). Unter Kaiserin Maria Theresia (1740–1780), deren großes gemaltes Porträt im prächtigem flämischen Spitzenkleid einen Raum im selben Rathaus ziert, brachen wiederum bessere Zeiten an, auch für Gent, das zum Transithafen für Frankreich und die (Nördlichen) Niederlande gemacht wurde. In diesem Jahrhundert der Aufklärung war Gent auch fortschrittlich in der Errichtung eines Gefängnisses mit obligatorischer Beschäftigung der Inhaftierten.

Neueste Zeit: seit der Französischen Revolution

1792 wurden die Südlichen Niederlande von französischen revolutionären Truppen überrollt und 1793 von der Französischen Republik auch annektiert. 1797 wurde in Gent die Stadtbibliothek gegründet, mit vielen (alten) Beständen aus abgeschafften Klöstern (diese kamen später in die jetzige Universitätsbibliothek). 1798 schmuggelte der Genter Industrielle Lieven Bauwens eine mechanische Spinnmaschine (*„Mule Jenny"*) aus England nach Gent, womit eine neue Ära in der uralten Textilstadt begann. Gent empfing Napoleon zweimal (1803, 1810). 1809 fanden die ersten *„Floralien"* statt: es war die (erstmals noch winzige) Blumenausstellung, die jedes vierte Jahr Begeisterte aus aller Herren Länder anlockt. 1814 bot

Gent den Delegationen der unabhängig gewordenen Vereinigten Staaten und des Mutterlandes England einen neutralen Ort zur Regelung ihrer Streitigkeiten: dies mündete, nach acht Monaten, in die Unterzeichnung des „*Treaty of Ghent*".

Nach Napoleons Niederlage in Waterloo (1815) beschlossen die europäischen Großmächte die Wiedervereinigung der Südlichen und Nördlichen Niederlande unter König Willem I. von Oranien-Nassau, der Gent sehr begünstigte. So verordnete er am 9.10.1817 die Errichtung einer (lateinisch dozierenden) Universität – wohl nicht ganz ohne Andenken an die kurzlebige kalvinistische Universität aus der Reformationszeit. Gent wuchs sich zum regelrechten „Manchester des Festlandes" aus, mit v. a. Baumwollindustrie, in 75 Betrieben mit 50.000 Arbeitern. Der neu gegrabene Kanal Gent–Terneuzen (34 km), in der Trasse eines älteren aus der Zeit Karls V., verband jetzt Gent besser denn je mit der Westerschelde und der Nordsee und ist noch immer die Lebensader des modernen Genter Hafens. Die Stadt zählte denn auch, nicht zuletzt unter den Großindustriellen, viele „Orangisten", die der Losreißungsidee des Südens zu einem selbständigen Belgien nicht gewogen waren – was aber dann 1830 doch zur Tatsache wurde. Willem erhielt in Gent sogar, aber erst im Jahre 2018 (!) und im etwas kleineren Format, eine Statue für seine Verdienste um die Stadt.

Aber unterdessen hatte sich 1830 im Süden, mit dem brabantischen Brüssel als Hauptstadt, das *Königreich Belgien* (nl. *België*, frz. *Belgique*) als souveräner Staat proklamiert und internationale Anerkennung gefunden – ein Staat, dessen (geografisch gegliederte) Zweisprachigkeit gleich den Keim in sich trug von einer der (bis heute sogar) wichtigsten ‚Fragen' seiner Existenz: die Sprachenfrage. Obwohl Sprachenfreiheit im Privaten und Lokalen garantiert war, verstand sich der neue Staat in seinen höchsten Instanzen (etwa Parlament) doch als französischsprachig: die „Flämische Frage" (nl. *Vlaamse kwestie*) war geboren – auch in Gent, wo andererseits auch das (sogar noch teils orangistische) Großbürgertum dem Gebrauch eben des Französischen frönte. Vorkämpfer der emanzipatorischen „Flämischen Bewegung" war in Gent u. a. deren ‚Vater' Jan Frans Willems (mit Statue vor Dom und Theater), der auch die engste Verwandtschaft des Niederländischen und des Niederdeutschen beschrieb. Wichtig dabei war die Gründung 1892 der (heutigen) „Koninklijke Academie voor Nederlandse Taal en Letteren", absoluter Wende- und Höhepunkt aber, erst 100 Jahre nach der Unabhängigkeit Belgiens, die sprachliche ‚Niederlandisierung' der Universität Gent (1930). Die andere ‚Frage', für Gent als Industriestadt ebenso wichtig, war die soziale Frage: an der Wiege der beiden größten, noch existenten

Arbeiterparteien bzw. Gewerkschaften (der sozialistischen und der christlich-sozialen) in der zweiten Hälfte des 19. Jh.s standen auch einflussreiche Genter. Die ‚Internationale‘ als Kampflied wurde 1888 vom gebürtigen Genter Pierre De Geyter komponiert. Bis ungefähr zum selben Jahr (1888) war die uralte Innenstadt um Dom und ‚Belfried‘ saniert und mit neuen, breiteren Straßen und Plätzen renoviert worden. Sie wurde zudem verbunden mit einem ersten (Haupt)-Bahnhof, der von 1837 bis 1931 existierte; ein neuer, der heutige Hauptbahnhof („*Sint-Pietersstation*"), entstand 1913, nahe dem Gelände der damaligen Weltausstellung. Nach dem (bei allem Unheil gut überstandenen) Ersten Weltkrieg baute der Architekt Henry Van de Velde, der auch in Deutschland (Hagen, Weimar) tätig gewesen ist, von 1936 bis 1940 auf dem Blandijn-Hügel für die Universität seinen 64 m hohen, modernistischen, einzigartigen „Bücherturm" (nl. „*Boekentoren*", für zwei Millionen Bücher, „der vierten Turm von Gent") und den anschließenden großen Lesesaal.

Nach dem Zweiten Weltkrieg, den Gent ebenfalls glimpflich überlebte, geriet die Stadt allmählich in eine neue Stromschnelle der Modernisierung und des weiteren Aufblühens. Im Oktober 1974 fand das erste, alljährliche „*Internationaal Filmfestival Gent*" (jetzt „*Filmfest Gent*") statt. 1977 wurde eine gewaltige Eingemeindung von 13 seit jeher selbständigen, größeren wie kleineren Vororten durchgeführt und zu einem schließlich alle Einwohner zufriedenstellenden Ende gebracht. Sowieso zog und zieht die Stadt, nicht zuletzt auch durch ihre Universität, viele neue Bürgerinnen und Bürger aus der sehr weiten Umgebung an (2023 zählte sie 267.000 Einwohner). Gegen Ende des vorigen Jahrhunderts machte eine neue und noch heute weitergehende Welle der Renovierung, zunehmend auch mit ‚grünen‘ Akzenten, Gent für ihre lieben Bewohner zum noch besseren Lebensraum und für (sehr gerne empfangene) Touristen zur noch größeren Attraktion. So ist „*de fiere stad*" („die stolze Stadt") dann doch tatsächlich eine „City for all Seasons" – ‚und soll es ewig bleiben‘!

Gent   *Luc De Grauwe*

Intra-village variation: Variablenlinguistische Studien zum westfälischen Ortsdialekt Lutterbergs (Teil III)

1. Einleitung

Dieser Beitrag ist der dritte Teil der im Nd. Kbl. 129 (2022) und 130 (2023) erschienenen Artikelserie „*Intra-village variation*: Variablenlinguistische Studien zum westfälischen Ortsdialekt Lutterbergs" und thematisiert neben der variablenlinguistischen Untersuchung endogener phonologischer und lexikalischer Varianten auch Phänomene im nominalmorphologischen Bereich anhand einer spezifischen Fallstudie des OD Lutterbergs.[1, 2] Das zugrundeliegende Korpus wird seit 2018 durch Elizitation, Interviews und Aufnahmen von FS nativer Sprecher des OD Lutterbergs aufgebaut und beinhaltet bisher Daten von insgesamt 32 Informanten der letzten beiden Sprechergenerationen $G_1 - G_0$. Wenn nicht explizit angegeben, entstammen die Daten weiterer OD einer parallelen Erhebung von Sprachmaterial der wgerm. Varietäten grenzübergreifend (ursprünglich) in Mittel- und Westdeutschland, die bisher Daten aus über 300 OD von mehr als 400 Informanten der $G_1 - G_0$ fasst.

2. *ziːnə fɛl?* Auffälligkeiten in der pronominalen Flexion

Die Ausbildung der schwachen (definiten) und starken (indefiniten) Adjektivflexion stellt eines der primären Charakteristika des germanischen Phylums innerhalb der idg. Sprachen dar (s. Hansen & Kroonen 2022: 155, Ringe 2017: 313–315). Die Pronomina flektieren hierbei stark (Fulk 2018: 188–189, 204–207, As.: Galeé & Tiefenbach 1993: 238, 242) –

---

[1]   Ich möchte an dieser Stelle allen voran Götz Keydana und Saverio Dalpedri für kritische Kommentare und Anmerkungen während der Arbeit zu dieser Artikelserie danken. Darüber hinaus danke ich Sarah Ihden, Alfred Lameli und Markus Denkler für aufschlussreiche Diskussionen sowie Robert Langhanke für seine zahlreichen Verbesserungsvorschläge in der Redaktion. Alle verbleibenden Fehler sind selbstverständlich meine eigenen.

[2]   In diesem Artikel erscheinende Abkürzungen: albg. = altlutterbergisch, as. = altsächsisch, E = Elizitation, FB = Fragebogen, FS = *free speech*, GG = Göttingisch-Grubenhagensch, intr. = intransitiv, lbg. = lutterbergisch, md. = mitteldeutsch, mnd. = mittelniederdeutsch, nd. = niederdeutsch, NSW = Niedersächsisches Wörterbuch, OD = Ortsdialekt, of. = ostfälisch, owf. = ostwestfälisch, slbg. = spätlutterbergisch, sowf. = südostwestfälisch, std. = standarddeutsch, stfbg. = staufenbergisch (nthür.), tr. = transitiv, urgerm. = urgermanisch, WB = Wenkerbogen, wgerm. = westgermanisch. Wenn nicht näher angegeben, sind mnd. und as. Belege Tiefenbach (2010), Schiller & Lübben (1875) sw. Köbler (2014a, 2014b) entnommen.

durch historische Prozesse zeigt der Nom. Sg. der starken Flexion in den kontinentalwgerm. Dialekten i. d. R. Nullendung. Eine Ausnahme bildet das Femininum, bei dem sich das Akkusativflexiv später auf den Nom. ausweiten konnte (für das Mnd. s. Sarauw 1924: 78, Lasch 1914: 204–205, Foerste 1954: 1955, 1984–1985). Im folgenden Abschnitt werde ich Pronomen im engeren Sinne, die absolut stehen und eine NP ersetzen, von ihren attributiv erscheinenden Gegenstücken, den Determinierern, trennen.

		M	F	N
Adj. stark	NOM	/ˈklaːn-əʁ/	/ˈklaːn-ə/	/ˈklaːn-ət/
	ACC	/ˈklaːn-ən/	/ˈklaːn-ə/	/ˈklaːn-ət/
Adj. schwach	NOM	/ˈklaːn-ə/	/ˈklaːn-ə/	/ˈklaːn-ə/
	ACC	/ˈklaːn-ən/	/ˈklaːn-ə/	/ˈklaːn-ə/
indef. Determinierer	NOM	/ˈkaːn/	/ˈkɛn-ə/	/ˈkaːn/
(attributiv)	ACC	/ˈkɛn-ən/	/ˈkɛn-ə/	/ˈkaːn/
Indef.pron.	NOM	/ˈkɛn(d)-əʁ/[3]	/ˈkɛn-ə/	/ˈkaːn/
(prädikativ)	ACC	/ˈkɛn-ən/	/ˈkɛn-ə/	/ˈkaːn/
poss. Determinierer	NOM	/ˈmiːn/	/ˈmiːn-ə/	/ˈmiːn/
(attributiv)	ACC	/ˈmiːn-ən/	/ˈmiːn-ə/	/ˈmiːn/
Poss.pron. (prädikativ)	NOM	/ˈmiːn/, /ˈmiːn-əʁ/[4]	/ˈmiːn-ə/	/ˈmiːn/
	ACC	/ˈmiːn-ən/	/ˈmiːn-ə/	/ˈmiːn/

Tabelle 1: Reguläre Endungsschemata des Nom. und Akk. Sg.

---

[3]   Zur Variation bei /ˈkɛndəʁ/ ~ /ˈkɛnəʁ/, /ˈɛndəʁ/ ~ /ˈɛnəʁ/ s. Pötzsch 2022: 18–20.

[4]   Informantin #0 zeigt beide Formen kontextunabhängig in freier Variation. /ˈmiːnəʁ/ stellt dabei die rezente Formation dar: Hierbei liegt entweder Analogie zu übrigen Pronomen oder konvergenzinduziertes Entlehnen morphologischer Formative aus dem Std./Hd. zur Erhöhung formaler Ähnlichkeit vor.

Auch im Lbg. sind die starke und schwache Adjektivflexion durch unterschiedliche Endungssätze charakterisiert. Die starke Flexion der Determinierer weicht hiervon in mehreren Fällen ab, während der Nom. Sg. m. der Possessivpronomina durch Nullendung gegenüber dem Nom. Sg. m. auf {-ɐʁ} der restlichen Pronomina markiert ist. Tabelle 1 zeigt eine Übersicht über die unterschiedlichen Endungen im Nom. und Akk. Sg. anhand des Adjektivs 'klein', des Indefinitums 'kein' sowie des Possessivums 'mein'.

Auffälligerweise liegen für wenigstens zwei Sprecher unterschiedlicher Generationen im Lbg. nun Daten vor, die den indefiniten Determinierer /ˈkaːn/ 'kein' sowie die possessiven Determinierer /ˈmiːn/ 'mein' und /ˈziːn/ 'sein' im Neutrum mit einer Endung /-ə/ zeigen. Zwar sind die Daten jeweils singulär, aber eindeutig – das Indefinitum erscheint auch konkret in seiner Form mit gekürztem Stammvokal /ˈkɛn-/ vor folgender Endung (vgl. Tabelle 1). Die Belege beschränken sich dabei auf Objekte außerhalb des Vorfelds des Satzes, wie die Beispiele (1) – (3) zeigen.

Daten für #0, *G₀* f., FS

(1) /ˈfiːvɐʁ/ **n.** 'Fieber' ← std. *Fieber*
/ɪk ˈhavə *Gott sei Dank* ˈkɛnə ˈfiːvɐʁ ˈmɛː/
„Ich habe Gott sei Dank kein Fieber mehr."
erwartet: /ɪk ˈhavə *Gott sei Dank* ˈkaːn ˈfiːvɐʁ ˈmɛː/

(2) /ˈfɛl/ **n.** 'Fell'
/ən ˈangɐʁɐʁ ˈhʊnd ˈdeːʁ ˈjɛts ˈhalt ˈziːnə ˈfɛl ˈdɔː ˈhɛd/
„Ein anderer Hund, der jetzt halt sein Fell da hat."
erwartet: /ən ˈangɐʁɐʁ ˈhʊnd ˈdeːʁ ˈjɛts ˈhalt ˈziːn ˈfɛl ˈdɔː ˈhɛd/
Daten für #10, *G₁* f., FS

(3) /ˈɔːgə/ **n.** 'Auge'
/dat ˈɪz ˈnɪç ˈgɔːd ˌføːʁ ˈmiːnə ˈɔːgə/[5]
„Das ist nicht gut für mein Auge."
erwartet: /dat ˈɪz ˈnɪç ˈgɔːd ˌføːʁ ˈmiːn ˈɔːgə/

Auf den ersten Blick erscheint es zumindest formal denkbar, dass hier schwache Endungen aus der Adjektivflexion vorliegen. Die reguläre Verteilung der sw./st. Flexion im Lbg. entspricht dem Nhd./Std., welches durch eine Restrukturierung/Reinterpretation der beiden Endungssets den Zusammenhang zu semantischer Definiertheit aufgegeben hat. Stattdessen werden morphosyntaktische Bezüge innerhalb einer Konstituente, die einen oder mehrere Determinierer und/oder Adjektive enthält, nun durch genau eines dieser Elemente mit informationsreicher starker Endung ko-

---

[5]   Insofern hier nicht /ˈɔːgə/ [ˈ(ʔ)ɔːʁ̃ə] für /ˈɔːgə[n]/ 'Augen' PL unter anomaler Realisierung ohne *n#* vorliegt.

diert (Harbert 2007: 133–135).[6] Possessive und indefinite Determinierer erscheinen in diesem System ganz regulär mit st. Endungen, da ihnen keine weiteren Determinierer vorausgehen. Dass in den Beispielen (1) – (3) also schwache Endungen vorliegen sollen, ohne dass ein vorausgehendes Element in der Konstituente die Verteilung gesteuert hat, ist anormal. Das Erscheinen von schwachen Endungen ist daher als mögliches Szenario unwahrscheinlich.

Kontrahierte Formen des Typs mnd. *sîne, senne* < *sînene* ACC.SG.M (s. Sarauw 1924: 115), die /-ə/ als Rest eines Akkusativflexivs erklären könnten, sind dem Lbg. ferner unbekannt. In unserem Falle liegen zudem historisch endungslose Neutra vor. Auch regional lassen sich für Possessiva und Indefinita keine neutralen Formen auf /-ə/ finden – die Belege in fünf Ortsdialekten, die nach DSA Karte 438 („kein Stückchen") in einem größeren Umfeld „kein" mit finalem -e zeigen, sind nicht aussagekräftig. Die Formen können bei genauerer Betrachtung als Plurale analysiert werden und sind damit ambig: OD Wendershausen (md.) „kenne Stüchen" [sic], OD Wellingerode (md.) „kene Stickchen", OD Bördel (of.) „keine Stücke", Schöneberg (owf.) „kinne Stückkelken". Lediglich einmal erscheint „keine Stück" im OD Eddesse (of.), das als Singular analysiert werden kann – eine Überprüfung mit einer Sprecherin der G_0 ergab hier jedoch /ˈka̱ɪn ˈʃtʏkə/ ohne /-ə/ (reguläres /ˈka̱ɪn/ für Neutrum), sodass die DSA-Form zur Bestätigung nicht (mehr) repliziert werden kann.

Ein vielversprechender Ansatz, das sekundäre /-ə/ zu erklären, findet sich in Analogie zu den übrigen Possessivadjektiven und -pronomen, die ein auslautendes /-ə/ im Nominativ auch außerhalb des Femninums zeigen: Ein genus- und numerusindifferenter Ausgang /-ə/ erscheint in lbg. /ˈɛːʁə/ 3SG.F/3PL 'ihr, ihre'[7] < mnd. *$\bar{e}^2re$,[7] /ˈʊnzə/ 1PL 'unser, unsere' < mnd. *unse* (neben *ûse*) und /ˈjɔgə/ 2PL 'euer, eure' < spätas./frühmnd. *jûwe* gegenüber /ˈmiːn/ 1SG 'mein', /ˈdiːn/ 2SG 'dein', /ˈziːn/ 3SG 'sein'. Ein /-ə/ könnte von hier durch sein frequentes Auftreten in der Hälfte der Possessivformen spontan ausgeweitet werden. Vor allem /ˈziːn/, das als 3SG.M/N sowohl im Sg. als auch Pl. direkt /ˈɛːʁə/ 3SG.F/3PL gegenübersteht, könnte so leicht anfällig für Analogie sein. Da sich /ˈmiːn/ 1SG, /ˈdiːn/ 2SG und /ˈziːn/ 3SG im Übrigen aber durch eine sehr ähnliche phonemische Struktur auszeichnen, könnte sich /-ə/ dann von /ˈziːnə/ aus auch auf die beiden anderen Possessiva ausgebreitet haben, was die Variante /ˈmiːnə/ erklären

---

[6]   Für eine variablenlinguistische Betrachtung zur synchronen Situation der sw. und st. Adjektivflexion im Mhd. s. Klein *et al.* 2018: 216–235. Für das Mnd. siehe Sarauw 1924: 81–86.

[7]   Zum Vokalismus s. Pötzsch 2023: 40–41.

würde. Da /ˈziːnə/ und /ˈmiːnə/ jedoch bei unterschiedlichen Sprechern belegt sind, lässt sich ein solcher Ansatz nicht direkt beweisen.

Es erweist sich jedoch als erschwerend für diese Erklärung, dass gerade die Possessiva auf /-ə/ im Slbg. der G_1 und G_0 ein ambivalentes Bild zeigen: In *inter-* und *intra-speaker variation* sind diese anfällig für Apokope als vertikale Konvergenzerscheinung. Die einzige Form, in der auslautendes /-ə/ durchgängig stabil bleibt, ist /ˈjɔgə/ 2PL, während /ˈʊnzə/ 1PL nach std. Vorbild mit einer strukturell angepassten Form /ˈʊnzɐ/ SG.M/N, /ˈʊnzəʁə/ SG.F/PL, Stamm /ˈʊnzɐ-/ variiert. Diese bietet gegenüber nativem /ˈʊnzə/ auch den attraktiven Vorteil, Genus und Numerus explizit markieren zu können. In /ˈɛːʁə/ 3SG.F/3PL hingegen kann auslautendes Schwa nach std. Vorbild *ihr* fallen. Auch hier führt die Remodellierung zu einer Möglichkeit, Genus und Numerus zu markieren: apokopiertes /ˈɛːʁ/ für m./n. Sg. steht bei diesen Sprechern /ˈɛːʁə/ für f. Sg. und Pl. gegenüber. Beide Fälle von Konvergenz sind sicherlich auch durch die formale Ähnlichkeit zu den std. Formen begünstigt, wohingegen die Differenz zwischen lbg. /ˈjɔgə/ und std. *euer/eure* so groß ist, dass beide Formen nicht verknüpft werden können.

Das folgende Beispiel soll *intra-speaker variation* in /ˈɛːʁə/ in FS im Lbg. illustrieren. Sprecherin #0 (G_0) zeigt im Allgemeinen eine stellungsunbedingte Prävalenz für die apokopierte Variante.

/ˈʊn ˈdɛː ˈbɔgən ˈɛːʁ ˈnɛst *also im Prinzip* ˈfast ˈʊngən ˌʊp=dəʁ ˈɛːʁə, ˈɔːvəʁ dat ˈmʊt ˈdɛn gəˈʃʏtˢət ˈzɪn, ˈzeːgə=ɪk=mə, ˌdœʁç ˈbʏʃə ˌmɪt ˈdɔʁnən ˈoːdəʁ *irgend* zoː=ən ˈveːzən, ˈvoː ˈkɛnə ˈkatsə ˈoːdəʁ nʏʃ ˈʁɪnˌkʏməd, ˈdɔː ˈhan dɛː ˈmaːztənˌdaːlz ˈʏməʁ ˈdɛn ˈɛːʁə ˈnɛst/

„Und die [*scil.* Vögel] bauen ihr Nest also im Prinzip fast unten auf der Erde, aber das muss dann geschützt sein, sage ich mal, durch Büsche mit Dornen oder irgend so ein Zeug, wo keine Katze oder nichts hereinkommt. Da haben die meistens immer dann ihr Nest."

Da Lutterberg in einer Region liegt, in der ererbtes auslautendes /-ə/ i. d. R bewahrt wird, ist konvergenzinduzierte Apokope bei Ausgangsformen auf /-ə/ auch in umliegenden Ortsdialekten nicht unbekannt, vgl. stfbg. Uschlag Informantin #3 (G_0) /ˈɛːʁə ˈhuz/ 'ihr (Pl.) Haus' neben /ˈɛːʁ ˈgaːʁtən/ 'ihr (Pl.) Garten'. Kehren wir zurück zu einer möglichen Erklärung des Phänomens, so stünde eine analoge Ausbreitung von /-ə/ also direkt der Tendenz zu Apokopierung gegenüber.

Erstaunlicherweise finden sich auch im Mnd. Fälle des possessiven Determinierers *sîn* 3sg auf auslautendes -*e* zumindest für den Nominativ Sg. m. (weder für Akkusativ oder Neutrum, noch für *mîn* oder *dîn*). Vor allem die *Cronecken der Sassen* (1492) zeigt eindeutige Befunde. Nach einer korpusbasierten Suche im ReN stehen für *sîn* sechs Formen auf -*e* neun Belegen ohne *-e* im Nom. Sg. m. gegebüber.[8] Alle Fälle beschränken sich auffälligerweise auf Konstituenten, die die Verwandschaftsbezeichnungen „Vater", „Sohn" und „Bruder" enthalten, vgl.

> *do abel drittich Jar alt was do sloch o̊ne **syne broder** dot* (S. 3v)
> „Als Abel 30 Jahre alt war, da schlug ihn sein Bruder tot"

> ***Sine vader** het pipinus vnde syne moder bertrat* (S. 13r)
> „Sein Vater hieß Pipinus und seine Mutter Bertrat"

In den Gegenbeispielen erscheinen Formen ohne *-e* auch in gleicher syntaktischer Stellung, vgl.

> ***syn vader** was eyn van den twelff edellinghe der sassen* (S. 30v)
> „Sein Vater war einer von den zwölf Edelingen der Sachsen"

Auch im Bremer Kodex der *Sächsischen Weltchronik* lässt sich ein Beispiel finden, wobei im Lübecker *Lucidarius* ferner der Indefinitartikel ein Mal mit *-e* erscheint, vgl.

> *he ne wolde och nicht dat **sine sone** keiser worde.* (Br. W., S. 27vb)
> „Er wollte auch nicht, dass sein Sohn Kaiser wurde"

> *In der suluen insel is ein holt dat het ebenus. dat vorratet nicht. ok vorbernd id nummer. dar inne is ok **eine berch**, de het eneda.* (L. L., S. 12v)
> „Auf der selben Insel gibt es ein Holz, das heißt Eben. Das verfault nicht. Auch verbrennt es niemals. Darauf ist auch ein Berg, der heißt Eneda."

Die Variation in mnd. Quelltexten, v. a. in der *Cronecken der Sassen* ist auffällig, zeigt aber keine deutliche syntaktische Konditionierung. Die Formen weisen auch auf keine stellungsbedingten graphischen Ursachen wie bspw. Zeilenränder. Sicherlich würde eine ausführliche Darstellung und Untersuchung aller Daten in der *Cronecken der Sassen* hier zu interessanten Ergebnissen zur Verteilung des Phänomens führen, die auch für die Fälle im OD Lutterbergs aufschlussreich sein könnten. Eine solche Analyse kann jedoch leider an dieser Stelle nicht gegeben werden. Die Fälle zeigen aber, dass das Eindringen eines enigmatischen *-e* im Nom. Sg. m. *sîn* auch in einigen mnd. Texten festzustellen ist.

Für den übrig gebliebenen Fall des indefiniten Determinierers /ˈkɛnə/ lässt sich eine ähnlich plausible Motivation wie für die Possessiva i. F. v. Analogie nicht finden. Sicherlich wäre es hier ratsam, erst einmal vorsich-

---

[8]   Bis S. 54r: *syne broder* (S. 3v), *syne sone Tytus* (S. 6v), *Sine Vader* (S. 13r), *syne sone lodewicus* (S. 23v), *syne sone walbrecht* (S. 33r), *syne vader* (S. 34r) vs. *syn vader* (S. 26v, 35r, 44r, 48r), *syn sone* (S. 29r), *syn sone lottarius* (S. 38r), *syn broder hertoch Bruno* (S. 42v), *syn broder danckwort* (S. 42v), *syn sone lodewicus* (S. 48v).

tig zu konstatieren, dass /ˈkɛnə/ bis zu neuen Erkenntnissen durch zusätzliche Daten ein intransparenter Sonderfall bleiben muss. Eine abschließende Erklärung der Formen lässt sich auf Basis der bisher sehr beschränkten Daten im Lbg. leider nicht geben. Das Phänomen an sich ist trotzdem so auffällig, dass eine Vorstellung und Diskussion im Rahmen der Artikelserie geboten schien.

3. Diachrone Variation: Der Artikel im Altlutterbergischen

In nicht wenigen nd. OD gibt es auffällige Unterschiede im Vokalismus der Personalpronomen 'er, sie' und den Formen 'der, die'.[9] Diese lassen sich auf unterschiedliche phonologische und syntaktische Prozesse im Laufe der nd. Sprachgeschichte zurückführen. Im Folgenden werde ich auf die Varianten des definiten Artikels und des in den meisten Fällen gleichlautenden Demonstrativums und Relativums eingehen, die ich in diesem Artikel unter dem Begriff „d-Wort" zusammenfasse. Die klitische Form /də/ ⟨de⟩ bleibt in den Analysen zweckmäßig unerwähnt.

Das heutige nd. d-Wort geht auf das as. Demonstrativum/Relativum *thē* zurück.[10] Lautlich fallen bereits im Mnd. der as. Nom. Sg. m. *thē (thie)*, Akk. Sg. f. *thia, thea*, Nom. Sg. f. *thiu* (durch Synkretismus mit dem Akk.) und Nom./Akk. Pl. *thē, thia, thea* in mnd. *dê⁴* zusammen. Während die mnd. Form auf *ê⁴* heute lautgesetzlich in den meisten nd. OD fortgesetzt wird, finden sich daneben aber auch ortsspezifisch Exponenten, deren Vokalismus auf mnd. *ê²* und *ē²* zurückgeht.

Eine mögliche Erklärung für die Varianten auf *ê²* bietet Sarauw (1921: 187, 1924: 266): Monosyllabische Pronomen, die as. *ē, ia* > mnd. *ê⁴* zeigen, haben in schwacher (unakzentuierter) Stellung im Mnd. sekundäre Varianten mit *ê²* entwickelt. Insbesondere der Artikel und das Relativum weisen durch ihr frequentes Auftreten in solchen Positionen stellungsbedingte Varianten auf. Schließlich wurden diese sekundären Varianten auf das Demonstrativum verallgemeinert, sodass sie auch in akzentuierter Position erscheinen konnten.

Die übrigen Varianten mit Exponenten von mnd. *ē²* lassen sich etymologisch durch paradigmatischen Ausgleich erklären. Der oblique Stamm in as. *thëna, thëmu, thëro* usw. wird ganz lautgesetzlich durch mnd. *ē²* fortgesetzt, welches sich durch die Frequenz dieser Formen leicht auf die Nominative und Akkusative mit abweichendem Vokalismus ausbreiten konnte. In solchen Ortsdialekten, welche durch diese Prozesse ein Nebeneinander unterschiedlicher Varianten entwickelt hatten, konnten sich später wieder

---

⁹   Und ferner 'wer', s. Sarauw 1921: 187.
¹⁰   Zur Entstehung des as. Paradigmas s. Ringe & Taylor 2014: 122–123.

bestimmte Formen durchsetzen. Der Ausgleichsprozess scheint in einigen OD erst relativ rezent abgeschlossen worden zu sein – die historischen Quellen zeigen hier tlw. noch ein deutliches Bild von *intra-village variation*. Auch das Lbg. weist historisch ein Nebeneinander solcher Varianten auf. Die belegten Vollformen sind in Tabelle 2 dargestellt. Zum direkten Vergleich werden auch noch einmal die Personalpronomen der 3. Ps. Sg. m. und f. gegeben. In Tabelle 3 sind die Vollformen von 'die' dann explizit nach Quelle und, wo bekannt, Sprecher sortiert. Alle albg. Belege sind durch eine phonemische Umschrift ergänzt. Da das Lbg. im Nom. Sg. m. nicht mnd. *dê* fortsetzt, sondern durch seine unmittelbare Grenzlage zu hd. Varietäten /ˈdɛːʁ/, /ˈdeːʁ/ zeigt, bleibt dieser unerwähnt. Mnd. *ê⁴* erscheint im Albg. als /aɪ̯/, das sich mit dem Übergang zum Slbg. konditioniert zu /aː/ entwickelt (außer vor {k, nk, ng, g#}).

		Albg.		Slbg.
'er, sie'	WB ⟨hei, sei⟩	/ˈhaɪ̯/, /ˈzaɪ̯/		
	NSW ⟨hei, he (1x), sei⟩	/ˈhaɪ̯/, /ˈzaɪ̯/		/ˈhaː/, /ˈzaː/
'die'	WB ⟨dei⟩	/ˈdaɪ̯/		
	NSW ⟨dei, dä, de, dee⟩	/ˈdaɪ̯/, /ˈdɛː/		/ˈdɛː/

Tabelle 2: Synopse alt- und spätlbg. Pronominalformen < as. *ē*

Quelle	G	'die'
WB: durch Schüler ausgefüllt	G₃	⟨dei⟩ /ˈdaɪ̯/
NSW (FB 1–5)[11]: Lehrer Winckel, „Kinder, ältere Leute", „Kinder und Erwachsene"	G₃ – G₂	⟨dä?, de⟩ (Deutung unsicher)
NSW (FB 2): Karl Sittig, *14.06.1863	G₃	⟨dei⟩ /ˈdaɪ̯/
NSW (FB 7, 8): Wilhelm Arend, *1872~73	G₃	⟨dä, dee (1x)⟩ /ˈdɛː/

Tabelle 3: Historische Varianten von 'die' NOM/ACC.SG.F, NOM/ACC.PL

---

[11] Die Fragebögen 1–9 des NSW wurden in Lbg. (e24,13) zwischen den Jahren 1935 und 1938 von insg. sechs Personen ausgefüllt. Einige Fragebögen liegen durch verschiedene Übersetzer doppelt vor. Der nicht aus Lbg. stammende Schullehrer Winckel fertigte die Übersetzungen (FB 1–5) mit Hilfe ortsansässiger Kinder, Erwachsener und „älterer" Bewohner an. Auffällig ist, dass er mit wenigen Ausnahmen für 'der' regelmäßig ⟨de⟩ angibt, obwohl schon im Albg. des WB ⟨der⟩ gilt.

Betrachten wir die auffällige Variation des d-Worts im Albg. genauer, so gibt es klare *inter-speaker*-Differenzen (Tabelle 3). Während für die Personalpronomen im Albg. und die direkten slbg. Fortsetzer durchweg Formen mit Exponenten von *ê⁴* vorliegen (vgl. Tabelle 2), erhält das Albg. beim d-Wort noch in der G_3 ein idiosynkratisch verteiltes Nebeneinander von Formen mit *ê⁴* und einer sekundären Variante auf /ɛː/. Lautgesetzlich kann der Vokalismus von /ˈdɛː/ im Lbg. auf *ê²ᵃ* und *ē²* zurückgehen. Hiermit sind als Ausgangspunkt die Fortsetzung der stellungsbedingten Variante *dê²ᵃ* von *dê⁴*, aber auch paradigmatischer Ausgleich anhand des Stamms *dē²-* (> lbg. /ˈdɛː-/)[12] möglich. Wie die Gegenüberstellung der Varianten im Albg. und Slbg. zeigt, wird diese Variation schließlich zugunsten der Variante mit *ê²ᵃ/ ē²* ausgeschaltet. Ein genauer Zeitpunkt für den Abschluss dieses Prozesses kann auf Basis der Daten nicht gegeben werden – während alle Informanten der G_1 und G_0 ausschließlich /ˈdɛː/ zeigen, liegen für die G_2, die den Übergang vom Albg. zum Slbg. markiert, keine Daten vor. Aus einer, zumindest für die Endphase des Albg. belegten *inter-speaker variation* muss sich folglich nach der Durchsetzung von /ˈdɛː/ eine merkliche *age-related variation* zwischen Sprechern der G_3 und G_1 entwickelt haben (die G_2 hier aufgrund der Datenlücke auslassend).

Der Fall wird insbesondere dadurch interessant, dass hierbei das Ende einer historischen Variable im Lbg. vorliegt. Dies steht im Gegensatz zu der in dieser Artikelserie thematisierten großen Variationsbreite, die das Lbg. ansonsten kennzeichnet – sei es in ererbter Form oder im Zuge rezenten Sprachwandels.

Die diskutierte Variation kann über den OD dieser Fallstudie hinaus auch in einen größeren Kontext gesetzt werden: In weiteren süd- und zentralof. Ortsdialekten, in denen sekundäre Varianten historisch mit *dê⁴* konkurriert haben, lassen sich parallele Ergebnisse beobachten. Die folgenden Beispiele (4) – (8) sollen diese arealtypologische Tendenz deutlich machen. Die Varianten werden jeweils etymologisch eingeordnet und kurz diskutiert. Wenn nicht näher spezifiziert, gelten die Formen für Nom. Sg (m./f.), Akk. Sg. f. und Nom./Akk. Pl.

---

[12] Der oblique Stamm /ˈdɛː-/ ist im Lbg. lautgesetzlich, woneben ein sekundärer Stamm /ˈdeː-/ aus dem Std. eingedrungen ist. Schon die Belege des Albg. (WB, NSW) zeigen Kontamination des Artikels mit std. Vokalismus, während die beiden Vokalismen auch bei Sprechern der G_1 und G_0 zumindest beim Artikel in Konkurrenz stehen. Das Demonstrativum/Relativum lautet dagegen regelmäßig auf /ˈdɛː-/. Eventuell lässt sich hier durch die Tendenz des Artikels zum std. Vokalismus eine Profilierung gegenüber dem Demonstrativum/Relativum beobachten (s. a. Pötzsch 2021: 58).

(4) OD Dorste

Das uniforme ⟨dei⟩ des WBs für Dorste findet sich auch in der Ortsgrammatik von Dahlberg wieder, der *daị* zu dieser Zeit als die prävalente
Form für 'der, die' angibt. Eine Nebenform *dę̄* taucht nur in einer Anmer-
kung auf: „Neben *daị* (abgeschwächt *də*) gibt es eine form *dę̄* mit *ê¹ (ê²)*"
(1934: 121). Diese erscheint bei Dahlberg (1937: 41) unter sonderbarer
Ausnahme des Akk. Pl. neben *daị* auch im Paradigma des d-Worts. Dem-
gegenüber stehen ein Informant der *G₀* sowie die Tonaufnahme der Neuerhebung des WBs im Jahre 1958 (DSA: GOE078a). Beide zeigen keine
Spur mehr von *daị*, welches durch /ˈdɛː/ verdrängt wurde. Lautgesetzlich
geht *dę̄* /ˈdɛː/ im OD Dorstes auf die stellungsbedingte Variante *dê²ᵃ* zurück, während *daị* ungesenktes *dê⁴* mit Stamm *dɛ̄ə-* < *dē²-* fortsetzt.

(5) OD Eilsdorf

Laut der Ortsgrammatik von Block (1910, 1911) ist die Variante *dai* gegenüber *dee* zu dieser Zeit bereits obsolet. Da Eilsdorf nach Block Zusammenfall von *ê²*, *ê³* und *ê⁴* in *ai* (tlw. *eeə*) zeigt, während sich *ê¹ > ęę*
entwickelt hat, geht die sekundäre Variante mit *ee* dezidiert auf *ē²* zurück.
Die übrigen Formen des Paradigmas zeigen einen Stamm auf *dee-* < *dē²-*,
womit die Variante *dee* auf paradigmatischen Ausgleich zurückzuführen
ist. Interessanterweise erscheint *dai* nur als Variante des Demonstrativ-
/Relativpronomens im Nom. Sg. m., nicht aber des Artikels. Dies spiegelt
deutlich die Genese der sekundären Variante in unakzentuierter Position
wider, in der gerade der proklitische Artikel auftritt. Die Daten des WB
geben für Eilsdorf lediglich ein ambiges ⟨de⟩ mit Stamm ⟨de-⟩ und können
keine weitere Evidenz für ein Nebeneinander von *dai* und *dee* liefern.

(6) OD Meinersen

Nach Bierwirth (1890: 37) findet sich für den OD von Meinersen zu dieser
Zeit „*dë̄* der, ille [...]. Man hört auch *dē* [...]. Ebenso schwanken nom.
acc. sing. fem. u. nom. pl. zwischen *dë̄* und *dē*. Dagegen kommt *daë* für
keine dieser formen vor". Die Variante *dē* setzt hierbei lautgesetzlich eine
stellungsbedingte Variante *dê²ᵃ* fort,[13] während *dë̄* auf den Stamm *dē²-*

---

[13] In Meinersen wird *ê⁴* tlw. auch durch *ē* neben regulärem *aë* fortgesetzt. Viele
      intransparente und sich überschneidende Vokalismusentwicklungen, die Bierwirth
      ohne weitere Erläuterung ansetzt, lassen sich entweder durch spezifische(re)
      Konditionierungen erklären oder gehen auf fehlerhafte Etymologien zurück. Bspw.
      kann das postulierte Lautgesetz as. *ë̈ > ē* (1890: 40), welches nur einige wenige
      Lexeme betrifft, gegenüber ebenso angegebenem as. *ë̈ > ë̄* entschärft werden:
      Während *gēbm*, *lēbm* nicht wie nach Bierwirth auf as. *ë̈*, sondern dial. as. *i*

zurückgeht. Auch für Meinersen bietet der WB mit einem ambigen ⟨de⟩, Stamm ⟨de-⟩, leider keine weiteren Indizien.

(7) OD Emmerstedt

Brugge gibt in seiner Studie zum Vokalismus der Mundart von Emmerstedt im Jahre 1944 an, dass „[s]tatt des zu erwartenden *dāi̯* [< *dê⁴*] im ganzen Gebiet *dę̄* der, die sg. f. und pl." gilt (1944: 94). Auf Basis von Belegen für ⟨dei⟩ in der älteren Literatur anderer regionaler Ortsdialekte setzt er ein älteres *dê⁴* an, das durch jüngeres *dę̄* verdrängt wurde. Überraschenderweise finden sich im WB neben der Vollform ⟨dä⟩ (15x) tatsächlich zwei Belege von ⟨dei⟩. Beide stehen im Akkusativ Singular feminin: ⟨dei nie'e Geschichte⟩ (21), ⟨ober de (dei) Wiesche⟩ (40). Zum Vergleich finden sich unter den 15 Belegen der Variante ⟨dä⟩ drei Belege für Femininum Sg. in unterschiedlichen Kasus: ⟨dörch dä Lucht⟩ ACC.SG (1), ⟨dä Melk⟩ NOM.SG (3), ⟨dä Fru⟩ DAT.SG. Da Brugges Gewährspersonen der *G₃* und *G₂* entstammten und ausschließlich *dę̄* zeigten, deuten die Belege des WBs durch Schüler der *G₃* auf die letzten Reste des älteren *dê⁴* in der Endphase des Ausgleichs zugunsten von *dę̄*. Der Vokalismus der Variante *dę̄* setzt hierbei in Emmerstedt mnd. *ē²* > *ę̄* fort und ist folglich auf paradigmatischen Ausgleich zum Stamm *dę̄-* zurückzuführen.

(8) OD Brehme

Der niedereichsfeldische OD Brehmes zeigt eine Entwicklung, die sich ohne Weiteres zu den obigen Fallbeispielen stellen lässt. Während im WB für die Vollform des definiten Determinierers ⟨dei⟩ erscheint, tritt bei einem Informanten der *G₀* hierfür ausschließlich /ˈdɛː/ ein. Der Vokal /ɛ:/ setzt in Brehme lautgesetzlich in dieser Position *ê²ᵃ* oder *ē²* fort, womit die genaue Herkunft unklar bleibt.

Wie die Beispiele (4) – (8) auffällig verdeutlichen, haben sich in den Ortsdialekten, in denen sich *ê⁴* und *ê²ᵃ/ē²* gegenüberstanden und es zu einem (mehr oder minder rezenten) Ausgleich kam, die sekundären Varianten durchgesetzt. Zumindest in den obigen Fällen war dies wahrscheinlich davon begünstigt, dass die sekundären Varianten zu den übrigen Formen des Paradigmas assonanter waren als die entsprechenden Exponenten von *ê⁴*. Für den südostfälischen (GG) Bereich von der hd.-nd. Grenze bis Göt-

---

zurückgehen, sind *gērn, stēr(ə)n* u. ä. durch konditionierte Entwicklung von as. *ĕ* > *ē* / _*rn* zu erklären (vgl. a. *fēr* 'Feder'< **fĕder, bēr* 'Bär', *hēr* 'her', jedoch auch *kĕrn* 'Kern' – zur Problematik der Vokaldehnung vor *r* s. Sarauw 1921: 113–136).

tingen zeigen nach den rezent erhobenen Daten überdies auch die Informanten der OD Klein und Groß Schneen, Reckershausen, Groß Ellershausen und Diemarden /ˈdɛː/ gegenüber historischem ⟨dei⟩ (< *dê⁴*) im WB.[14] Weitere OD wie bspw. die von Oberode, Bonaforth, Nesselröden weisen hingegen schon im WB ausschließlich sekundäres ⟨dä⟩ auf. Sicherlich wäre hier eine Untersuchung des Phänomens in größerem Rahmen lohnend.

4. Abstrakta: Variation durch Suffixkonkurrenz

Bereits in den altgermanischen Sprachen konkurrieren bei deadjektivischen Abstraktbildungen die Exponenten der urgerm. Suffixe **-į* und **-iþō*. Über die ursprüngliche semantische Differenzierung der beiden Suffixe finden sich unterschiedliche Hypothesen.[15] Während sich einige potenzielle Dubletten schon im Gotischen semantisch überlappen, zeigen andere semantische Verengung, vgl. (Beispiele nach Miller 2019: 332)

> *diupei* 'depth' : *diupiþa* 'profundity; the deep'
> *hauhei* 'height' : *hauhiþa* 'height; the high (heaven); honor, glory'

Ein Nebeneinander der unterschiedlichen Suffixe, gerade auch innerhalb gleicher semantischer Gruppen wie Dimensionsadjektiven (s. Bierwisch 1987), stellt dabei also ungeachtet einer semantischen Differenzierung im Germanischen kein ungewöhnliches Phänomen dar. Einzelsprachlich zeigen sich heute zumindest in den Standardsprachen klare Präferenzen, vgl. std. *-e* < **-į* vs. engl. *-th*, nl. *-te* < **-iþō*.

Auch im As. lässt sich hinsichtlich dieser Adjektivklasse eine rein formale Kompetition der Abstraktsuffixe as. *-i* und *-itha* beobachten (Foerste 1954: 1962). Im Mnd. wird daher i. d. R. keine semantische Differenzierung mehr fortgesetzt:

> *Up dat ghi moghen begripen, welck dat ys de lenghe, de hoghe vnde de depede*
> (Leben d. h. Franz. 54ᵇ nach Schiller & Lübben 1875: 506)

Eine ebenso idiosynkratische Verteilung lässt sich auch in den heutigen Ortsdialekten beobachten. Im Lbg. findet sich nun interessanterweise auch heute noch eine Konkurrenz verschiedener Abstraktbildungen. Diese beschränkt sich aber nicht auf interlexikalische Unterschiede, sondern zeichnet sich durch Stammalternationen bei den gleichen frequenten Dimensi-

---

[14] Die historischen Daten aus den WB der OD Groß Ellershausen und Diemarden sind jedoch nur eingeschränkt aussagekräftig, da die Übersetzungen von Lehrern übernommen wurden, die nicht aus dem Abfrageort selbst stammten.

[15] Eine ausgewogene Zusammenfassung bietet Miller 2019: 332–333.

onsadjektiven aus. Unterschiedliche Suffixe erscheinen nicht nur in *inter-*, sondern auch *intra-speaker variation*. Tabelle 4 soll hierfür exemplarisch die Häufigkeit von drei endogenen Varianten des Abstraktums 'Höhe' vorwiegend in *inter-speaker variation* veranschaulichen. Während die Varianten /'hœçədə/ und /'hœçtə/ as. *-itha* fortsetzen, geht /'hœçə/ auf ein as. *i*-Abstraktum zurück. Die vierte Variante /'hø:ə/ stellt ein std. oder md. Lehnwort dar.

Variante	G_1			G_0			Σ
	FS	E	FS/E	FS	E	FS/E	
/'hœçədə/		1		2	1		4
/'hœçtə/					9		9
/'hœçə/					2		2
/'hœçə/ + /'hœçtə/					1		1
/'hø:ə/					1		1

Tabelle 4: Sprecherzahlen für Varianten des Abstraktums 'Höhe'

	Variante	G_1	G_0								
		#10 f.	#0 f.	#12 m.	#14 m.	#17 m.	#18 f.	#19 f.	#23 f.	#27 f.	#39 m.
'Höhe'	/'hœçədə/		FS/E						E	E	
	/'hœçtə/			E	E			E (1x)			E
	/'hœçə/					E		E (1x)			
'Größe'	/'gʁœtədə/		E (3x) FS (2x)	E	E		E	E	E		
	/'gʁœtə/	E	FS (1x)							E	
'Tiefe'	/'dɛpədə/		FS/E	E	E						
	/'da:pə/								E	E	E

Tabelle 5: Quantifizierung von Abstrakta-Varianten bei einer Auswahl von Sprechern

Das Nebeneinander unterschiedlicher Formationen lässt sich auch für weitere Dimensionsabstrakta feststellen. Wie die *inter-* und *intra-speaker-*Konstellationen in Tabelle 5 illustrieren, lassen sich sprecherindividuell nur wenige Tendenzen ausmachen. So zeigt bspw. Informantin #0 eine

Präferenz für {-ədə}, während Sprecherin #27 für alle drei Dimensionsabstrakta unterschiedliche Suffixe aufweist. Für die übrigen Dimensionsabstrakta liegen bisher zu wenige Daten unterschiedlicher Sprecher vor, um einen Vergleich der idiosynkratischen Verteilungen durchführen zu können. Zumindest bei Sprecherin #0 setzt sich die Präferenz für {-ədə} aber auch in den restlichen Dimensionsabstrakta fort, vgl. zu /ˈhœçədə/, /ˈgʁœtədə/ ~ /ˈgʁœtə/, /ˈdɛpədə/ auch /ˈnɛːçədə/ 'Nähe', /ˈlɛngədə/ 'Länge', /ˈviːdədə/ 'Weite'.

Rein lautlich setzen die einzelnen Varianten aus Tabelle 5 unterschiedliche Formationen fort:

Für 'Höhe':

> lbg. /ˈhœçədə/ < mnd. *hôgede* < as. *hôhitha*
> lbg. /ˈhœçtə/ < mnd. *hôchte* < as. *hôhitha*
> lbg. /ˈhœçə/ < mnd. *hôg(h)e* < as. *hôhi*

Für 'Größe':

> lbg. /ˈgʁœtədə/ < mnd. *grôtede* < as. *grôtitha
> lbg. /ˈgʁœtə/ < mnd. *grôte* < as. *grôti

Für 'Tiefe':

> lbg. /ˈdɛpədə/ < mnd. *dêpede* <(=) urgerm. *diupitha
> (mnd. *dêpede* mit Vokalismus analog zum Adj., synkopiert *dêpte*, neben *dûpede*, synkopiert *dûpte*)
> slbg. /ˈdaːpə/ evtl. < mnd. *dêpe* <(=) as. *diupi*
> (*dêpe* mit Vokalismus analog zum Adj., neben mnd. *dûpe* < as. *diupi*)

Die Adjektivwurzeln verhalten sich in der Entwicklung der Abstrakta wie in der Gradation, sodass Kürzung des Wurzelvokals eintreten kann.[16] Zumindest die slbg. Variante /ˈdaːpə/ sticht inmitten der übrigen Abstrakta mit historischer Kürzung der Wurzel hervor und könnte daher als sekundäre Derivation analysiert werden – erwartet wäre **/ˈdɛpə/, vgl. /ˈdɛpəʁ/ COMP 'tiefer' und /ˈdɛpədə/ 'Tiefe'. Die lautgesetzliche Fortsetzung von mnd. *dêpe* kann aber anhand paralleler Fälle wie slbg. /ˈbʁaːdə/ 'Breite' < mnd. *brêde* zum Adjektiv /ˈbʁaːd/ 'breit' mit Komparativ /ˈbʁɛdəʁ/ nicht vollends ausgeschlossen werden.

Auch synchron lässt sich bei den Varianten keine semantische oder kontextsensitive Differenzierung mehr erkennen, wie die folgenden Fälle von *intra-speaker-variation* in FS bei Informantin #0 veranschaulichen:

---

[16] Für Kürzung der Komparativstämme im Nd. s. Niebaum 1983: 162. Für *inter-speaker variation* bei gekürzten Komparativen s. a. Fn. 20.

/ˈʊn ˈvɛn dɛː kaʁˈtʊfəln ˈdɛn nə gəˈvɪsə ˈgʁœtə ˈhan/
„Und wenn die Kartoffeln dann eine gewisse Größe haben, ...“

/ˈɪk ˌfʊn ˈmiːnəʁ ˈgʁœtədə ˈkan dɔːˈdʁɪnə ˈʃtɔːn/
„Ich von meiner Größe kann darin stehen.“

/ɪk ˈmaːnə ˌfʊn=dəʁ ˈgʁœtədə ˈhɛːʁ ˈɪz ˈdat jə ˈɔːk ˌɪn ˈɔʁnʊngə/
„Ich meine, von der Größe her ist das ja auch in Ordnung.“

Wie die rezent erhobenen Daten zeigen, ist *intra-village variation* innerhalb der Dimensionsabstrakta aber kein singuläres Phänomen. Auch weitere regionale nd. und hd. Ortsdialekte zeigen eine ausgeprägte *inter-speaker variation*, vgl. bspw. nd. OD Gottsbüren: Informant #336 (m.) /ˈhœçədə/ neben /ˈhœçtə/ bei #335 (m.), #337 (m.) und #338 (m.); stfbg. Uschlag: Informantin #3 (G_0) /ˈhœçə/ und /ˈgʁœsə/ neben #8 (G_0 m.) /ˈhœçədə/ und /ˈgʁœsədə/. Ein ähnliches Bild auch zu *intra-speaker variation* wie im Lbg. kann darüber hinaus aber nicht gezeichnet werden.

Für 'Höhe' weisen die heutigen regionalen of. und owf. Ortsdialekte nach den erhobenen Daten eine tendenzielle Prävalenz der synkopierten Formation /ˈhœçtə/ (~ /ˈhœçdə/) auf, während das *i*-Abstraktum /ˈhœçə/ seltener ist. Die GG Ortsdialekte zeigen ferner neben /ˈhœçədə/ noch weitere Abstraktbildungen wie /ˈhœçɪgə/ 'Höhe' < mnd. *hôginge* 'Erhöhung' (vgl. *högdige* 'kleine Anhöhe' bei Schambach (1880: 83))[17]. Bei Schambach (1880) lassen sich für das Göttingisch-Grubenhagensche die heute belegten Formen /ˈhœçədə/ und /ˈhœçə/ erstaunlicherweise gar nicht finden – neben synkopiertem *högde, högte* 'Höhe' steht dafür ein *hôge* 'Anhöhe', das als Dublette zu /ˈhœçə/ mnd. *hôg(h)e* ohne Kürzung des Wurzelvokals fortsetzt. Das angrenzende regionale Ostwestfälische weist über die drei oben genannten Varianten hinaus einen hohen Formenreichtum auf, der vor allem durch die Konkatenation mehrerer Suffixe auffällt, vgl. /ˈhœdə/, /ˈhœdədə/, /ˈhœçtədə/, /ˈhœçtərə/. Eine ausführliche Darstellung und Diskussion der diatopischen Verteilung auf Basis der rezent erhobenen Daten kann im Rahmen dieses Artikels an dieser Stelle aber leider nicht gegeben werden.

5. *langə* und *lɛnkəʁ* – Variation durch Auslautverhärtung

Das Paradigma des Adjektivs /ˈlang/ 'lang' weist in *inter-* und *intra-speaker variation* Allomorphie zwischen zwei Stämmen /ˈlang-/ und /ˈlank-/ auf. Das auffällige /k/ erscheint auch im Komparativ 'länger' (des Adjektivs /ˈlang/ und Adverbs /ˈlangə/), wo es bei einigen Sprechern mit

---

[17] So bspw. OD Barterode: #58 (G_0 f.) /ˈhœçɪgə/ neben #59 (G_0 m.) /ˈhœçtə/. Zum Suffix *-inge-* > *-ige-* im Ostfälischen s. Blume 2015: 225–226, v. a. Fn. 77.

/g/ alterniert. Tabelle 6 illustriert die Variation anhand einiger Formen bei einer Auswahl Sprecher. Da das Phänomen auch in den benachbarten stfbg. Ortsdialekten anzutreffen ist, ist die *inter-speaker variation* zwischen zwei Sprecherinnen aus dem stfbg. Ort Uschlag ebenfalls exemplarisch dargestellt.

Variante	G_0					Stfbg., G_0	
	#0 f.	#18 f.	#23 f.	#27 f.	#39 m.	#1 f.	#3
/ˈlankəʁ/ ST.NOM.SG.M	FS	E (1x)		E		E	
/ˈlangəʁ/ ST.NOM.SG.M	FS	E (1x)	E		E		E
/ˈlankən/ ACC.SG.M	FS			E		E	
/ˈlangən/ ACC.SG.M	FS	E	E		E		E
/ˈlankə/ NOM.SG.F	E			E		E	
/ˈlangə/ NOM.SG.F	FS	E	E		E		E
/ˈlankət/ ST.NOM/ACC.SG.N	FS			E		E	
/ˈlangət/ ST.NOM/ACC.SG.N		E	E				E
/ˈlɛnkəʁ/ COMP	FS		E (2x)	E		E	E (
/ˈlɛngəʁ/ COMP	FS	E	E (1x)				E (

Tabelle 6: Alternation von /k/ und /g/ bei Formen des Adjektivs 'lang' bei einer Auswahl von Sprechern

Da die lbg. Formen auf mnd. *lang-* und *leng-* zurückgehen, muss das /k/ eine sekundäre Innovation darstellen. Die Sequenz /ng/, die intervokalisch im Lbg. als [ŋ] erscheint, tritt regelmäßig als [ŋk] sonst nur in wortfinaler Stellung auf. Auch im Mnd. wird die Sequenz /ng/ inlautend noch als [ŋg] realisiert (Sarauw 1921: 405, Lasch 1914: 183–184), während in den heutigen Dialekten Assimilation zu [ŋ] eingetreten ist. In wortfinaler Stellung findet sich dafür [ŋk].

Etymologisch lässt sich das /k/ so als phonemisierte und schließlich durch paradigmatischen Ausgleich generalisierte Auslautverhärtung erklären. Der ursprünglich starke endungslose Nominativ mnd. *lanc*, das gleichlautende Prädikativum sowie allen voran der Komparativ mnd. *lenc* des Adverbs *lange* dürften hier als mögliche Ausgangspunkte gelten.

Während der Komparativ des Adjektivs im Mnd. regelmäßig *lenger* lautet, weist das Adverb *lange* einen ererbten Komparativ mnd. *lenc* < urwgerm. **langi* auf (Ringe & Taylor 2014: 144, 287–288). Dieser zeigt schon früh Tendenzen zu Recharakterisierung mit dem regulären Komparativsuffix, was durch sekundäre Formationen wie mnd. *lenghere* (Sarauw 1924: 97) evident wird. In unserem konkreten Fall war das auslautende [k] aus Auslautverhärtung beim Antreten dieses recharakterisierenden *-er(e)* jedoch bereits phonemisiert. Eine solche Reanalyse ist dem ausschließlich unflektierten Erscheinen des frequenten Komparativadverbs als *lenc* zu schulden – die Sprecher hatten keinen Grund, die Form ['leŋk] synchron als /'leng/ anzusetzen. Vielmehr wurde die unterliegende Form nun als /'lenk/ reanalysiert, was durch Suffigierung zu einer Form **lenker* führte. Da Suffixe immer ein prosodisches Wort mit ihrem Stamm bilden, muss ein /k/ also sicher unterlegen haben, ansonsten wäre *leng-er* > lbg. **/'lɛngəʁ/ erwartet.

Parallel zu diesem Szenario könnte auch der Nominativ Singular des Adjektivs eine Zwischenstufe mit [k] aufgewiesen haben, die die Intrusion und Ausbreitung von /k/ stützte.

Schon im Mnd. dringt in der Adjektivflexion die pronominale mask. Endung *-er* aus dem Hd. ins Nd. ein (Härd 2000: 1432, Sarauw 1924: 78, Lasch 1914: 204, Foerste 1954: 1984). Dieses neue Flexiv trifft zuerst auf die ursprüngliche Wortgrenze des starken Nominativs mnd. *lanc*, die durch Auslautverhärtung charakterisiert ist. Gleiches widerfährt dem sich später ausbreitenden pronominalen hd. *-es*, welches dialektal zu *-et* umgebildet wird. Zusammen mit *lenc* + *-er(e)* haben diese Formen nun gemeinsam, dass ihre sekundären Flexive direkt an den alten, endungslosen Stamm angetreten sind. Da dieser durch Auslautverhärtung /ng/ → [ŋk] aufwies, konnten auch sie synchron bereits als /'lank/ reanalysiert worden sein. So entstanden parallel zum Komparativ **lenker* auch **lanker*, **lanket*, die mit den übrigen Formen des Paradigmas auf /g/ alternierten. Gerade eine frequente Form wie der Komparativ **lenker* unterstützte die Reanalyse des Stamms auf auslautendes *-k*. Ein Zusammenfall des Adverbkomparativs mit dem des Adjektivs ist aufgrund des gleichen Stamms unproblematisch anzunehmen. Nachdem das [k] nun in den betreffenden Formen lexikalisiert war, konnte es sich von dort auch auf den Rest des Paradigmas ausbreiten. Ein Einfluss des Prädikativums *lanc* ist in diesem gesamten Prozess sicherlich nicht auszuschließen. Eine alleinige Genese ausgehend vom Prädikativum erscheint aber deshalb als unzureichend, da Lexeme mit ähnlicher Struktur trotz paradigmatischer Formen mit /ng/ → [ŋk] *quā* Auslautverhärtung kein sekundäres /k/ aufweisen, vgl. v. a. Verben wie (s)lbg. /'fangən/ 'fangen' trotz /'fang/ ['fäŋkˣ] IMP.SG oder /'faᶦng/ ['fä·ᶦŋkˣ] PRT.1/3SG, /'langən/ 'holen' trotz /'lang/ ['läŋkˣ] IMP.SG, /'fɪngən/ trotz /'fɪng/ ['fɪŋkˣ] IMP.SG, /'fʊng/ ['fʊŋkˣ] PRT.1/3SG usw.[18] Die

---

[18]   Eine lautgesetzliche Entwicklung ist damit ausgeschlossen.

Phonemisierung von [k] muss also durch weitere Formen bedingt gewesen sein. Da auch das Adjektiv lbg. /ˈjʊŋ/ 'jung' ([ˈjʊŋkˣ], Stamm /ˈjʊŋ-/) < mnd. *junc* trotz gleicher Bedingungen wie /ˈlaŋ/ kein phonemisiertes /k/ zeigt, scheiden auch die frequenten endungslosen Nominative als primäre Erklärung aus. Hier müssen folglich der spezielle Komparativ *lenc* und seine Hypercharakterisierung zu **lenker* als Ausgangspunkt bzw. unterstützendes Element gesehen werden, sodass sich /k/ bei /ˈlaŋ/ durchsetzen konnte. /ˈjʊŋ/ hingegen besaß nie einen solchen endungslosen Komparativ.

Für ein Szenario ausgehend von Formen im unmittelbaren Paradigma spricht auch, dass weitere alte Formationen und Derivationen der Wurzel *lang-* im Lbg. kein /k/ kennen: Das Adverb /ˈlaŋə/ < mnd. *lange* < as. *lango*, der Superlativ des Adj. und Adv. /ˈlɛŋɡəst(-)/ < mnd *lengest(-)* sowie das Abstraktum /ˈlɛŋɡədə/ 'Länge' < as. **lengitha*. Im Gegensatz zu *lenc* + *-er(e)*, *lanc* + *-er/-et* waren sie zu jedem Zeitpunkt prosodische Wörter, in die /k/ nicht sekundär durch Auslautverhärtung eindringen konnte.

Die daneben beobachtbare auffällige Variation zwischen /k/- und /g/-haltigen Varianten im Paradigma von /ˈlaŋ/ könnte dann auf alte Formen ohne paradigmatischen Ausgleich zurückgehen. Dass diese Alternation tatsächlich rein endogene Variation widerspiegelt, lässt sich jedoch nicht alternativlos festmachen. Std. Einfluss auf die Präferenz von Formen mit /ng/ oder gar eine Wiedereinführung dieser Sequenz dürfen ebenso als mögliche äußere Faktoren nicht missachtet werden. Dass die prädikative Form /ˈlaŋ/ neben [ˈläŋkˣ] hingegen auch eine Realisation ohne [k] als [ˈläŋ] kennt, ist sekundär auf vertikale Interferenz zurückzuführen: Die Realisation von /ng/# als [ŋ] ist als Prestigemerkmal aus dem Std. eingedrungen und lässt sich auch bei weiteren lbg. Lexemen auf /ng/ beobachten. Dass gerade dieses Adjektiv im Lbg. eine solch spezielle Entwicklung und Variation aufzeigt, wird dem ererbten Komparativ zu schulden sein. Parallel findet sich /k/ in ursprünglichen Sequenzen /ng/ auch in vereinzelten weiteren südlicheren of. OD. Der of. OD Eilsdorf zeigt nach Block (1910: 344) nach dem gleichen Muster *laŋə* ADV : *laŋk-* ADJ 'lang-', jedoch mit Komparativ *leŋər*. Auffällig ist hier auch ferner neben *juŋk-* ADJ 'jung-' mit /k/ die lautliche Dichotomie von *juŋə* 'Junge' : *juŋkə* 'Jugendlicher, Jüngerer'. Neben älterem *juŋə*, das nicht mehr adjektivisch, sondern als schwaches Maskulinum flektiert, erklärt sich *juŋkə* als jüngere Substantivierung des Adjektivs ('[der] Junge' → 'Jugendlicher, Jüngerer'), weswegen /k/ hier sekundär leicht eindringen konnte, vgl. auch *də juŋkən* 'die jungen Leute'. Im of. OD Reinhausen (GG) findet sich *heŋkəst* 'Hengst', aber *laŋə* 'lange' ADV/ADJ, *juŋə* 'junge' (Jungandreas 1926/27: 292). Die

Form *hęŋkəst* könnte hier jedoch sekundär aus einem synkopierten *hen[k]st* erklärt werden. Sarauw (1921: 405) geht in Fällen wie dem von Eilsdorf ähnlich zur oben gegebenen Analyse der lbg. Formen von einem Eindringen des wortfinalen [k] in den Inlaut aus. Nach Jungandreas (1926/27) finden sich *lang-* und *jung-* mit /k/ dezidiert im Nordostthüringischen und Ostsaalischen.

Im Vergleich zeigen sich im Lbg. in weiteren Lexemen wie 'jung' (s. o.) und 'Hengst' keine Parallelen, vgl. /ˈjʊŋ/ (Stamm /ˈjʊŋ-/), /ˈjʏŋɡɐʁ/ COMP, /ˈhɛŋɡəst/. Dafür findet sich das starke Verb /ˈhankən/ 'hängen' tr./intr. (aus jüngerem mnd. *hangen* zu *hân* 'hängen' intr.) mit sekundärem /k/ im gesamten Paradigma, vgl. /ˈhankə/ PRS.1SG, /ˈhɛnkəd/ PRS.3SG, /ˈha͜ɪnk/ PRT.1/3SG, /ɡəˈhankən/ PTCP, /ˈhank/ IMP.SG. Daneben steht /ˈhankən/ 'hängen' tr./intr. auch im benachbarten Stfbg., vgl. /ˈhankə/ PRS.1SG, /ˈhɪnkət/ PRS.3SG, /ˈhɔːnk/ PRT.1/3SG, /ɡəˈhankən/ PTCP. Nach den Daten der rezenten Erhebungen handelt es sich hierbei um die nördlichsten Ausläufer einer md. Erscheinung.

Für die Lexikalisierung von Neutralisierungen wie Auslautverhärtung findet sich aber auch im Lbg. selbst weitere Evidenz. Das Adverb /ˈvɛçən/ 'weg', eine Variante von /ˈvɛç/ 'id.', die mit Motionsverben auftaucht (bspw. /ˈmiːn ˈfɔːtəʁ ˈvɔːʁ ˌmɪt ˈzeːvəˌtaːn ˈjɔːʁən ˈvɛçən ɡəˌɡɔːn/ 'Mein Vater war mit siebzehn Jahren fort gegangen'), lässt sich so erklären. Die Formation ist etymologisch als /ˈvɛɡ/ + Direktionalsuffix {-ən} < as. *-an(a)* < urgerm. *-anē*[19] zu analysieren. Wie die Oberflächenrepräsentation [ˈvɛçən] zeigt, muss die unterliegende Form zum Zeitpunkt des Antretens des Affixes als /ˈvɛç/ reanalysiert worden sein. Dies ist unproblematisch anzunehmen, da das frequente Adverb regulär nur in der Form [ˈvɛç] erscheint. Auch hier hatten Sprecher also keinen Grund, ein unterliegendes /ˈvɛɡ/ anzusetzen. Bei einer solchen Analyse wäre ganz im Gegenteil **/ˈvɛɡən/ → **[ˈvɛjən] oder eher **/ˈvɛːɡən/ **[ˈvɛːjən] erwartet. Eine Alternativerklärung durch sekundäre Rückkürzung aus einer hypothetischen (mnd.) Formation **wēgen* kann ausgeschlossen werden, da sie ebenso zu **[ˈvɛjən] geführt hätte (vgl. a. lautgesetzliches /ˈvɛːɡən/ 'wegen' < mnd. *wēgen*). Die Bildung muss daher nach der Dehnung kurzer Vokale in offener Silbe angesetzt werden. Das Adverb ist auch in anderen regionalen Ortsdialekten in der Form /ˈvɛçən/ belegt, vgl. OD Ehrsten (sowf.) /zə ˈʃmiːtən=ət ˈeːnfaç ˈvɛçən/ 'Sie schmeißen es einfach

---

[19]   Ursprünglich ein Adverbialsuffix direktionaler ablativischer Beziehungen (Kroonen 2011: 85–86), das sich in den Einzelsprachen zu einem Lokalsuffix entwickelt, vgl. std. *draußen, innen* etc.

weg', OD Dorste (GG) /'vɛçən/ 'weg', Schambach (1967: 291) „*wëge, wegen* (oft *wechen* gespr[ochen]), gew[öhnlich] *weg*, adv. weg, fort".

6. Zusammenfassung

Endogene *intra-village variation* tritt im Lbg. auf allen sprachlichen Ebenen auf. Wie Vergleiche mit anderen Ortsdialekten in dieser Studie gezeigt haben, stellt eine gewisse *intra-village variation* auch regional keinen Einzelfall dar.[20] Die in den drei Artikeln diskutierten Fälle von *intra-village variation* im Lbg. sind aber insofern besonders interessant, als dass sie dezidiert nicht als Kontaktphänomene, sondern als interne Innovationen und Entwicklungen zu analysieren sind. Die Implikationen einer so ausgeprägten endogenen *intra-village variation* sind nicht nur für die moderne Dialektologie, sondern wegen des *Uniformitarian Principle* auch für die historische Soziolinguistik und historische Sprachwissenschaft von nicht geringem Erkenntniswert.[21]

Im kognitiven Bewusstsein der Sprecher ist *inter-village variation* aufgrund der salienten Unterschiede zwischen den OD prävalenter, während *intra-village/inter-speaker variation* nur teilweise in natürlichen Diskursen perzipiert wird. *Intra-speaker variation* hingegen kann gänzlich ungesteuert erfolgen. Hierbei wird sie vom Sprecher nicht erkannt und kann geleugnet werden, wenn darauf Aufmerksam gemacht wird. Solche Phänomene sind typologisch durchaus trivial (s. Dorian 2010).

Aufgrund der Kürze der Artikel konnte ich mit dieser Studie jedoch nur einen beschränkten Einblick in die endogene Variation auf Basis der derzeitigen Datengrundlage im OD Lutterberg geben. Viele ebenso interessante Variablen müssen an dieser Stelle daher leider unerwähnt bleiben. Um die tatsächliche Fülle an Variation im Lbg. zu erfassen, müsste zur endogenen noch die exogene Variation gestellt werden. Diese ist im Lbg. ebenso umfangreich und ist auf allen sprachlichen Ebenen anzutreffen, bspw. lexikalische Variation wie /'bɛsmən/ : /'bɛspən/ : /'bɛːzən/, alle 'Besen', die Verdrängung von nativem /'ziː/ 'bin' durch std. /'bɪn/, das Verdrängen von /'føːʁ/ 'vor, für' durch /'tɔː/ 'zu' in präpositionalen Komplementen bei *verba dicendi* (die neben dem bloßen Dativ das indirekte Objekt [den Adressaten] kodieren) durch strukturelle Konvergenz (s. Do-

---

[20] Vgl. auch weitere Fälle von *intra-village variation*, die sicherlich endogen sind, bspw. im OD Mielenhausen (GG) Komparative zu /'gʁɔːt/ 'groß': Infomant #48 (*G₀* m.) /'gʁɔͤtəʁ/ vs. Informantin #49 (*G₀* f.) /'gʁœːtəʁ/ mit sekundär restituierter Länge.

[21] Zu einer Evaluation des *Uniformitarian Principle* für die historische Soziolinguistik s. Bergs 2012.

rian 2010: 72); phonologische Variation wie bspw. in /ˈzal/ ~ /ˈzɔl/ durch Vokalismusremodellierung (s. Pötzsch 2021) oder ein auffälliger Vokalismus in *inter-speaker variation* im Partizip /gəˈhɔgən/ 'gehauen' neben lautgesetzlichem /gəˈhagən/ zu /ˈhagən/ 'hauen'; morphologische Variation wie /ˈaːn/ 'eines' INDEF-PRON 'ein(e)s' neben strukturell remodelliertem /ˈaːnt/ ~ /ˈɛnt/ (s. Pötzsch 2021) oder /ˈmiːnəʁ/ 'meiner' neben originalem /ˈmiːn/ (s. Fn. 4).

Neben historischen oder regional beeinflussten Varianten sind rezente Erscheinungen exogener Variation vor allem durch starke Konvergenz zum Standarddeutschen beobachtbar. Schon Relexifizierungen, die nur bei einigen Sprechern ablaufen, können *per definitionem* ganz trivial lexikalische Dubletten evozieren. Phänomene, welche mit Strukturen der beiden beteiligten Sprachen arbeiten wie bspw. strukturelle Remodellierung, Vokalismus- und Konsonantismusrcmodellierung oder Übergeneralisierung phonologischer Muster, können zusätzlich zu starker idiosynkratischer Variation führen (s. Pötzsch 2021).

Wie die Studie gezeigt hat, sind vielen Prozessen in der Genese von Variation im Lbg. endogene Faktoren attribuierbar. Verstärkt durch soziolinguistische Elemente wie den Abbruch der Tradierung, starke Domänenrestriktion und wachsende Konvergenz mit dem dominant auftretenden Std. können bestehende Variationen verfestigt werden und neue durch exogenen Einfluss entstehen.

Synchron gibt es für die besprochenen Varianten auffälligerweise keine soziale Evaluierung. Vielmehr fehlt es an einer systemischen Variable, die als sozialer Marker fungiert. Wenn Variablen im Lbg. einmal historisch mit extralinguistischen Faktoren verbunden waren, so lassen sich diese heute nicht mehr bestimmen: Linguistische Manifestationen sozialer Stratifikation waren in der Mitte des 20. Jhs. in Lutterberg, soweit sich noch feststellen lässt, v. a. durch den Gebrauch des Std. als PrestigeVarietät in Berufen, die nicht traditionell handwerklich waren, geprägt. Die Varianten, die sich heute beobachten lassen, können hingegen nicht mehr entlang sozialer Gewichtungen kategorisiert werden: Durch die in wirtschaftlichen Entwicklungen begründeten sozialstrukturellen Veränderungen kam es im frühen 20. Jh. in weiten Teilen Deutschlands zu einem Aufbruch der (traditionellen) dörflichen Gemeinschaften, resp. der Sprechergemeinschaften und damit der Träger der Ortsdialekte. Damit einhergehend verschwanden traditionelle Berufszweige zunehmend, während Arbeiter außerhalb der dörflichen Gemeinschaft von der ökonomischen Kraft der Städte angezogen wurden. Zusammen mit wachsendem ökonomischen und sozialen Druck des Std. kam es zu einer starken Domänenrestriktion der nativen Sprache. All das führte zum graduellen Verschwinden sozial definierter Gruppen, die sonst vielfach spezifische lingu-istische Variation bedingen (s. Kiełkiewicz-Janowiak 2012, Chambers & Trudgill 2004). Die soziale Gewichtung bestimmter Variablen, die sicher-lich einmal existiert hat, ist hierdurch schließlich geschwunden. Nachträg-lich lässt sie sich nicht mehr feststellen oder rekonstruieren.

Evidenz für eine solche Gewichtung in anderen Ortsdialekten findet sich noch tlw. in zeitgenössischen Studien: So gibt bpsw. Jungandreas (1926/27: 299, 303) einige Belege für dezidiert sozial konditionierte Va-riation im nd. OD Lauenau an, die zwei formal unterschiedliche Exponen-ten der gleichen morphologischen Form (< as. *skal*) betrifft:

> „Nebeneinander: [...] *zal/šal*, wobei mir in Lauenau das *schall* als 'vulgär' be-zeichnet wurde."

> „Wenn in Lauenau nur der Knecht *šal* 'soll' [...] im Gegensatz zum *sal* [...] der besseren Bauern spricht."

Die heutigen Sprecher der $G_1 - G_0$, deren Daten der Studie zu einem Groß-teil zugrunde liegen, sind erst frühestens zur Mitte der 1. Hälfte des 20. Jhs. geboren und dadurch bereits in dieser sich rasant wandelnden Zeit aufgewachsen. Für viele von ihnen galten keine traditionellen sozialen Gruppierungen mehr. Vielmehr sind es, wie diese Studie gezeigt hat, die Individuen selbst, die als Faktoren die Verteilung der Varianten konstitu-ieren. Dynamische Wandelprozesse innerhalb des Lbg., wie sie in der Studie diskutiert wurden, konnten sich so ohne erkennbare Muster durch-setzen und mit ausgeprägt idiosynkratischen Ausgängen diffundieren. Die nachträgliche Verbreitung einzelner Varianten durch engere Kontakte einzelner Sprecher untereinander, wie in Pötzsch (2021: 16, Tabelle 1) exemplifiziert, ist dabei ein natürliches Phänomen (Conde-Silvestre 2012). Interessant sind in diesem Lichte auch die Fälle, in denen sich endogene Varianten sekundär sprecherindividuell soziolinguistisch aufgeladen haben und als Kontrastierung zur dominanten Sprache umfunktionalisiert wur-den, man vgl. hier das rezentere Stammallomorph /'vaːʁ-/ zu /'vɛːʁ-/ 'wär-' SUBJ (Pötzsch 2022: 26–29).

Thematisch vergleichbare Studien wie Dorians umfangreiches Werk zu *East Sutherland Gaelic* (2010) oder etwa ähnliche Phänomene bei Heaton (2018) und Marlett (2006) in der isolierten Sprache Seri haben gezeigt, dass sozialökonomisch unkonditionierte Heterogenität in Form von *intra-village* sowie *intra-speaker variation* auch bei geringen Sprecherzahlen in kleinen Sprechergemeinschaften typologisch kein Einzelphänomen konsti-tuiert. Innerhalb der dialektalen Variationssystematik bildet die auf der Mikroebene des Ortsdialekts anzutreffende Diversität in Form der *intra-speaker variation* dabei einen terminalen Punkt.

Eine Betrachtung der Varianten unter demographischen Variablen geschah immer dort, wo Daten hierfür vorhanden waren. Trotzdem findet sich keine explizite endogene Variation entlang einer dieser Achsen – durch die wenigen Daten der G_1 verschleiert, lassen sich nur wenige explizite Variablen zwischen alt – jung (*age-related variation*) auffinden, während die Verteilungen nach Geschlechtern leider inkonklusiv bleiben. Ein anderes Bild zeigt hingegen die exogene Variation: Hier stellen sich rezente Varianten und Entwicklungen dar, die sich graduell (*age-related*) durchgesetzt haben.

Wie die Feststellung temporaler Loci einzelner Fallbeispiele gezeigt hat, wies das Lbg. zu Anfang des 20. Jhs. eine hohe Sprachdynamik auf, die vielfach in einem Anstieg von Variation resultierte. Durchaus nicht insignifikant ist auch, dass der Übergang des Albg. zum Slbg. sowie der Beginn des Abbruchs der Tradierung des Lbg. (in einigen Fällen schon nach der G_2) ebenso in diese Zeit fallen. Während die Entwicklung einiger Variablen im Lbg. (wie bspw. der Abbau markierter Strukturen, s. Pötzsch 2022)[22] letztendlich eine Tendenz zur Verringerung der Allomorphie und Zunahme von Transparenz widerspiegelt, führten andere Entwicklungen wie der Kasussynkretismus in der 3. Ps. Sg. m. (s. Pötzsch 2023) durch idiosynkratische Variation wiederum zu Komplexifizierung und Steigerung von Allomorphie. Variationen wie der Fall des Artikels (s. Kap. 3), dessen Ursprünge zeitlich vor dem 19. und 20. Jh. liegen, wurden hingegen gerade zu dieser Zeit beseitigt.

Dies zusammen führt zu dem Schluss, dass *intra-village variation* durch interne und externe Wandelprozesse ein natürliches Phänomen in der Entwicklung natürlicher Ortsdialekte, und damit von Sprache an sich darstellt. Ein homogenes Bild sprachlicher, v. a. grammatikalischer Verhältnisse, kann auch in kleinen Sprechergemeinschaften nicht vorausgesetzt werden. Diachrone Untersuchungen können nicht nur über Sprachstände zwischen mehreren Generationen Aufschluss geben, sondern auch zum Verständnis von Differenzen innerhalb einzelner Generationen

---

[22] Als Addendum kann hier noch die slbg. Form /ˈhɔːndɐʁ/ 'Hühner' für Sprecher #17 (G_0 m.) angebracht werden. Diese ist auf ein albg. */ˈhɔɪ̯ndɐʁ/ zurückzuführen und steht somit neben der slbg. Variante /ˈhɔːnɐʁ/ (bspw. #0 f., #27 f., beide G_0) und ihrer albg. Vorform ⟨Häuhner, Heuner-⟩ /ˈhɔɪ̯nɐʁ/ aus dem NSW, dessen Daten bei Veröffentlichung des 2. Teils der Artikelserie noch nicht vorlagen. Interessanterweise erscheint der Plural in der NSW-Übersetzung eines Sprechers der G_2 auch als ⟨Hahner-⟩. Die Schreibung gibt die Monophthongierung von /ɔɪ̯/ > /ɔː/ graphisch wieder und bestätigt die bisher auf einem Vergleich der Daten der G_3 des WB und der heutigen Sprecher der G_1 beruhende Datierung des Lautwandels auf die G_2 (s. Pötzsch 2021: 74) als korrekt.

beitragen. Gerade die synchrone Variation gibt einen tiefen und aufschlussreichen Einblick in Sprachentwicklung, deren punktuelle Komplexität ein Abbild unaufhaltsamer systematischer Veränderung ist – πάντα ῥεῖ.

Literatur

Bergs, Alexander: The Uniformitarian Principle and the Risk of Anachronisms in Language and Social History. In: Hernández-Campoy & Conde-Silvestre: The Handbook of Historical Sociolinguistics. Wiley-Blackwell 2012, S. 80–98.

Bierwirth, Heinrich C.: Die Vocale der Mundart von Meinersen. Jena 1890.

Bierwisch, Manfred: Dimensionsadjektive als strukturierender Ausschnitt des Sprachverhaltens. In: Bierwisch, M./ Lang, E. (Hgg): Grammatische und konzeptuelle Aspekte von Dimensionsadjektiven. (Studia Grammatica 26–27). Berlin 1987, S. 1–28

Block, Rudolf: Die Mundart von Eilsdorf (bei Halberstadt). In: Zeitschrift für Deutsche Mundarten 5 (1910), S. 325–349

Block, Rudolf: Die Mundart von Eilsdorf. Zeitschrift für Deutsche Mundarten, 6 (1911), S. 193–217.

Blume, Herbert: Vom Mittelostfälischen zum Neuostfälischen. In: Föllner, Ursula/ Luther, Saskia/ Stellmacher, Dieter (Hrsg.): Der Raum Ostfalen. Geschichte, Sprache und Literatur des Landes zwischen Weser und Elbe an der Mittelgebirgsschwelle. Frankfurt a. M. 2015, S. 205–235.

Brugge, Edvin: Vokalismus der Mundart von Emmerstedt. Mit Beiträgen zur Dialektgeographie des östlichen Ostfalen, Lund 1944.

Br. W.: Sächsische Weltchronik. Bremer Kodex. 13. Jh. Zugänglich via: Staats- und Universitätsbibliothek Bremen, msa 0033, Permalink: https://nbn-resolving.org/urn:nbn:de:gbv:46:1-5263 (1. 3. 2024).

Chambers, John Kenneth/Trudgill, Peter: Dialectology. Second Edition. Cambridge 2004.

Condre-Silvestre, Juan Camilo: The Role of Social Networks and Mobility in Diachronic Sociolinguistics. In: Hernández-Campoy & Conde-Silvestre: The handbook of Historical Sociolinguistics. Wiley-Blackwell 2012, S. 332 –352.

Dahlberg, Torsten: Die Mundart von Dorste. Studien über die niederdeutschen Mundarten oberhalb der Leine. Teil 1. Die Vokale. Lund/Kopenhagen 1934.

Dahlberg, Torsten: Göttingisch-Grubenhagensche Studien. Lund 1937.

Dorian, Nancy C.: Investigating Variation. The Effects of Social Organization and Social Setting. Oxford/New York 2010.

Foerste, William: Geschichte der niederdeutschen Mundart. In: Stammler, Wolfgang (Hrsg.): Deutsche Philologie im Aufriss. Band 2. Berlin/ Bielefeld/München 1954. Sp. 1905–2062.

Fulk, Robert D.: A Comparative Grammar of the Early Germanic Languages. Amsterdam/ Philadelphia 2018.

Galeé, Johan H./ Tiefenbach, Heinrich: Altsächsische Grammatik. Dritte Auflage. Mit Berichtigungen und Literaturnachträgen von Heinrich Tiefenbach. Tübingen 1993.

Hansen, Bjarne S. S./ Kroonen, Guus: Germanic. In: Olander, Thomas (Hrsg.): The Indo-European Language Family. A Phylogenetic Perspective. Cambridge 2022, S. 152–172.

Härd, John Evert: Morphologie des Mittelniederdeutschen. In: Besch, Werner/Betten, Anne/Reichmann, Oskar/Sonderegger, Stefan (Hrsg.): Sprachgeschichte. Ein Handbuch zur Geschichte der deutschen Sprache und ihrer Erforschung. 2. Teilband. 2. Aufl. Berlin/ New York 2000. S. 1431–1435.

Heaton, Raina: Language Isolates of Mesoamerica and Northern Mexico. In: Campbell, Lyle (Hrsg.): Language Isolates. London/ New York 2018, S. 229–259.

Jungandreas, Wolfgang: Die Reinhäuser Mundart und die Frage der ostfälisch-engrischen Grenze in Mittelalter und Neuzeit (Fortsetzung). In: Teuthonista 3, Heft 4 (1926/1927), S. 279–305.

Kiełkiewicz-Janowiak, Agnieszka: Class, Age, and Gender-based Patterns. In: Hernández-Campoy & Conde-Silvestre: The Handbook of Historical Sociolinguistics. Wiley-Blackwell 2012, S. 307–331.

Klein, Thomas/ Solms, Hans-Joachim/Wegera, Klaus-Peter: Mittelhochdeutsche Grammatik. Teil 2. Flexionsmorphologie. Berlin/Boston 2018.

Köbler, Gerhard: Altsächsisches Wörterbuch. 5. Auflage, 2014a. In: koeblergerhard.de. http://www.koeblergerhard.de/aswbhinw.html (1. 3. 2024).

Köbler, Gerhard: Mittelniederdeutsches Wörterbuch. 3. Auflage, 2014b. In: koeblergerhard.de. https://www.koeblergerhard.de/mndwbhin.html (1. 3. 2024).

Kroonen, Guus: The Proto-Germanic n-stems. A study in diachronic morphophonology. Amsterdam/New York 2011.

Lasch, Agathe: Mittelniederdeutsche Grammatik. Halle a. S. 1914.

L. L.: Lucidarius. Honorius Augustodunensis. Lübeck 1485. Exemplar: Det Kongelige Bibliotek Kopenhagen, Signatur: Inc. Haun. 2537. Zugänglich via: miami, Universität Münster, mnfd-bf-85. https://nbn-resolving.de/urn:nbn:de:hbz:6-42009739361 (1. 3. 2024).

Mackel, Emil: Deutsche Mundarten. Weserostfälisch. 1. Grubenhagen-Göttingisch, 2. Ostkalenbergisch. (Arbeiten aus dem Institut für Lautforschung an der Universität Berlin, 8). Leipzig 1939.

Marlett, Stephen A.: La situación sociolingüística de la lengua seri en 2006. In: Marlett (Hg.): Situaciones sociolingüísticas de lenguas amerindias. Lima, SIL International y Universidad Ricardo Palma, S. 1–6.

Miller, Gary D.: The Oxford Gothic Grammar. Oxford 2019.

Niebaum, Hermann: Die niederdeutschen Mundarten. Zur Formengeographie. In: Goossens, Jan (Hrsg.): Niederdeutsch. Sprache und Literatur. Eine Einführung. Band 1. Sprache. 2. Aufl. Neumünster 1983, S. 158–174.

Pötzsch, Melvin: Sprachtod- und kontaktinduzierte Phänomene im westfälischen Ortsdialekt Lutterbergs. In: Nd. Jb. 144 (2021), S. 55–78.

Pötzsch, Melvin: *Intra-village variation:* Variablenlinguistische Studien zum westfälischen Ortsidalekt Lutterbergs (Teil I). In: Nd. Kbl. 129 (2022), S. 13–30.
Pötzsch, Melvin: *Intra-village variation:* Variablenlinguistische Studien zum westfälischen Ortsidalekt Lutterbergs (Teil II). In: Nd. Kbl. 130 (2023), S. 23–43.
ReN: Referenzkorpus Mittelniederdeutsch/Niederrheinisch (1200–1650). Universität Hamburg. URL: https://www.slm.uni-hamburg.de/ren.html (1. 3. 2024).
Ringe, Don: From Proto-Indo-European to Proto-Germanic. A Linguistic History of English. Vol. I. 2. Auflage. Oxford 2017.
Ringe, Don/ Taylor, Ann: The Development of Old English. A Linguistic History of English. Vol. II. Oxford 2014.
Sarauw, Christian: Niederdeutsche Forschungen I. Vergleichende Lautlehre der niederdeutschen Mundarten im Stammlande. Kopenhagen 1920.
Sarauw, Christian: Niederdeutsche Forschungen II. Die Flexionen der mittelniederdeutschen Sprache. Kopenhagen 1924.
Schambach, Georg: Wörterbuch der niederdeutschen Mundart der Fürstenthümer Göttingen und Grubenhagen. Göttingisch-Grubenhagen'sches Idiotikon. Wiesbaden 1858. Neudruck 1967.
Schiller, Karl & Lübben, August: Mittelniederdeutsches Wörterbuch. Bremen 1875.
Tiefenbach, Heinrich: Altsächsisches Handwörterbuch. A Concise Old Saxon Dictionary. Berlin/New York 2010.

Marburg   *Melvin Pötzsch*

Studentische Abschlussarbeiten im DFG-Projekt ‚Die Stadtsprache Hannovers'. Der gewinnbringende Beitrag des wissenschaftlichen Nachwuchses zu einem mehrperspektivischen Forschungsprojekt

Das DFG-Projekt ‚Die Stadtsprache Hannovers' (*StaHa*, www.stadtsprache-hannover.de, Projektnummer 431328772) untersuchte vom 1. Januar 2020 bis zum 31. März 2024 die Sprache der niedersächsischen Landeshauptstadt aus variations- und soziolinguistischer, perzeptionslinguistischer und sprachbiografischer Perspektive (ausführlich Conrad/Ehrlich 2022, Conrad et al. im Druck). Die (Sprach)Datenerhebung von insgesamt 100 Menschen, die in Hannover wohnen und dort aufgewachsen sind, ergab eine große Menge an Sprachgebrauchs- und -einstellungsdaten sowie sprachlichen Wissensbeständen, die die Stadtsprache Hannovers umfassend dokumentieren. Neben Veröffentlichungen in Fachzeitschriften (siehe https://www.stadtsprache-hannover.de/publikationen) sowie in zwei Monografien (derzeit in Arbeit) war es dem Projektteam (Leitung: Dr. François Conrad, Mitabeitende: Hana Ikenaga, Stefan Ehrlich) ein großes Anliegen, die (Zwischen)Ergebnisse in öffentlichen Vorträgen (etwa ‚Citizen Science'-Veranstaltungen) vorzustellen. Die umfassende Methodik des Projekts wurde zudem der Studierendenschaft in empirischen Seminaren an der Leibniz Universität Hannover sowie an weiteren deutschen Universitäten vermittelt. Letzteres schloss auch die Vergabe von Abschlussarbeiten auf Bachelor- und Masterniveau mit ein, bei denen die Studierenden sowohl Sprachdaten zum Vergleich mit denjenigen aus dem Projekt sammeln als auch die Daten aus dem Projekt selbst auswerten konnten. Nicht nur der große Rücklauf in Form einer Vielzahl an interessierten Studierenden mit häufig hochwertigen Arbeiten war erfreulich. Auch das Projekt selbst profitierte von den Analysen der Studierendenschaft, war doch die schiere Masse an erhobenen Daten während der Projektlaufzeit für das Projektteam allein nicht gänzlich zu bewältigen. Wie die Rückmeldungen der Studierenden zeigten, war nicht nur der Lerngewinn sehr hoch, sondern auch die Sinnhaftigkeit der empirischen Forschung im Rahmen einer Abschlussarbeit wurde durch den direkten Projektbezug häufig als Motivationsquelle genannt. Der vorliegende Beitrag stellt die Abschlussarbeiten in einem Überblick und thematisch geordnet knapp vor, um die Bandbreite und den großen Ertrag für das Projekt zu veranschaulichen.[1]

Studentische Vergleichsarbeiten im norddeutschen Raum (n = 20)

Das DFG-Projekt beschäftigt sich übergeordnet mit der „Sonderstellung" der Stadt Hannover als Ort eines „besten/reinsten" Hochdeutsch. Diese Attribute stellen freilich relationale Begriffe dar, die Vergleiche bedürfen. Das Projektteam bot bereits früh nach Projektbeginn Studierenden an, eine Replikationsstudie in kleinem Maßstab und mit teilweise selbstbestimmtem Zuschnitt in ihrer jeweiligen Heimatstadt bzw. -region durchzuführen. Neben der direkten Unterstützung durch das Projektteam lag mit der veröffentlichten Vorgängerstudie zur Stadtsprache Hannovers von Ikenaga (2018) – selbst eine Masterarbeit an der Leibniz Universität Hannover – zudem eine gut zugängliche Vorlage vor. Vorgabe war insbesondere, vier der Hauptvariablen aus dem Projekt (*g-Spirantisierung* ‚We[ç]', *Hebung*

---

[1] Die meisten Arbeiten wurden durch den Projektleiter (François Conrad) betreut und durch eine(n) der Mitarbeitenden (Hana Ikenaga oder Stefan Ehrlich) oder durch Peter Schlobinski (Mitverantwortlicher im Projekt) zweitbegutachtet. Die Betreuer/-innen sowie Zweitgutachter/-innen sind jeweils bei den Arbeiten in der Bibliographie aufgeführt. Um Zugang zu einer der (noch) nicht veröffentlichten Arbeiten zu erhalten, kann eine Mail an den Projektleiter über die unter www.stadtsprache-hannover.de veröffentlichte Mail-Adresse gesendet werden.

von [ɛː] zu [eː] ‚K[eː]se', *Kurzvokal statt standarddeutscher Länge* ‚R[a]d', *-ng mit zusätzlichem Plosiv* ‚Wohnu[ŋk]') in einem Sprachexperiment und in der Regel bei 32 Gewährspersonen (verschiedener Generationen und Geschlechter) zu erheben. Optional wurden weitere Variablen und vereinzelt Perzeptionstests sowie kurze sprachbiografische Interviews inklusive Mental-Maps-Abfragen ergänzt. Insgesamt sind 20 Vergleichsstudien entstanden (Tabelle 1, Erhebungsorte in Abbildung 1, Dialekteinteilung nach dem Projekt *Sprachvariation in Norddeutschland*, Elmentaler/Rosenberg 2015), die teilweise auch bereits in einer Metastudie miteinander verglichen wurden (Conrad 2023, eine weitere Metastudie ist in Arbeit).[2]

Die empirisch häufig äußerst hochwertigen Arbeiten legten bezüglich des Sprachgebrauchs offen, dass Hannover bezüglich Standardkonformität bzw. -divergenz des gesprochenen Hochdeutsch für die jeweils experimentell untersuchten Variablen keine Sonderstellung innehat. Vielmehr zeigen insbesondere alle weiteren ostfälischen Ortspunkte ähnliche Anteile standarddivergenter Aussprachen. Auch die meisten anderen Ortspunkte unterscheiden sich kaum von den Variantenverteilungen in Hannover. Zudem legen die Studien aufgrund des soziolinguistischen Zuschnitts und insbesondere des Vergleichs verschiedener Generationen aufschlussreiche Sprachwandelerscheinungen im norddeutschen Raum offen (etwa Zunahme des *gehobenen [eː]* mit jüngerem Alter, starke Abnahme des *-ng mit Plosiv* mit jüngerem Alter, ausführlich Conrad 2023). Mit Unterstützung der Studierendenschaft ist somit ein breites regionalsprachliches Mosaik entstanden (der ostniederdeutsche Raum fehlt bislang bedauerlicherweise, siehe erneut Abbildung 1), dessen Daten gewinnbringend in das DFG-Projekt geflossen sind. Aufgrund der teils sehr hohen Qualität der Arbeiten gründete das Projektteam zusätzlich die *Open-access*-Publikationsreihe „Studentische Abschlussarbeiten im Projekt ‚Die Stadtsprache Hannovers'. Die Stadtsprache norddeutscher (Klein)Städte im Vergleich mit der Stadtsprache Hannovers", die optional bestimmte Arbeiten nach einem *Peer-review*-Verfahren durch das Projektteam zusammen mit der/dem Studierenden publiziert.[3] Bis Anfang April 2024 sind sechs Arbeiten in der Reihe erschienen, weitere Arbeiten befinden sich im Veröffentlichungsprozess.

---

[2]   Drei der Studien (Hannover, Hamburg, Herford) sind bereits vor dem Projekt entstanden. Eine Bachelorarbeit über die Stadtsprache Braunschweigs wird im Frühsommer 2024 eingereicht.

[3]   https://www.repo.uni-hannover.de/handle/123456789/11231 [zuletzt abgerufen am 15. April 2024].

Stadt	Stadtgröße	Dialektraum (NOSA 2015)	BA/MA	Verfasser/-in
Burgdorf*	Mittelstadt	Nordostfälisch	BA (2020)	Nina Runge
Bielefeld	Großstadt	Ostwestfälisch	BA (2024)	Paula Esplör
Bremerhaven	Großstadt	Nordhannoversch	BA (2023)	Fiona Scherdin
Celle*	Mittelstadt	Nordostfälisch	MA (2023)	Marc Voß
Cuxhaven	Mittelstadt	Nordhannoversch	MA (2023)	Stina Lüdke
Einbeck	Mittelstadt	Südostfälisch	BA (2023)	Tim Heitmüller
Gescher	Kleinstadt	Westmünsterländisch	BA (2020)	Aaron Höing
Gütersloh*	Großstadt	Ostwestfälisch	BA (2020)	Hannah-Charlotte Bröder
Hannover*	Großstadt	Nordostfälisch	MA (2017)	Hana Ikenaga
Hamburg	Großstadt	Nordhannoversch	BA (2019)	Julian Tetzlaff
Isernhagen*	ländliche Gemeinde	Nordostfälisch	BA (2021)	Sophie von Pander
Herford*	Mittelstadt	Ostwestfälisch	BA (2019)	Frederic Oepping
Hildesheim*	Großstadt	Nordostfälisch	BA (2022)	Julia Hasler
Kassel[4]	Großstadt	Nordhessisch	MA (2023)	Lea Reppnow
Langenhagen*	Mittelstadt	Nordostfälisch	BA (2020)	Felix Sandner
Minden	Mittelstadt	Nordhannoversch	BA (2020)	Arleen Voßmeyer
Osnabrück	Großstadt	Ostwestfälisch	BA (2022)	Lea Reich
Schneverdingen	Kleinstadt	Nordhannoversch	BA (2020)	Ruth Schröder
Deister (Region)	ländliche Gemeinden	Nordostfälisch	MA (2023)	Merle Schröder
Wunstorf*	Mittelstadt	Nordostfälisch	BA (2020)	Patrick Franz

Tabelle 1: Ortspunkte der 20 studentischen Vergleichsarbeiten, alphabetisch geordnet; Dialektraum nach Elmentaler/Rosenberg (2015), BA = Bachelorarbeit, MA = Masterarbeit (Jahr der Abgabe der Arbeit); Arbeiten mit * sind veröffentlicht oder im Veröffentlichungsprozess (siehe auch die Bibliographie am Ende des Beitrags)

---

[4] Kassel ist die einzige Stadt in der Reihe, die außerhalb des niederdeutschen Raums liegt.

Abbildung 1: Erhebungsorte der studentischen Vergleichsstudien im DFG-Projekt 'Die Stadtsprache Hannovers' (Hintergrundkarte aus Elmentaler/Rosenberg 2015)

Phonetische Analysen (n = 4)

Der Schwerpunkt des *StaHa*-Projekts liegt auf der phonetisch-phonologischen Variation bestimmter Aussprachevariablen in Hannover. Aufgrund der zeitlichen Einschränkungen eines geförderten Projekts konnten keine ausführlichen akustischen Analysen durchgeführt werden. Gerade für den Nachweis von Resten des 'Hannöverschen' – einer historischen, städtischen Umgangssprache im Spannungsfeld zwischen Hoch- und Niederdeutsch (etwa Ehrlich/Ikenaga im Druck, Ikenaga 2023) – insbesondere im vokalischen Bereich sind solche Analysen jedoch unerlässlich. In insgesamt vier Abschlussarbeiten wurden bestimmte phonetische Aspekte anhand der im *StaHa*-Projekt gesammelten Daten untersucht:

(1) In ihrer Bachelorarbeit „Das Vokalsystem des Hannöverschen. Eine akustische Analyse aktueller Sprachaufnahmen" (2022) erstellte Silja Petersen Vokaltrapeze von insgesamt neun Gewährspersonen aus drei Generationen. Sie stellte dabei unter anderem fest, dass die früheren Monophthongierungen /aː/ (hochdeutsch /aɪ/) und /ɔː/ (hochdeutsch /aʊ/) nur noch bei den ältesten untersuchten Sprecher/-innen und dies auch nur in Form eines Langdiphthongs ([aˑɪ], [ɔˑʊ]) nachzuweisen sind, ebenso wie Reste der zentralisierten Varianten von /a, aː/ als [ə, əː]. Die jungen Gewährspersonen zeigen hingegen nahezu ‚prototypische' standardneuhochdeutsche Vokaltrapeze.

(2) Im Anschluss an und aufbauend auf der Abschlussarbeit von Petersen (2022) erweiterte Marlene Wybraniec den Untersuchungsraum. In ihrer Bachelorarbeit „Regional gefärbt. Eine akustische Vokalanalyse ostfälischer Stadtsprachen" (2023) analysierte sie die Vokale von insgesamt neun älteren männlichen Sprechern aus insgesamt sieben Städten des ostfälischen Raums (Wennigsen, Braunschweig, Helmstedt, Hildesheim, Einbeck, Celle, Göttingen). Hierfür führte sie eine eigene Datenerhebung durch, bei der die neun Gewährspersonen unter anderem eine Bildergeschichte nacherzählen und die Fabel ‚Nordwind und Sonne' vorlesen sollten. Die akustische Analyse der jeweiligen Vokalsysteme belegte erstmals empirisch, dass die für das ‚Hannöversche' aufgezeigten Langdiphthonge und weitere vokalische Erscheinungen wie bestimmte Zentralisierungen bzw. Frontierungen in der ganzen (städtischen) Ostfalia zu hören gewesen sein mussten – und es in Resten immer noch sind.

(3) Eine weitere Bachelorarbeit untersuchte exemplarisch Intonationskurven von zwölf Gewährspersonen aus drei Generationen (Elea Mertens, „Geschlechts- und altersspezifische Unterschiede in der Intonation bei Menschen aus Hannover"). Die Analyse ergab für die ausgewählten Sätze keine signifikanten Unterschiede, legt aber den Bedarf an Studien zur Intonation im ostfälischen Raum offen.

(4) Schließlich hat sich Silja Petersen auch in ihrer Masterarbeit (2024) mit der Akustik hannoverscher Vokale von zwölf Gewährspersonen beschäftigt. In der Arbeit „‚[ʏ]rgendwas [ɪ]st [ʏ]mmer.' Eine soziophonetische Analyse der /ɪ/-Rundung in Hannover" schaute sie sich den Lautwandel [ɪ] > [ʏ] in Bezug auf den phonologischen Kontext, soziolinguistische Unterschiede sowie den genauen Artikulationsort der gerundet gesprochenen Form von <ir-> an. Als drei Hauptergebnisse zeigte sich, dass 1) die Rundungswahrscheinlichkeit und -häufigkeit steigt, je weiter vorne der Folgelaut im Mundraum realisiert wird, dass 2) Männer in diesem Lautwandel weiter fortgeschrit-

ten sind als die gleichaltrigen Frauen, und dass 3) bei <ir-> ein Wandel über die drei Generationen nachweisbar ist, der von einem Sekundärdiphthong [ɪɐ] über eine möglicherweise gerundete Variante [ʏɐ] zu einem neuen Monophthong führt, der artikulatorisch genau zwischen den beiden Diphthongkomponenten verortet ist und als halbgeschlossener Zentralvokal beschrieben werden kann (bei teils großer individueller Variation).

Auch Teile dieser Arbeiten werden derzeit zusammen mit vereinzelten weiteren akustischen Auswertungen durch den Projektleiter für eine Veröffentlichung vorbereitet.

Perzeptionslinguistische Arbeiten (n = 2)

Das *StaHa*-Projekt trägt neben der Variationsanalyse einen perzeptionslinguistischen Schwerpunkt. So wurden die Gewährspersonen nach dem Vorspielen von Testsätzen etwa im ‚Divergenztest' nach Abweichungen vom besten Hochdeutsch gefragt. Ausschnitte aus einer fiktiven Abiturrede einer der GP bekannten Person sollten korrigiert werden (‚Normativitätstest') und der eigene, situative Gebrauch einzelner Merkmale sowie deren Vorkommen in Hannover wurden erfragt. Zusätzlich wurden im Rahmen des sprachbiografischen Interviews mentale Sprachkarten erstellt und die Gewährspersonen sollten sieben kurze Aufnahmen aus sechs Städten des zentralen niederdeutschen Großraums (Bremen, Bielefeld, Hannover, Braunschweig, Magdeburg, Göttingen) sowie Kassels verorten und bewerten (ausführlich Conrad/Ehrlich 2022; vgl. Ehrlich 2023). Zwei dieser Tests (‚Divergenztest' und ‚Verortungstest') wurden in zwei Bachelorarbeiten über eine Online-Umfrage deutschlandweit wiederholt.

(1) In der Arbeit „‚So spricht meine Nachbarin auch immer.' Eine perzeptionslinguistische Untersuchung der Lokalisierung standardnaher Sprachbeispiele im norddeutschen Raum." (2023) hat Merlin Schulle den ‚Verortungstest' um eine Sprachprobe aus Hildesheim erweitert (folglich n = 8 Städte). An der Online-Umfrage nahmen 306 Personen aus dem gesamten bundesdeutschen Sprachraum teil (mit n = 147 etwa die Hälfte aus dem ostfälischen Raum; deutlich über die Hälfte der Teilnehmenden war zwischen 19 und 39 Jahren alt). Wie den Gewährspersonen aus dem *StaHa*-Projekt fiel es auch den Teilnehmenden der Online-Umfrage schwer, die Sprachproben aus den ostfälischen Städten sowie aus Bielefeld und Kassel korrekt zu verorten, während Bremen und Magdeburg deutlich häufiger korrekt verortet werden konnten. Ebenfalls bestätigt werden konnte das Ergebnis aus dem *StaHa*-

Projekt, dass im Schnitt diejenigen Aufnahmen, die nach Hannover verortet wurden, auf der Skala Hochdeutsch–Dialekt (7 Stufen) deutlich besser abschnitten. Dies verdeutlicht die Lebendigkeit des Topos eines „guten" Hochdeutsch in Hannover auf nationaler (vor allem norddeutscher) Ebene.

(2) Eine Erweiterung des oben genannten ‚Divergenztests' wurde durch Marino Faistl („‚Ist das ‚gutes' Hochdeutsch?' – Standarddivergenz und Normativität in der Wahrnehmung regiolektaler Merkmale Norddeutschlands", 2023) durchgeführt. Der Bachelorstudent nahm auf Grundlage der Methodik des *StaHa*-Projekts neue Sätze einer jungen Sprecherin auf (zwei unterschiedliche Formalitätsgrade) und spielte sie in einer Online-Umfrage jungen Menschen zwischen 18 und 35 Jahren vor (n = 432 Teilnehmende aus dem gesamten bundesdeutschen Sprachgebiet). Als zentrale Ergebnisse ergaben sich deutliche Unterschiede zwischen nord- und süddeutschen Teilnehmenden in Bezug auf Salienz und Pertinenz der norddeutschen regiolektalen Merkmale, zwischen den beiden Formalitätsgraden sowie zwischen den acht untersuchten phonologischen Variablen.

Insbesondere aufgrund der großen Menge an zusätzlich erhobenen Daten aus dem gesamten bundesdeutschen Sprachgebiet können die Ergebnisse aus dem *StaHa*-Projekt durch die beiden Arbeiten fruchtbar erweitert und ergänzt werden.

Weitere Untersuchungen (n = 3)

Schließlich widmeten sich drei weitere Abschlussarbeiten zusätzlichen Phänomenen, die im *StaHa* -Projekt bislang nur am Rand berücksichtigt werden konnten.

(1) In seiner Bachelorarbeit „HannoVERsprochen?! – Hyperkorrekturen in exemplarischen Tischgesprächen im Projekt ‚Die Stadtsprache Hannovers'" (2022) untersuchte Tim Schulschenk drei ausgewählte Tischgespräche – sechzigminütige freie Gespräche der Gewährspersonen mit ihnen nahestehenden Personen ohne Beisein des Projektteams – aus jeweils einer Generation unter anderem in Bezug auf Hyperkorrekturen, etwa die Aussprache *Hannov[ɛɐ]* (statt *Hannov[ɐ]*) oder *Kön[ɪk]* (statt *Kön[ɪç]*). In dem kleinen, gezielt ausgewählten Sample findet er insbesondere bei den jüngeren Gewährspersonen zahlreiche Belege für diese hyperkorrekten Formen, auch in einem informellen, freien Gespräch.

(2) Mit Apokopen etwa in *ich hab(e)* oder *is, nich* sowie weiteren alleg-rosprachlichen Phänomenen beschäftigte sich Larisa-Maria Costea-Schuster in ihrer Masterarbeit „,Das hab ich nich gesagt, weil ich im-mer alle Laute aussprecheʻ: Apokope und Allegrosprachlichkeit in Hannover" (2023). Ihre Analyse von sechs transkribierten sprachbio-grafischen Interviews aus *StaHa* zeigt, dass zahlreiche dieser Phäno-mene von den hannoverschen Gewährspersonen realisiert werden, dies jedoch in unterschiedlicher Häufigkeit je nach phonologischem und morphologischem Kontext und bei großen individuellen Unterschie-den.

(3) Schließlich hat erneut Tim Schulschenk in seiner Masterarbeit (2024) zwei literarische bzw. kulturelle Zeugnisse des ‚Hannöverschenʻ auf Merkmale dieser mehrheitlich verklungenen Missingsch-Varietät un-tersucht („,Der kann jäö kaan Deutsch!ʻ – Das Missingsch in Hanno-ver"). Der Vergleich des ironischen Werkes von Theodor Lessing „Jäö. Oder wie ein Franzose auszog um in Hannover das ‚raansteʻ Deutsch zu lernen" (Lessing 2005 [1919]) mit einer CD des auf Hannöversch singenden und scherzenden Comedy-Duos *Siggi und Raner* von 1996 offenbart zahlreiche phonologische und morphologische Merkmale der städtischen Umgangssprache, die mehrheitlich auch in weiteren nord-deutschen Städten dokumentiert sind.

Fazit: Win/Win für Wissenschaft und Nachwuchs

Die Übersicht über die im Rahmen des DFG-Projekts ‚Die Stadtsprache Hannoversʻ durchgeführten Bachelor- und Masterarbeiten – teils mit Da-ten aus dem Projekt, mehrheitlich mit neuen, durch die Studierenden erho-benen Daten – konnte hoffentlich zeigen, wie ertragreich die Zusammen-arbeit mit dem (studentischen) wissenschaftlichen Nachwuchs im Rahmen eines mehrjährigen Forschungsprojekts sein kann. Nicht nur konnten dadurch zusätzliche Analysen durchgeführt werden, für die die Ressourcen innerhalb des Projektteams nicht ausgereicht hätten, und die zugleich eine fruchtbare Ergänzung zu den im Projekt umfassend durchgeführten Analy-sen darstellen. Auch die Studierenden selbst freuten sich – so die häufige Rückmeldung – über die Möglichkeit, ihre erste (Bachelorarbeit) oder zweite (Masterarbeit) größere Studie als Teil eines größeren Ganzen durchzuführen. Dies steigerte, so einige der Studierenden, einerseits die Motivation, andererseits konnten die Studierenden im Erhebungs- und Auswertungsprozess umfassend vom Projektteam unterstützt werden. Dies führte zu einer höheren Zufriedenheit und Bereitschaft – und letztlich zu einer erhöhten Qualität der Arbeiten. Es ist entsprechend sicherlich kein

Zufall, dass fünf der aufgeführten Studierenden auch Hilfskräfte im Projekt waren oder nach ihrer Bachelorarbeit wurden. Letztlich führten die Angebote an Abschlussarbeiten durch das Projektteam und die Anfragen von den Studierenden selbst zu einer Win/Win-Situation, von der das *StaHa*-Projekt und die Studierenden gleichermaßen profitierten.

Zitierte Literatur

Conrad, François: Lautliche Variation norddeutscher (Klein-)Städte im Vergleich. Ein Beitrag zu einer städtebasierten Regionalsprachenforschung. In: Muttersprache 133, 1–2 (Themenheft Stadtsprachenforschung) (2023), S. 53–81.

Conrad, François/Ehrlich, Stefan: Das DFG-Projekt ‚Die Stadtsprache Hannovers'. In: Nd. Kbl. 129 (2022), S. 61–75.

Conrad, François/Ehrlich, Stefan/Ikenaga, Hana: „Das Ende eines (nord-)deutschen Mythos?" Methodologische Vielfalt bei der Erforschung der Stadtsprache Hannovers. Erscheint in: Bieberstedt, Andreas/Brandt, Doreen/Ehlers, Klaas-Hinrich/Schmitt, Christoph (Hrsg.): 100 Jahre Niederdeutsche Philologie. Ausgangspunkte, Entwicklungslinien, Herausforderungen. Teil 2: Aktuelle Forschungsfelder (Regionalsprache und regionale Kultur). Berlin (im Druck).

Ehrlich, Stefan: „Das ist doch der Dialekt von Hannover": Die diatopische Lokalisierung standardnaher Sprache durch Sprachbenutzer:innen. Perzeptive Geolinguistik im DFG-Projekt Die Stadtsprache Hannovers. In: Linzmeier, Laura/Schöntag, Roger (Hrsg.): Neue Ansätze und Perspektiven zur sprachlichen Raumkonzeption und Geolinguistik. Fallstudien aus der Romania und der Germania. Lausanne [u. a.] 2023, S. 15–39.

Ehrlich, Stefan/Ikenaga, Hana: Hannnöversch – eine historische Umgangssprache? Erscheint in: Tagungsband des 10. Nachwuchskolloquiums des VndS (Oldenburg) (im Druck).

Elmentaler, Michael/Rosenberg, Peter: Norddeutscher Sprachatlas. (NOSA). Band 1. Regiolektale Sprachlagen. Unter Mitarbeit von Liv Andresen, Klaas-Hinrich Ehlers, Kristin Eichhorn, Robert Langhanke, Hannah Reuter, Claudia Scharioth, Viola Wilcken und Ulrike Schwedler. (Deutsche Dialektgeographie, 113,1/Sprachvariation in Norddeutschland). Hildesheim/Zürich/New York 2015.

Ikenaga, Hana: „Ich kann nichts anderes als Hochdeutsch." Sprachliche Variation in Hannover. In: Muttersprache 133, 1–2 (Themenheft Stadtsprachenforschung) (2023), S. 116–123.

Theodor Lessing [Theodor le Singe]: Jäö. Oder wie ein Franzose auszog um in Hannover das „raanste" Deutsch zu lernen. Hannover 2005 [1919].

Abschlussarbeiten [gegebenenfalls mit Angabe der Veröffentlichung][5]

Bröder, Hannah-Charlotte (2021): „‚Sa[x]t man hier so!' Eine soziolinguistische Untersuchung der Sprache in Gütersloh" (Masterarbeit; Betreuer: François Conrad, Zweitgutachter: Stefan Ehrlich). Veröffentlicht unter gleichnamigem Titel in der Reihe *Networx* (93) unter https://www.mediensprache.net/networx/networx-93.pdf (2022).

Costea-Schuster, Larisa-Maria (2023): „‚Das hab ich nich gesagt, weil ich immer alle Laute ausspreche': Apokope und Allegrosprachlichkeit in Hannover" (Masterarbeit; Betreuer: Stefan Ehrlich, Zweitgutachter: François Conrad).

Esplör, Paula Marie (2024): „Bielefelderisch – gibt's doch gar nicht! Eine soziolinguistische Untersuchung der Sprache in Bielefeld" (Bachelorarbeit; Betreuerin: Anna Kutscher [Universität Bielefeld], Zweitgutachter: François Conrad).

Faistl, Marino (2024): „‚Ist das ‚gutes' Hochdeutsch?' – Standarddivergenz und Normativität in der Wahrnehmung regiolektaler Merkmale Norddeutschlands" (Bachelorarbeit; Betreuer: Stefan Ehrlich, Zweitgutachter: François Conrad).

Franz, Patrick (2020): „Im Schatten der Großstadt? Eine soziolinguistische Untersuchung[k] der Stadtsprache Wunstorfs im Vergleich zu Hannover" (Bachelorarbeit; Betreuer: François Conrad, Zweitgutachter: Peter Schlobinski). Veröffentlicht unter gleichnamigem Titel als Nr. 2 der Reihe *Studentische Abschlussarbeiten im Projekt „Die Stadtsprache Hannovers". Die Stadtsprache norddeutscher (Klein)Städte im Vergleich mit der Stadtsprache Hannovers* unter https://doi.org/10.15488/11940 (2022).

Hasler, Julia (2022): „Wie wir sprechen? Na, wunderbar! – ein soziolinguistischer Blick auf Hildesheim" (Bachelorarbeit; Betreuer: François Conrad, Zweitgutachter: Stefan Ehrlich).

Heitmüller, Tim (2023): „‚Och, man hört ja schon raus, wenn's Einbecker sind!' Eine soziolinguistische Untersuchung der Stadtsprache Einbecks (Südniedersachsen)" (Bachelorarbeit; Betreuer: François Conrad, Zweitgutachterin: Jasmin Krukenberg). Veröffentlicht unter gleichnamigem Titel als Nr. 6 der Reihe *Studentische Abschlussarbeiten im Projekt „Die Stadtsprache Hannovers". Die Stadtsprache norddeutscher (Klein)Städte im Vergleich mit der Stadtsprache Hannovers* unter https://doi.org/10.15488/16300 (2024).

Höing, Aaron (2020): „‚Alles Keese, oder alles Käse?' Ein Vergleich verschiedener Aussprachemerkmale zwischen Hannover und dem Westmünsterland" (Bachelorarbeit; Betreuer: François Conrad, Zweitgutachter: Peter Schlobinski).

Ikenaga, Hana (2017): „‚Tach' oder ‚Tag'? Eine soziolinguistische Untersuchung(k) der hannoverschen Stadtsprache" (Masterarbeit; Betreuer: François Conrad, Zweitgutachter: Peter Schlobinski). Veröffentlicht unter gleichnamigem Titel in der Reihe *Networx* (81) unter https://www.mediensprache.net/networx/networx-81.pdf (2018).

---

[5] Sofern nicht anders angegeben, wurden die Abschlussarbeiten an der Leibniz Universität Hannover abgelegt.

Lüdtke, Stina (2022): „Bi uns anne Küst schnackt wi …"! – Eine soziolinguistische Untersuchung der Sprache Cuxhavens" (Masterarbeit; Betreuer: François Conrad, Zweitgutachter: Stefan Ehrlich).

Mertens, Elea (2024): „Geschlechts- und altersspezifische Unterschiede in der Intonation bei Menschen aus Hannover" (Bachelorarbeit; Betreuer: François Conrad, Zweitgutachterin: Jasmin Krukenberg).

Oepping, Frederic (2019): „Kleine Entfernung[k], großer Unterschied? Ein Vergleich der dialektalen Aussprachemerkmale zwischen Hannover und Herford" (Bachelorarbeit; Betreuer: François Conrad, Zweitgutachter: Peter Schlobinski). Veröffentlicht unter gleichnamigem Titel in der Reihe *Networx* (88) unter https://www.mediensprache.net/networx/networx-81.pdf (2020).

Petersen, Silja (2022): „Das Vokalsystem des Hannöverschen. Eine akustische Analyse aktueller Sprachaufnahmen" (Bachelorarbeit; Betreuer: François Conrad, Zweitgutachter: Stefan Ehrlich).

Reich, Lea (2022): „‚Hier spricht man Hochdeutsch!' Eine soziolinguistische Untersuchung der Stadtsprache Osnabrücks im Vergleich zu Hannover" (Bachelorarbeit; Betreuer: François Conrad, Zweitgutachterin: Hana Ikenaga).

Reppnow, Lea (2023): „‚Die haben mir imm[ɐ] gesa[x]t, wir hören uns so ostdeutsch an.' Eine variationslinguistische Untersuchung der städtischen Umgangssprache Kassels" (Masterarbeit; Betreuer: François Conrad, Zweitgutachter: Stefan Ehrlich).

Runge, Nina Marie (2020): „‚Die Hannoveraner sprechen exakter!' Eine soziolinguistische Untersuchung in der Stadt Burgdorf (Region Hannover)" (Bachelorarbeit; Betreuer: François Conrad, Zweitgutachter: Peter Schlobinski). Veröffentlicht unter gleichnamigem Titel als Nr. 3 der Reihe *Studentische Abschlussarbeiten im Projekt „Die Stadtsprache Hannovers". Die Stadtsprache norddeutscher (Klein)Städte im Vergleich mit der Stadtsprache Hannovers* unter https://doi.org/10.15488/14740 (2023).

Sandner, Felix (2020): „Hochdeutsch? Kein Di[ŋ]. Ein soziolinguistischer Blick auf Langenhagen" (Bachelorarbeit; Betreuer: François Conrad, Zweitgutachter: Peter Schlobinski). Veröffentlicht unter gleichnamigem Titel als Nr. 2 der Reihe *Studentische Abschlussarbeiten im Projekt „Die Stadtsprache Hannovers". Die Stadtsprache norddeutscher (Klein)Städte im Vergleich mit der Stadtsprache Hannovers* unter https://doi.org/10.15488/11615 (2021).

Scherdin, Fiona (2023): „‚Moin – genu[x] gesa[x]t!' Eine soziolinguistische Untersuchung der Sprache Bremerhavens" (Bachelorarbeit; Betreuerin: Maila Seiferheld [Universität Münster], Zweitgutachter: François Conrad). Veröffentlicht unter dem Titel „‚Alles das, was wir hier sprechen, ist Hochdeutsch.' Eine soziolinguistische Untersuchung der Sprache Bremerhavens" als Nr. 5 der Reihe *Studentische Abschlussarbeiten im Projekt „Die Stadtsprache Hannovers". Die Stadtsprache norddeutscher (Klein)Städte im Vergleich mit der Stadtsprache Hannovers* unter https://doi.org/10.15488/16299 (2024).

Schröder, Merle (2023): „‚Sprechen wir w[ʏ]rklich langweili[ç]?' – Eine soziolinguistische Untersuchung der Aussprache in der Deister-Region" (Masterarbeit; Betreuer: François Conrad, Zweitgutachter: Stefan Ehrlich).

Schröder, Ruth (2020): „Durch die Heide fährt der Zu[k] oder der Zu[ch]? Soziolinguistische Untersuchung dialektaler und hochdeutscher Aussprachevarianten in Schneverdingen" (Bachelorarbeit; Betreuer: François Conrad, Zweitgutachter: Peter Schlobinski).

Schulle, Merlin (2023): „‚So spricht meine Nachbarin auch immer.' Eine perzeptionslinguistische Untersuchung der Lokalisierung standardnaher Sprachbeispiele im norddeutschen Raum" (Bachelorarbeit; Betreuer: François Conrad, Zweitgutachter: Stefan Ehrlich).

Schulschenk, Tim (2022): „HannoVERsprochen?! – Hyperkorrekturen in exemplarischen Tischgesprächen im Projekt ‚Die Stadtsprache Hannovers'" (Bachelorarbeit; Betreuer: François Conrad, Zweitgutachter: Stefan Ehrlich).

Schulschenk, Tim (2024): „‚Der kann jää kaan Deutsch!' – Das Missingsch in Hannover" (Masterarbeit; Betreuer: François Conrad, Zweitgutachterin: Jasmin Krukenberg).

Tetzlaff, Julian (2019): „Hamburg oder Hamburch? Eine soziolinguistische Untersuchung des Standarddeutschen von Hamburgern und Hannoveranern im Vergleich" (Bachelorarbeit; Betreuer: François Conrad, Zweitgutachter: Peter Schlobinski).

Von Pander, Sophie (2022): „‚Dass in Hannover ge[sp]rochen wurde, war früher „gan[k] und g[e:]be'. Eine soziolinguistische Betrachtung[k] der Sprache in der ländlichen Gemeinde Isernhagen" (Bachelorarbeit; Betreuer: François Conrad, Zweitgutachter: Stefan Ehrlich). Veröffentlicht unter gleichnamigem Titel als Nr. 4 der Reihe *Studentische Abschlussarbeiten im Projekt „Die Stadtsprache Hannovers". Die Stadtsprache norddeutscher (Klein)Städte im Vergleich mit der Stadtsprache Hannovers* unter https://doi.org/10.15488/14739 (2023).

Voß, Marc (2022): „Mit dem R[a]d durch die Stadt? Eine soziolinguistische Untersuchung der Stadtsprache Celles" (Masterarbeit; Betreuer: François Conrad, Zweitgutachter: Stefan Ehrlich).

Voßmeyer, Arleen (2021): „Wie jabbelt der Buttjer? Eine Studie zur Erfassung der Stadtsprache Mindens" (Masterarbeit; Betreuer: François Conrad, Zweitgutachter: Peter Schlobinski).

Wybraniec, Marlene (2023): „Regional gefärbt. Eine akustische Vokalanalyse ostfälischer Stadtsprachen" (Bachelorarbeit; Betreuer: François Conrad, Zweitgutachter: Stefan Ehrlich).

Hannover   *François Conrad*

Niederdeutsch in süddeutschen gymnasialen Schulbüchern

1. Einleitung

Das Niederdeutsche ist im Schulunterricht Norddeutschlands mittlerweile fest verankert. Aber ist es auch von Relevanz in süddeutschen Schulen? Welchen Raum und welchen Status nehmen die unterschiedlichen Varietäten des Deutschen generell dort ein? Der vorliegende Beitrag macht es sich nicht zur Aufgabe, konkrete Unterrichtspraxis zu untersuchen, in der die einzelnen Lehrerinnen und Lehrer individuelle inhaltliche Schwerpunkte setzen können und dabei auch unterschiedliche Auffassungen bezüglich sprachlicher Normen und Variation zeigen (vgl. Davies 2006). Vielmehr sollen Schulbücher im Fokus stehen. Diese müssen in Bayern und Baden-Württemberg ein amtliches Zulassungsverfahren durchlaufen, bevor sie in den Schulen zum Einsatz kommen. Schulbücher werden im Fach Deutsch regelmäßig verwendet (vgl. Gehrig 2014: 230), sodass Verbindungen zwischen deren Inhalten und dem Unterrichtsgeschehen anzunehmen sind.

Ich konzentriere mich in diesem Beitrag auf gymnasiale Schulbücher, da bei diesen am ehesten metasprachliche Reflexion zu erwarten ist und jüngst ein Korpus aus gymnasialen Schulbuch-Aufgaben aus Bayern und Baden-Württemberg für eine Untersuchung zu Dialektaufgaben und ihren sprachideologischen Prägungen erstellt wurde (vgl. Schiegg & Ißleib im Erscheinen). Auf dieses Korpus stütze ich mich auch im Folgenden, lege aber meinen Fokus auf die Belege zum Niederdeutschen. Nach einem knappen Abriss zum Forschungs- und Bildungskontext in Abschnitt 2 erläutere ich in Abschnitt 3 die Zusammensetzung des Korpus. Die Befunde präsentiere ich in Abschnitt 4, gegliedert nach den Bundesländern Bayern und Baden-Württemberg. Mit einem resümierenden Abschnitt 5 schließt der Beitrag.

2. Forschungs- und Bildungskontext

Die nationalen Vereinheitlichungsbestrebungen führten im Deutschunterricht des 19. Jahrhunderts zum „Zurückdrängen von Dialekten als Sprachen des alltäglichen Gebrauchs und als Ausgangssprachen von Schülern" (Neuland & Hochholzer 2006: 177). Auch in den 1950er- und 1960er-Jahren bestand in den Schulen bezüglich der Dialekte lediglich ein „sprachpflegerisch-sprachkundlicher Zugang, indem Mundartgedichte und Nahrungsmittelbezeichnungen [...] präsentiert wurden" (Neuland & Peschel 2013: 215). Im Zuge der in den 1970er-Jahren aufkommenden kommunikativen Sprachdidaktik wurden Dialekte zwar zunehmend Unterrichtsgegenstand, sie wurden allerdings als Kommunikationsbarriere betrachtet, als ein „dysfunktionales verständigungsmittel und als ursache für kommunikationsstörungen" (Neuland 1979: 87 [Kleinschreibung im Original]). Diese Vorstellung hat sich oft bis ins 21. Jahrhundert erhalten. Untersuchungen zu zwischen 2001 und 2012 erschienenen Deutschbüchern konnten belegen, dass der Dialekt vor allem auf Witze, Heimatlieder

und Gedichte reduziert wurde, aber in Bezug auf die Alltagskommunikati-
on dort keine Rolle spielte (vgl. Maitz & Foldenauer 2015); der Dialekt
galt weiterhin als Kommunikationsbarriere. Eine dialektfreundliche Haltung attestieren Janle & Klausmann (2020) dagegen drei jüngeren, zwischen 2014 und 2016 erschienenen gymnasialen Schulbüchern aus Baden-
Württemberg; dennoch werden weiterhin „gängige Sprachklischees bestätigt und verfestigt" (Janle & Klausmann 2020: 65), was sich in der Thematisierung von vermeintlich auf Dialektgebrauch rückführbaren Verständ-
nisproblemen sowie den Tendenzen zur Komisierung des Dialekts zeigt.

Unter anderem norddeutsche gymnasiale Deutschbücher aus Niedersachsen stehen im Fokus der Studie von Foldenauer (2020). Sie vertreten
eine positive, teilweise auch patriotische Einstellung gegenüber dem Dialekt. Während manchmal für den Gebrauch des Niederdeutschen gewor-
ben wird, erfolgt in anderen Büchern die Zuweisung eines musealen Status, einer Varietät der sprachlichen Vergangenheit. Das Interesse der niedersächsischen Bücher liegt damit auch weniger in anwendungsorientier-
ten, sondern eher in sprachanalytischen Dialektaufgaben. Bei diesen kritisiert Foldenauer (2020: 25) schließlich, dass „Niederdeutsch in den niedersächsischen Schulbüchern nicht als vielschichtige Varietät gezeigt [wird],
sondern stark vereinheitlicht". So fehle meist sogar die grobe Unterteilung
in West- und Ostniederdeutsch. Typisch sind hier Aufgaben, in denen das
Niederdeutsche mit dem Hochdeutschen, Englischen oder Niederländischen lautlich verglichen werden soll.

In den beiden süddeutschen Bundesländern Bayern und Baden-
Württemberg wurden in jüngerer Zeit neue gymnasiale Deutschbücher
eingeführt, was auf den LehrplanPLUS (2017) in Bayern und den neuen
Bildungsplan (2016) in Baden-Württemberg zurückzuführen ist. Diese
entstanden im Kontext einer zunehmend positiveren Einstellung gegenüber Dialekten, die in beiden Bundesländern auch sprachpolitisch festge-
legt ist. Die in der bayerischen Landesverfassung (Art. 131) verankerte
Dialektpflege nimmt das Bayerische Staatsministerium für Bildung und
Kultus ernst, indem u. a. neben Handreichungen für den Unterricht im Jahr
2021 das Online-Themenportal „Dialekte und regionale Kultur"[1] initiiert
wurde, das zusätzliche Informationen, Unterrichtsmaterialien, Projektideen
und Medientipps bietet und kontinuierlich aktualisiert und erweitert wird.
Die Sprachenpolitik Baden-Württembergs ist ebenfalls pluralistisch ausgerichtet. Infolge der im Jahr 2020 von der Landesregierung etablierten Dia-

---

[1] Vgl. https://www.dialekte.schule.bayern.de/ (13. 11. 2023).

lektinitiative werden in regelmäßigen Intervallen Vorschläge zur Stärkung der Dialekte erarbeitet.[2]

Auch die beiden genannten neuen Lehr- und Bildungspläne zeigen nun einen verstärkten Fokus auf Dialekte und deutsche Varietäten. So wird im LehrplanPLUS (2017) aus Bayern insgesamt sieben Mal explizit auf Dialekte rekurriert, wobei deren Merkmale, Leistungen und Vielfalt im Zentrum der Beschäftigung stehen sollen. Im jüngsten Bildungsplan (2016) Baden-Württembergs finden sich immerhin noch drei Erwähnungen des Themas Dialekt. Allerdings besteht – wie auch in früheren Versionen des Bildungsplans – das Hauptinteresse weiterhin darin, „Sprache normgerecht zu verwenden" (Janle & Klausmann 2020: 61), was von einer Orientierung an der Standardsprache zeugt. Eine Erwähnung konkreter Dialekte und damit auch des Niederdeutschen findet sich in diesen amtlichen Dokumenten überhaupt nicht.

Inwiefern in den aktuellen Schulbüchern der insgesamt dialektfreundliche Anspruch der beiden süddeutschen Bundesländer umgesetzt wird, war Thema einer jüngeren Untersuchung (vgl. Schiegg & Ißleib im Erscheinen). Dabei wurde deutlich, dass die neuen Bücher aus Bayern durchaus eine dialektoffenere Haltung im Vergleich zu den älteren Büchern besitzen. Die Schülerinnen und Schüler sollen sich mit Dialekten identifizieren, was umgekehrt zur Ausgrenzung von Nicht-Dialektsprechern führen kann. Dabei erfolgt durchweg ein starker Fokus auf das Bairische mit Marginalisierung des ebenfalls in Bayern gesprochenen Schwäbischen und Fränkischen. Zudem spielen Dialekte außerhalb Bayerns – dies werden auch die Befunde zum Niederdeutschen in Abschnitt 4 zeigen – meist überhaupt keine Rolle. Die Schulbücher Baden-Württembergs konzentrieren sich zwar ebenfalls auf einen der dortigen Dialekte, das Schwäbische, nehmen aber oft auch eine breitere Perspektive auf Dialekte außerhalb des Bundeslands ein. Allerdings tradieren die dortigen Bücher ältere, problematische Aufgaben, in denen standardistische Ideologien inklusive Stereotypisierung und offener Diskriminierung von Dialektsprechern zutage treten.

3. Korpus

Als Datengrundlage für diesen Beitrag dient das im Rahmen der Untersuchung von Schiegg & Ißleib (im Erscheinen) erstellte Korpus aus gymnasialen Schulbuch-Aufgaben aus Bayern und Baden-Württemberg, dessen Erstellung und Aufbau im Folgenden knapp skizziert wir. Für die Korpuserstellung wurden alle nach den neuesten gymnasialen Lehr- und Bil-

---

[2] Vgl. https://www.baden-wuerttemberg.de/de/service/presse/pressemitteilung/pid/runder-tisch-soll-dialekte-im-land-staerken/ (13.11.2023).

dungsplänen zugelassenen Schulbücher gesichtet.[3] Da der LehrplanPLUS in Bayern seit dem Schuljahr 2017/18 sukzessive eingeführt wird, liegen aktuell die Schulbücher der Jahrgänge 5 bis 11 vor,[4] für Baden-Württemberg sind nach dem Bildungsplan 2016 bereits alle Jahrgänge erschienen. Die 72 zugelassenen Schulbücher, 31 in Bayern und 41 in Baden-Württemberg, stammen von vier Verlagen (C.C. Buchner, Cornelsen, Klett, Westermann), wobei teilweise mehr als eine Buchreihe pro Verlag zugelassen ist, die Reihen aber nicht immer alle Jahrgangsstufen abdecken.[5]

Ein Problem bestand zunächst in der Frage, was überhaupt als Dialektaufgabe gewertet werden kann. Dialektale Textbeispiele können etwa, wie bereits Neuland (1979: 77) beobachtete, „indirekt und beiläufig als anschauungsmaterial bzw. ‚verpackung' für ausserhalb ihrer selbst liegende lernziele und -inhalte verwendet werden". Weder sinnvoll noch praktisch durchführbar erschien es, jede einzelne Erwähnung des Wortes *Dialekt* in allen zu untersuchenden Büchern zu ermitteln; vielmehr sollten Bewertungen des Stellenwerts des Dialekts und der vertretenen Einstellungen gegenüber diesem möglich sein. Eine geeignete Zugriffsmöglichkeit ergab sich über die Inhaltsverzeichnisse der Bücher. Diese divergieren zwar in Terminologie, Anlage und Vollständigkeit; sie sind aber sehr detailliert und führen oft Aufgabenblöcke von Unterrichtseinheiten auf, in denen Dialekte thematisiert werden. Zwar fanden sich in einigen Büchern noch an anderen Stellen Aufgaben, in denen Dialekt eine Rolle spielt; dort bildete er dann aber in der Regel nicht das primäre Lernziel. Durch die Sichtung der Inhaltsverzeichnisse wurden somit in 27 der 72 Schulbücher (37,5 %) Abschnitte mit Dialektaufgaben erfasst.

Insgesamt konnten 264 Dialektaufgaben ermittelt werden, 157 in den bayerischen und 107 in den baden-württembergischen Schulbüchern. In Bayern konzentrieren sich diese auf die 6. und 8. Klasse, wo das Thema laut Lehrplan im Fokus steht. In Baden-Württemberg zeigt sich ebenfalls ein Schwerpunkt in der 8. Klasse, aber auch in den anderen Jahrgangsstu-

---

[3]   Aktuelle Listen der zugelassenen Lernmittel finden sich beim Bayerischen Staatsministerium für Unterricht und Kultus (https://www.km.bayern.de/lehrer/ unterricht-und-schulleben/lernmittel.html) und beim Institut für Bildungsanalysen Baden-Württemberg   (https://www.schule-bw.de/service-und-tools/listen-der-zugelassenen-schulbuecher [beide Stand 19. 9. 2023]). Ich danke Anna Ißleib für die Sichtung und Scans insbesondere der Schulbücher aus Baden-Württemberg.

[4]   Die Jahrgänge 12 und 13 erscheinen ab dem Schuljahr 2024/25.

[5]   In Schiegg & Ißleib (im Erscheinen) werden detaillierte Übersichten abgedruckt, auch zur quantitativen Verteilung der Dialektaufgaben auf die einzelnen Schulbücher.

fen konnten vereinzelt Dialektaufgaben erfasst werden. Berücksichtigt wurden bei der Zählung alle Aufgaben, in denen regional bedingte Varietäten eine Rolle spielen. Oft wurden auch Aufgaben zusammengefasst, wenn die Untergliederung in den Büchern sehr kleinschrittig war und sich Aufgaben auf eine Quelle wie Dialekttext oder Sprachkarte bezogen.

Nicht in allen Dialektaufgaben wird mit konkreten Texten gearbeitet, sondern es geht oft auch um die Wirkung bzw. das kommunikative Potential von Dialekten generell. Immerhin in 161 Aufgaben werden konkrete Dialekte behandelt, 75 in Bayern, 86 in Baden-Württemberg. Ein deutlicher Unterschied besteht nun darin, dass in Bayern überwiegend (Anzahl 63; 84,0%) in diesem Bundesland vorkommende Dialekte – meist das Bairische (40), seltener das Fränkische (16) und Schwäbische (7) – behandelt werden, in Baden-Württemberg die eigenen Dialekte dagegen in der Minderheit sind (Anzahl: 34; 39,5%) (vgl. Schiegg & Ißleib im Erscheinen). Inwiefern der Blick dabei bis zum Niederdeutschen reicht und welche Behandlung es in den Schulbüchern erfährt, wird im Folgenden getrennt nach den beiden Bundesländern aufgezeigt.

4. Befunde

4.1 Niederdeutsch in bayerischen gymnasialen Schulbüchern

Von den 12 Aufgaben in bayerischen gymnasialen Schulbüchern zu Dialekten außerhalb Bayerns handelt es sich bei der Hälfte um solche zur großräumigen regionalen Variation, indem etwa in BY-Klett-8[6] anhand einer Karte aus dem *dtv-Atlas deutsche Sprache* „die deutschen Dialekte und Dialektgruppen in Form eines übersichtlichen Schaubilds" (S. 213) dargestellt werden sollen. Sehr sporadisch kommen auch Einzeldialekte aus dem Mitteldeutschen wie das Hessische und Ripuarische vor; das Niederdeutsche ist ebenfalls nur in 2 der 31 zugelassenen Bücher von Relevanz (siehe Tabelle 1):

---

[6] Schulbücher werden im Folgenden mit einer Sigle zitiert, die sich aus den Bestandteilen Bundesland (BY = Bayern, BW = Baden-Württemberg), Verlag (bei mehreren Reihen eines Verlags ein zusätzliches Kürzel zum Reihentitel) und Jahrgangsstufe zusammensetzt. Der Anhang löst die Siglen bibliographisch auf.

Schulbuch	Niederdeutsche Materialien	Aufgaben
BY-Westermann-K-6, S. 221	a) Dialektsätze, u. a. *Swieg still, Jung!* b) Dialektwörter: *Knief, Snottdook, Lieke, tokieken, Thein* [sic!]	- Zuordnung zu Dialekten - Übersetzung der Dialektwörter
BY-Klett-8, S. 177 (siehe Abb. 1)	Gedicht: Michael Augustin: *Bi mi to Huus* (2016)	- eigenständige Recherchen zum Niederdeutschen - Übertragung „in den Dialekt eurer Gegend"

Tabelle 1: Aufgaben zum Niederdeutschen in bayerischen gymnasialen Schulbüchern (LehrplanPLUS)

In BY-Westermann-K-6 (S. 221) sollen einzelne Sätze mehreren vorgegebenen Dialekten zugeordnet werden, zu „Niederdeutsch" der Satz *Swieg still, Jung!*. Ohne irgendwelche sprachstrukturellen Hinweise erscheint die Aufgabe recht schwierig. Später werden in der Aufgabe „Wie gut versteht ihr Dialekte" jeweils fünf Wörter auf „Fränkisch", „Bayerisch" [sic!][7] und „Plattdeutsch" aufgelistet, die mit Hilfe des Internets – ohne Verweis auf eine konkrete Website – ins Hochdeutsche übersetzt werden sollen. Letztere Wörter lauten: *Knief, Snottdook, Lieke, tokieken* und *Thein* [sic!]. Anschließend soll überlegt werden, „warum euch bei einem Dialekt die Übersetzung schwerer gefallen ist". Da das Schulbuch keinerlei Hintergrundwissen zu den Dialekten vermittelt und die Wörter zudem völlig isoliert stehen, dürfte die Aufgabe einem Sechstklässler sehr schwer fallen. Dabei scheint *Lieke* (evtl. für '[das] Gleiche'?) ein sehr unübliches Wort zu sein; *Thein* ist völlig unklar und könnte – mit Tippfehler – für niederdeutsch *teihn* ('zehn') stehen.[8] Dazu kommt, dass auf derselben Buchseite divergierende Bezeichnungen für die Varietät – „Niederdeutsch" und „Plattdeutsch" – verwendet werden, was zur vollständigen Verwirrung führen dürfte.

In BY-Klett-8 (S. 177) findet sich das längere Kapitel „Mundartlyrik erschließen". Dort erscheint auch ein kurzer lyrischer Text auf Niederdeutsch, Michael Augustins *Bi mi to Huus*, zusammen mit einer Übersetzung ins Standarddeutsche (siehe Abb. 1). Drei Aufgaben sind mit dem Gedicht verbunden. Anstatt sprachstrukturelle und historische Informationen zum Niederdeutschen zu liefern, fordert das Buch die Schülerinnen und Schüler auf, selbst Recherchen anzustellen. Eine sprachliche Ausei-

---

[7] Terminologische Fehler wie hier die Verwechslung der politischen Region (*Bayern*) mit der Sprachregion (*Bairisch*) sind in den untersuchten Schulbüchern nicht selten.

[8] Diese Dialektwörter sind damit nicht nur willkürlich, sondern auch sehr unglücklich gewählt. Ich danke Viola Wilcken für die Hinweise.

nandersetzung mit dem abgedruckten Gedicht dürfte damit kaum zu be-
werkstelligen sein und wird auch nicht erwartet. So geht es in der zweiten
Aufgabe um einen inhaltlichen Vergleich mit einem bekannten Sprichwort.
In der dritten Aufgabe soll der Text „in den Dialekt eurer Gegend" übertragen und die Wirkung des dabei entstandenen Textes mit der des standarddeutschen Textes verglichen werden. Diese Aufgabe ist problematisch,
da Nicht-Dialektsprecher generell und sogar auch Dialektsprecher aus
einer anderen Gegend an der Aufgabe scheitern dürften.

Michael Augustin: Bi mi to Huus (2016)

blafft	un	Bei mir zu Hause
de Hunnen	biet	bellen / die Hunde / auf Platt /
op Platt	op Hochdütsch	und / beißen / auf Hochdeutsch

3. Recherchiert zum Plattdeutschen und stellt eure Ergebnisse in der Klasse vor.

4. Bringt den Inhalt mit dem Sprichwort „Hunde, die bellen, beißen nicht."
   in Verbindung.

5. Übertragt den Text in den Dialekt eurer Gegend und vergleicht die Wirkung
   der Dialektfassung mit der in der Standardsprache.

Abb. 1: Dialektgedicht mit Aufgaben zum Niederdeutschen (BY-Klett-8, S. 177)

Bayerische gymnasiale Deutschbücher thematisieren folglich nur selten
Varietäten außerhalb Bayerns. Nur in zwei Büchern wird das Nieder- bzw.
Plattdeutsche explizit genannt, ohne allerdings irgendwelche weiteren
inhaltlichen Informationen zu diesem zu liefern. Ob süddeutsche Deutsch-
lehrerinnen und -lehrer, die oft wohl kaum Hintergrundwissen zum Niederdeutschen besitzen, diese sinnvoll ergänzen können, ist fraglich.

**4.2 Niederdeutsch in baden-württembergischen gymnasialen Schulbü-
chern**

a) Überblick

Die Dialektaufgaben in den Deutschbüchern aus Baden-Württemberg sind
regional deutlich breiter gestreut, indem 53 der gezählten 86 Aufgaben
(61,6%) Varietäten außerhalb des eigenen Bundeslandes behandeln. Dies
erfolgt auf vielfältige Weise und durch unterschiedliche Textsorten wie
Mundartgedichte, Rezepte und alltagssprachliche Äußerungen sowie durch
Sprachkarten. Unterrepräsentiert sind ostdeutsche Dialekte, denen zudem
Klischees wie schwere Verständlichkeit attribuiert werden (vgl. im Detail

Schiegg & Ißleib im Erscheinen), sowie die nationalen Varietäten des Deutschen in Österreich und der Schweiz. In 8 von 14 baden-württembergischen Schulbüchern mit konkreten Dialektthematisierungen – 41 sind insgesamt zugelassen – geht es gezielt um das Niederdeutsche (siehe Tabelle 2).[9] Der Schwerpunkt der Aufgaben liegt deutlich auf der 8. Klasse, wo in allen vier Schulbüchern mit Dialektaufgaben auch das Niederdeutsche vorkommt. Sporadisch mit je einem Befund wird das Niederdeutsche auch in der 7., 9. und 10. Klasse sowie in der Oberstufe behandelt.

Schulbuch	Niederdeutsche Materialien	Aufgaben
7. Klasse: BW-Cornelsen-Dz-7, S. 263	a) Informationstext: Sabine Kaufmann: *Die „Zweite Lautverschiebung"* (Ausschnitt) b) Wortpaare: *Dorf – Dorp*; *Pund – Pfund*; *machen – maken*; *Pfeffer – Peffer* [sic!]; *Pann – Pfanne*	- inhaltliche Erfassung - Zuordnung der Wörter zur „oberdeutschen Regionalsprache" und „niederdeutschen Regionalsprache"
8. Klasse: BW-Cornelsen-Db-8, S. 157–159	a) Gedicht: Luise Ortlieb: *Hamborgs Nachtmelodie* b) Einzellexeme: *Peper, Appel, Water, wat, beter, breken, koken*	- Vortrag, inhaltliche Erfassung, Übersetzung - Erarbeitung der 2. LV, Vergleich zum Englischen
8. Klasse: BW-Klett-8, S. 180–185	a) Informationstext: *Plattdeutsch nicht mit „platt" verwechseln* b) Karte: Dialektlandschaften in Deutschland mit je 6 nd./md./obd. Wortpaaren (nd. *maken, ik, dat, Dorp, Pund, Appel*) c) Redewendungen: nd. *Ik hau di platt as n Pannkoken, wen du neet maakst, dat du de Dreih kriggst.* inkl. Tabelle mit Einzellexemen auf Hochdeutsch, Niederdeutsch, Englisch, Niederländisch d) Dialektwitz in diversen Varianten	- inhaltliche Erfassung - lautlicher Vergleich der 6 Lexeme - inhaltliche Erfassung Redewendungen und Zuordnung Dialektlandschaft - Vervollständigung Tabelle mit lautlichem Vergleich - Erklärung Varianten Dialektwitz mit Übertragung „für den in eurer Gegend gesprochenen Dialekt"

---

[9]   Immer wieder spielt das Niederdeutsche auch am Rande eine Rolle, wenn etwa in BW-Klett-8 (S. 183) mit einer Wortkarte aus dem *dtv-Atlas deutsche Sprache* zu regional variierenden Bezeichnungen für *Brötchen* gearbeitet werden soll. In solchen Fällen werden die Aufgaben nicht als gezielt das Niederdeutsche behandelnd gezählt, im Folgenden aber teilweise auch mit thematisiert.

8. Klasse: BW-Klett-8-allg[10], S. 201f.	a) Postkartensprüche: u. a. *WAT MUTT, DAT MUTT* b) Karte: Dialektlandschaften in Deutschland mit je 6 nd./md./obd. Wortpaaren (nd. *maken, ik, dat, Dorp, Pund, Appel*)	- Übersetzung, Benennung der Dialekte, Erarbeitung Informationen über die Dialekte - lautlicher Vergleich der 6 Lexeme
8. Klasse: BW-Westermann-P-8, S. 313f.	a) Fiktive Zeitungsnachricht: *Wegen dumm Tüüg harr de Polizei veel to dohn* b) Karte: *Die deutschen Mundarten* c) Dialektkarte zu *auf*	- Vorlesen, inhaltliche Erfassung und Übersetzung - Erfassung der Gebiete des niederdeutschen Sprachraums - Arbeit mit Dialektkarte - Diskussion zu Dialektpflege
9. Klasse: BW-Cornelsen-Db-9, S. 233	a) Redensarten: u. a. *Dat löpt, as wenn de Düvel Törf fohrt.* b) Karte: Dialektlandschaften in Deutschland c) Einzellexeme: *Solt, Melk, slapen, Panne*	- Übersetzung der Redensarten mit Dialektzuordnung - Übersetzung der Lexeme anhand einer Übersicht zur 2. LV
10. Klasse: BW-Westermann-D-10, S. 239, 245f.	a) 5 Asterix-Ausschnitte, u. a. niederdeutsch b) Buddenbrooks-Ausschnitt: Dialog Konsul – Carl Smolt	- Zuordnung Asterix-Ausschnitte zu Buch-Covern - Erarbeitung Dialektmerkmale - Diskussion Erfolg Dialekt-Asterix - Übersetzung des Niederdeutschen bei Buddenbrooks und Diskussion Funktion Dialekt
Oberstufe: BW-Cornelsen-Oberstufe, S. 293f.	Informationstexte: Ausschnitte aus Elena Ern (2013): *Dem Ruhrpott seine Sprache*; Nicole Scherschun: *Westfälisch – Das A und O* (2013)	- inhaltliche Erfassung - Erarbeitung der „Geschichte und heutige[n] Erscheinungsweisen des Niederdeutschen"

Tabelle 2: Aufgaben zum Niederdeutschen in baden-württembergischen gymnasialen Schulbüchern (Bildungsplan 2016)

b) 7. Klasse

Nur in BW-Cornelsen-Dz-7 (S. 263) – eines von sieben zugelassenen Deutschbüchern der 7. Klasse – findet sich eine Aufgabe, in der das Nie-

---

[10] Vom Klett-Verlag sind in den Jahrgangsstufen 5 bis 8 je zwei Ausgaben zugelassen, eine spezifisch für Baden-Württemberg und eine sogenannte ‚allgemeine Ausgabe' für mehrere Bundesländer.

derdeutsche eine Rolle spielt. Ein kurzer Informationstext zur Zweiten Lautverschiebung erklärt deren zeitliche Einordnung und die Verschiebung von *p*, *t* und *k* anhand von Beispielen. Zunächst soll der Text inhaltlich erfasst werden, anschließend sollen fünf Lexempaare jeweils „zur oberdeutschen Regionalsprache" und „zur niederdeutschen Regionalsprache" zugeordnet werden. Die Bezeichnung der ersteren Varietät ist fehlerhaft, da hoch- und niederdeutsche Lexeme gegenübergestellt sind. Zudem liegt beim Lexem *Peffer* eine ungewöhnliche Form vor (evtl. ein Tippfehler), die ins Westmitteldeutsche einzuordnen wäre.

c) 8. Klasse

In der 8. Klasse liegt laut Bildungsplan der Schwerpunkt der Dialektbehandlung (siehe Abschnitt 3), was sich auch in der recht großen Zahl an Aufgaben zum Niederdeutschen widerspiegelt, die in vier der sechs zugelassenen Bücher erscheinen. In BW-Cornelsen-Db-8 (S. 157–159) wird neben einem schwäbischen Songtext und einem Gedicht in Frankfurter Mundart auch das 20-zeilige Dialektgedicht *Hamborgs Nachtmelodie* von Luise Ortlieb abgedruckt, anhand dessen das Niederdeutsche behandelt wird. Das Gedicht soll vorgetragen, inhaltlich erfasst und übersetzt werden. Als Unterstützung hierfür dienen nicht nur einige lexikalische Hinweise, sondern auch ein knapper Informationstext zur Zweiten Lautverschiebung mit Beispielen für verschobene Laute sowie Einzellexemen. Mittels einer Tabelle sollen schließlich lautliche Vergleiche zum Englischen durchgeführt werden. Wegen der detaillierten Erläuterungen und Beispiele erscheinen die Aufgaben sinnvoll kontextualisiert. Einzig problematisch ist die Darstellung der Lautverschiebung in Form von „Niederdeutsch → Hochdeutsch", die suggerieren kann, dass sich das Hochdeutsche aus dem Niederdeutschen entwickelt habe bzw. das Niederdeutsche eine Varietät der Vergangenheit sei. Anhand einer abschließenden Karte zu Dialekten in Deutschland sollen die zuvor behandelten Texte verortet und über Dialektgebrauch genereller reflektiert werden.

Noch umfangreicher sind die Aufgaben zum Niederdeutschen in BW-Klett-8 (S. 180–185). Einem kurzen Informationstext mit dem Titel *Plattdeutsch nicht mit „platt" verwechseln* folgt eine Karte zu den Dialektlandschaften in Deutschland mit jeweils sechs Wortpaaren auf Niederdeutsch, Mitteldeutsch und Oberdeutsch, die lautlich miteinander verglichen werden sollen. Anschließend sollen drei Redewendungen diesen Gebieten zugeordnet werden. Dann soll eine teilweise ausgefüllte Tabelle mit hochdeutschen, niederdeutschen, englischen und niederländischen Lexemen ergänzt werden; Grapheme, die von der Zweiten Lautverschiebung betroffene Lautungen wiedergeben, sind dabei unterstrichen, was allerdings nicht erläutert wird. Nach zwei Texten zur Bedeutung von Dialekten, in denen auch darüber informiert wird, dass „in Hamburg [...] die Kinder an manchen Schulen wieder Platt" lernen, und knapp erläutert wird, was Platt ist und inwiefern das Niederdeutsche dem Englischen und Niederländischen ähnelt, finden sich zum Abschluss des Kapitels zwei Dialektwitze; im zweitem kommt noch einmal kurz das Niederdeutsche vor (siehe Abb. 2). Während ansonsten mit Dialektwitzen oft Abwertungen des Dialekts einhergehen (vgl. Schiegg & Ißleib im Erscheinen), werden hier positive Konnotationen evoziert und durch die Gegenüberstellung mehrerer Fassungen keiner der Dialekte benachteiligt.

⬛ Von dem folgenden Dialektwitz existieren unterschiedliche Varianten.
– Erklärt, warum es von diesem Witz mehrere Varianten gibt.
– Schreibt den Witz für den in eurer Gegend gesprochenen Dialekt um

Am achten Tag erschuf Gott die Dialekte. Alle Völkchen waren glücklich.
„Icke hab nen Wahnsinnsdialekt, wa?", sagte der Berliner.
„De Spraak is man bannig good!", sagte der Norddeutsche.
„Ja, nu freilisch is äs Säggsch rischdsch glosse, newwor?", sagte der Sachse.
„Jo mei, is des a schöner Dialekt!", sagte der Bayer [...]

bannig good: sehr gut

[...] Nur für den Hessen war kein Dialekt übrig. Der Hesse wurde traurig. Da sagte Gott: „Reeeesch disch net uff, dann babbelste halt wie isch un feddisch!"

[...] Nur für den Schwaben war kein Dialekt übrig. Der Schwabe wurde traurig. Da sagte Gott: „Was solls, do schwädscht hald wi i, Kerle!"

Abb. 2: Dialektwitz mit Varianten (BW-Klett-8, S. 185)

Die allgemeine Ausgabe dieses Klett-Lehrwerks (BW-Klett-8-allg, S. 201f.) übernimmt lediglich die Aufgabe zur Sprachkarte, hat dagegen aber eine neue Aufgabe mit sechs sogenannten Postkartensprüchen. Diese erscheinen auch mit unverschobenen bzw. teilweise verschobenen Konsonanten, beispielsweise in *WAT MUTT, DAT MUTT* und *Isch räje misch nit op. Die andern räjen misch op.* Die Sprüche sollen übersetzt, dann die verwendeten Dialekte benannt und schließlich deren Auffälligkeiten genauer untersucht werden. Zwar werden weiter hinten im Buch Dialektbezeichnungen geliefert, u. a. vage „Norddeutsch" (S. 280); ohne sprachstrukturelle Erklärungen zu den Dialekten ist die Aufgabe allerdings kaum sinnvoll lösbar, eine Zuordnung der Sprüche zu einzelnen Dialekten erscheint auch oft kaum möglich.

Der Westermann-Verlag (BW-Westermann-P-8, S. 313f.) bedient sich einer weiteren Textsorte, einer fiktiven Zeitungsnachricht aus Norddeutschland mit einer terminologisch unsauberen Einführung[11] (siehe Abb. 3). Nach mehrmaligem lautem Vorlesen und Erfassung des groben Inhalts soll eine Übersetzung angefertigt werden. Von dieser sind die ersten vier Zeilen vorgegeben, dazu wird darauf hingewiesen, dass stellenweise „das Englische helfen kann". Es ist fraglich, ob die Aufgabe ohne weitere lexikalische Hinweise lösbar ist.[12] Dann sollen anhand einer Karte zu den deutschen Mundarten die Gebiete des niederdeutschen Sprachraums erläutert werden. Dies wird durch eine weitere Dialektkarte zum Wort *auf* im ehemaligen deutschen Sprachgebiet vertieft, wobei aus dieser die lautlichen Unterschiede von /p/ und /f/ im Nieder- und Hochdeutschen recht gut hervorgehen und erschlossen werden können. Abschließend soll in weiterführenden Aufgaben u. a. über Ursachen des Dialektrückgangs diskutiert und zu Institutionen der Mundartpflege recherchiert werden. Dabei wird auch das Niederdeutsche anhand des folgenden Beispiels eingebunden: „Der Sender Radio Bremen z. B. sendet jeden Tag Nachrichten auf Plattdeutsch und veröffentlicht sie auch im Internet. Welches Interesse könnten die Menschen am Erhalt der Mundart haben?" (S. 314).

Vor dem 15. Jahrhundert gab es noch keine einheitliche deutsche Sprache, sondern nur regionale Sprachen und Varianten, die heute als Dialekte (auch Mundarten) bezeichnet werden.
Wäre dies heute immer noch so, dann sähe eine Zeitungsnachricht in Norddeutschland möglicherweise so aus:

Wegen dumm Tüüg harr de Polizei veel to dohn

Weyhe. Dree junge Bengels hebbt güstern för sorgt, dat de Polizei ganz veel to dohn harr. De Jungs weern in de Neegde vun 'n Bahnhoff in Weyhe an 't Jammern, se harrn jichtenswat in de Oogen kregen. Een Dokter weer vermoden, dat kunn woll vun Gas her kamen. De Gendarms hebbt glieks 'n paar Straten afsparrt. Un ook de Töög dröffen för 'n Tietlang keen Holl stopp maken in Weyhe. Laterhen hett sick denn wiest, de Bengels, veerteihn un foffteihn Johr oolt, hebbt mit wat se Peper-Spray nöömt.

Abb. 3: Fiktive Zeitungsnachricht aus Norddeutschland (BW-Westermann-P-8, S. 313)

---

[11] Eine „einheitliche deutsche Sprache" existiert natürlich auch heute nicht.

[12] Der Lehrerband bietet immerhin eine Übersetzung, listet Wortverwandtschaften zwischen dem Englischen und Niederdeutschen auf und vergleicht die Vergangenheitsformen *weern ... an't Jammern* (Z. 3f.) sowie *weer vermoden* (Z. 6) mit den englischen Past-Progressive/Continuous-Formen (vgl. BW-Westermann-P-8-Lehrerband, S. 443f.).

d) 9. Klasse

Bei den Deutschbüchern der 9. Klasse finden sich wiederum nur in einem von fünf zugelassenen Büchern, BW-Cornelsen-Db-9 (S. 233), Aufgaben zum Niederdeutschen. Neben einer Sprachkarte zu den Dialektregionen Deutschlands werden sechs dialektale Redewendungen abgedruckt, die in Aufgabe 1 übersetzt, erklärt und einzelnen vorgegebenen Dialektbezeichnungen zugeordnet werden sollen (siehe Abb. 4). Letzteres ist ohne weitere Hinweise kaum lösbar. Dann soll die Karte dazu genutzt werden, die Dialekte dem Niederdeutschen, Mitteldeutschen und Oberdeutschen zuzuordnen. Die Kombination beider Aufgaben führt zum Bewusstsein einer Existenz sowohl klein- als auch großräumigerer regionaler Gliederungen des Deutschen. Allerdings vermittelt die abgedruckte Karte, die bereits auch in der vorhergehenden Jahrgangsstufe der Buchreihe zu finden war (vgl. BW-Cornelsen-Db-8, S. 159), den Eindruck einer Übereinstimmung von Sprachgrenzen mit politischen Grenzen. Zwar ist sie durch die Beschriftung „DIALEKTE in der Bundesrepublik Deutschland" fachlich nicht inkorrekt, deutlich eleganter erscheint allerdings die Lösung der Karte „Die deutschen Mundarten" in BW-Westermann-P-8 (S. 313), wo das Oberdeutsche in Österreich, der Schweiz, Italien und dem Elsass sowie das (ehemalige) Niederdeutsche in den Niederlanden in helleren Schattierungen abgedruckt sind. Anschließend sollen in Aufgabe 2 mittels einer Tabelle und Beispielwörtern die aus der Zweiten Lautverschiebung resultierenden lautlichen Unterschiede zwischen dem Hoch- und Niederdeutschen erschlossen werden; auch aus den vorigen Redewendungen sollen lautliche Beispiele ermittelt werden. Was sich hinter dem Begriff ‚Lautverschiebung' verbirgt, in welche Richtung also verschoben wurde und wie diese zeitlich einzuordnen ist, bleibt den Schülerinnen und Schülern – insofern sie keinen weiteren Input durch die Lehrkräfte erhalten[13] – unklar.

---

[13]In diesem Fall ist der Lehrerband keine große Hilfe (vgl. BW-Cornelsen-Db-9-Lehrerband, S. 380). Er löst zwar die Aufgaben, bietet aber keinerlei Hintergrundinformationen.

Vielerlei Deutsch – Dialekte

1 a Versucht, die Redensarten ins Hochdeutsche zu übersetzen.
Erklärt, wie ihr sie versteht. In welchen Zusammenhang passen sie?

  b Ordnet die Redensarten den folgenden Dialekten zu: *Ripuarisch (Kölsch), Alemannisch, Bairisch, Hessisch, Berlinisch/Brandenburgisch, Nordniedersächsisch (Plattdeutsch)*.

  c Bestimmt mit Hilfe der Karte, welche dieser Dialekte zum Niederdeutschen, welche zum Mitteldeutschen und welche zum Oberdeutschen gehören.

2 a Lest die Tabelle zur Lautverschiebung. Übersetzt die folgenden niederdeutschen Wörter ins Hochdeutsche: *Solt, Melk, slapen, Panne.*

  b Sucht Beispiele aus den obigen Redensarten heraus, die zu der Lautverschiebung passen.

Niederdeutsch	p *(seipe)*	t *(water)*	k *(koken)*
Hochdeutsch	f/pf *(Seife)*	s/ss/tz/z *(Wasser)*	ch *(kochen)*

Abb. 4: Diverse Dialektaufgaben (BW-Cornelsen-Db-9, S. 233)

e) 10. Klasse

Auch von den Büchern der 10. Klasse behandelt nur eines von fünf das Niederdeutsche, BW-Westermann-D-10 (S. 239, S. 245f.). In einer der beiden Aufgaben hierzu sollen fünf Textausschnitte aus den dialektalen Versionen von Asterix und Obelix, u. a. auf Niederdeutsch (siehe Abb. 5), den jeweiligen Buchcovern zugeordnet werden sowie die unterschiedlichen Dialekte und deren typische „Wörter oder Redewendungen" benannt werden.[14] Auch diese Aufgabe erscheint ohne weitere Hinweise sehr herausfordernd, da hier neben Niederdeutsch auch Hessisch, Ruhrdeutsch, Bairisch und Schwäbisch erkannt werden müssen. Anschließend soll über die hohe Zahl an dialektalen Asterix-Bänden und deren Erfolg reflektiert werden.

 Wi schrievt dat Johr 50 v. Chr. Heel Gallien is in röömsche Hand ... Heel Gallien?

Nee! Dor gifft dat een Dörp vull mit opsternaatsche Mannslüüd un Frons, de sik wehrt un sik vun de Butenlanners nich ünnerkriegen laat. Und at Leven is nich jüst lichtför de Röömschen Legionäre, de ehrn Deenst doot achter de Palisaden vun Babaorum, Aquarium, Laudanum un Lüttbonum.

Abb. 5: Niederdeutscher Asterix-Ausschnitt (BW-Westermann-D-10, S. 239)

Die zweite Aufgabe zum Niederdeutschen stützt sich auf eine Passage aus Thomas Manns „Buddenbrooks" mit dem (großenteils) niederdeutschen Dialog zwischen dem Konsul Johann Buddenbrook und dem Lagerarbeiter Carl Smolt. Neben einer Übersetzung des Dialekts ins Hochdeutsche sollen hier die Funktionen des Dialekts und der Standardsprache diskutiert werden. Die Aufgabe war bereits in einer früheren Auflage eines baden-württembergischen Schulbuchs der 9. Klasse abgedruckt und wurde von Janle & Klausmann (2020: 67f.) kritisiert, da der Textausschnitt das „verbreitete *Sprachklischee*, dass Dialektsprecher_innen über einen beschränkten Horizont verfügen" bestätigt. Denn der Konsul wird hier als mehrsprachig dargestellt und in der Lage, vom Hochdeutschen ins Niederdeutsche zu wechseln, um sich mit den Arbeitern auf eine Ebene zu stellen, während Smolt als einsprachiger Dialektsprecher gilt, der zudem als dümmlich charakterisiert wird.

f) Oberstufe

Für die gymnasiale Oberstufe sind in Baden-Württemberg nur drei Deutschbücher zugelassen, von denen es in einem um Varietäten des Niederdeutschen geht: BW-Cornelsen-Oberstufe (S. 293f.). Dort werden innerhalb des Kapitels „Sprachliche Varietäten" (S. 289–310) zwei journalistische Informationstexte ausschnittsweise abgedruckt, *Dem Ruhrpott seine Sprache* (2013) von Elena Ern und *Westfälisch – Das A und O* (2013) von Nicole Scherschun, in denen auf grammatische und lexikalische Eigenhei-

---

[14] Beim Asterix-Band auf Niederdeutsch ist auf dem Titel etwa *Asterix snackt platt* sowie *Snackeree un Billers vun Udzero* mit abgedruckt, was hierfür evtl. geeigneter ist als der zitierte Text in Abb. 5.

ten des Deutschen im Ruhrgebiet sowie in Westfalen eingegangen wird. Letzterer Text beschreibt auch die räumlichen Differenzierungen innerhalb des Niederdeutschen, die historisch bedingten Unterschiede zum Hochdeutschen und den Dialektrückgang. Zwar sind die Texte inhaltlich und terminologisch etwas ungenau und teilweise auch verfälschend – die Umschreibung des Genitivs durch einen possessiven Dativ ist keineswegs nur ein „Merkmal des Dialekts" (S. 293) des Ruhrdeutschen –, aber dennoch recht informativ. Problematisch sind die weiter tradierten Klischees wie die Unverständlichkeit von Dialekten untereinander[15] und die angedeutete Vorstellung einer situativen Komplementärverteilung von Dialekt und Standardsprache.[16] Da einige Seiten zuvor (S. 291) die mehrdimensionale Gliederung des Deutschen anhand einer Sprachkarte und eines Texts von Astrid Stedje (*Die Sprachen in der Sprache*, 2007) bereits behandelt wurde, können die beiden Texte gut verstanden und kontextualisiert werden. In einer vertiefenden Aufgabe sollen die Schülerinnen und Schüler schließlich „Geschichte und heutige Erscheinungsweisen des Niederdeutschen" (S. 294) erarbeiten und präsentieren, wofür die gelieferten Informationen eine geeignete Grundlage bilden.

5. Resümee

Das Niederdeutsche nimmt insgesamt recht wenig Raum in süddeutschen gymnasialen Schulbüchern ein. So berücksichtigen die bayerischen Schulbücher meist nur Dialekte innerhalb des eigenen Bundeslands und hier besonders das Bairische. Nur in zwei Büchern wird das Niederdeutsche knapp behandelt, aber beide Male ohne ausreichende sprachstrukturelle bzw. historische Informationen und damit völlig unzureichend kontextualisiert. Die Befunde zu Baden-Württemberg sind deutlich reichhaltiger, da fremde Varietäten hier einen höheren Status als in den bayerischen Büchern einnehmen. Hier geht es in immerhin acht der untersuchten Lehrwerke auch um das Niederdeutsche, wobei die abgedruckten Aufgaben sich oft recht ausführlich mit diesem beschäftigen. Dafür kommen unterschiedliche Textgrundlagen zum Einsatz: Einzellexeme, Redensarten, literarische Texte, Informationstexte und Sprachkarten liefern Material-

---

15 Vgl. „Jemand aus Greven würde sich also mit jemandem aus dem 80 Kilometer entfernten Löhne auf Hochdeutsch unterhalten, denn sonst könnten sich die beiden kaum verstehen" (S. 293).

16 Vgl. „Gesprochen wird der Ruhrpottslang überall dort, wo es ,Originale' gibt: auf dem Markt, an der Bude, im Taubenschlag – zwischen Akten und Glasfassaden nur ganz selten" (S. 293). Vgl. Davies (2018: 182–185) zur Kritik am sogenannten Angemessenheitsmodell.

grundlagen für die Beschäftigung mit dem Niederdeutschen. Regelmäßig wird dabei eine sprachvergleichende Perspektive eingenommen, indem Unterschiede zum Hochdeutschen bzw. Mittel- und Oberdeutschen, teilweise auch zum Englischen und Niederländischen erarbeitet werden sollen. Besonders in den Schulbüchern der höheren Jahrgangsstufen kommen auch Subdifferenzierungen innerhalb des Niederdeutschen zur Sprache. Manchmal werden auch Dialektrückgang und Mundartpflege behandelt.

Fast durchweg problematisch sind allerdings die mangelnden Hintergrundinformationen und Erläuterungen zu den Aufgaben. Teils ohne weitere Hilfen müssen dialektale Texte übersetzt werden bzw. die verwendeten Dialekte bezeichnet werden, was bei Varietäten wie dem Niederdeutschen, dem die süddeutschen Schülerinnen und Schülern im Alltag nicht begegnen, kaum lösbar und damit auch frustrierend sein dürfte. Die Musterlösungen in den Lehrerbänden sind dabei oft sehr knapp und liefern ebenfalls keine ausreichenden weiterführenden Informationen. Die für die Vergleiche zwischen dem Hoch- und Niederdeutschen zentrale Zweite Lautverschiebung wird zwar hinsichtlich der betreffenden Laute meist erklärt, aber oft nicht ausreichend historisch kontextualisiert. Teilweise finden sich in den Aufgaben auch terminologische Unsauberkeiten und Fehler. Sprachkarten sind zwar generell hilfreich zur räumlichen Einordnung von Varianten bzw. Varietäten, werden aber oft so gestaltet, dass Sprachgrenzen mit Dialektgrenzen übereinstimmen und das Deutsche an die politische Region Deutschland gebunden ist. Auch die interne Differenzierung des Niederdeutschen wird – ähnlich wie in den Schulbüchern Niedersachsens (vgl. Foldenauer 2020: 25) – nur selten erwähnt. Wie bereits bei anderen Dialektaufgaben Baden-Württembergs zu beobachten war (vgl. Schiegg & Ißleib im Erscheinen), übernehmen die neuen Bücher zudem teils problematische ältere Aufgaben, die mit dem Dialekt verbundene Klischees tradieren, wie die intellektuelle Abwertung von Dialektsprechern, die Vorstellung einer Unverständlichkeit von Dialekten untereinander sowie die situative Komplementärverteilung von Dialekt und Standardsprache.

Die zunehmende Beschäftigung mit Dialekt, dessen gesteigerte Relevanz in den neueren süddeutschen gymnasialen Schulbüchern und insbesondere der breitere Blick auf Varietäten außerhalb des eigenen Bundeslandes in den Büchern aus Baden-Württemberg sind insgesamt als erfreulich zu bewerten. Die Art der Behandlung des Niederdeutschen ist allerdings oft unzureichend, teilweise auch inhaltlich verfälschend und von problematischen sprachlichen Klischees und Ideologien geprägt. Hier ist eine stärkere Zusammenarbeit der Schulbuchautorinnen und -autoren mit der Fachwissenschaft zu fordern. Eine solche erscheint unabdingbar, um die Beschäftigung mit den Varietäten des Deutschen in den Schulbüchern zu professionalisieren. Nur so kann bei den Schülerinnen und Schülern ein fachlich fundiertes Interesse an den ihnen bekannten sowie auch unbekannten Varietäten geweckt und damit ein Bewusstsein für die Vielfalt des Deutschen geschaffen werden.

Quellen

BW-Cornelsen-Dz-7 = Fandel, Anja/Oppenländer, Ulla (Hrsg.): Deutschzeit 3. Berlin 2017.

BW-Cornelsen-Db-8 = Mutter, Claudia/Wagener, Andrea (Hrsg.): Deutschbuch 4. Sprach- und Lesebuch. Berlin 2015.

BW-Cornelsen-Db-9 = Mutter, Claudia/Wagener, Andrea (Hrsg.): Deutschbuch 5. Sprach- und Lesebuch. Berlin 2016.

BW-Cornelsen-Db-9-Lehrerband = Mutter, Claudia/Wagener, Andrea (Hrsg.): Deutschbuch 5. Servicepaket. Berlin 2016.

BW-Cornelsen-Oberstufe = Mohr, Deborah/Wagener, Andrea (Hrsg.): Texte, Themen und Strukturen. Deutschbuch für die Oberstufe. Berlin 2019.

BW-Klett-8 = Schmitt-Kaufhold, Angelika (Hrsg.): Deutsch.kompetent 8. Stuttgart 2018.

BW-Klett-8-allg = Blatt, Martina/Henniger, Heike/Zdrallek, Andreas (Hrsg.): Deutsch kompetent 8. Allgemeine Ausgabe. Stuttgart 2021.

BW-Westermann-D-10 = Epple, Thomas/Hümmer-Fuhr, Mareike/Müller, Angela/Reed, Nicole/Richter, Gerda/Rudel, Thomas: Deutsch ideen 10. Braunschweig 2020.

BW-Westermann-P-8 = Diekhans, Johannes/Fuchs, Michael (Hrsg.): P.A.U.L. D.8. Persönliches Arbeits- und Lesebuch Deutsch. Braunschweig 2018.

BW-Westermann-P-8-Lehrerband = Diekhans, Johannes/Fuchs, Michael (Hrsg.): P.A.U.L. D.8. Persönliches Arbeits- und Lesebuch Deutsch. Lehrerband. Braunschweig 2019.

BY-Klett-8 = Nutz, Maximilian (Hrsg.): Deutsch kompetent 8. Stuttgart 2020.

BY-Westermann-K-6 = Epple, Thomas/Fehr, Wolfgang/Kautz, Friederike/Hümmer-Fuhr, Mareike/Kubitza, Frank/Wojaczek, Clemens: Kompetenzen Themen Training 6. Braunschweig 2017.

Literatur

Bildungsplan (2016) = Ministerium für Kultus, Jugend und Sport Baden-Württemberg (Hrsg.): Bildungsplan des Gymnasiums. Deutsch. Stuttgart 2016. https://www.bildungsplaene-bw.de (13.11.2023).

Davies, Winifred V.: Normbewusstsein, Normkenntnis und Normtoleranz von Deutschlehrkräften. In: Neuland, Eva (Hrsg.): Variation im heutigen Deutsch: Perspektiven für den Sprachunterricht. (Sprache – Kommunikation – Kultur. Soziolinguistische Beiträge, 4). Frankfurt am Main 2006, S. 483–492.

Davies, Winifred V.: Sprachnormen in der Schule aus der Perspektive der ‚Critical Language Awareness'. In: Lenz, Alexandra N./Plewnia, Albrecht (Hrsg.): Variation – Normen – Identitäten. (Germanistische Sprachwissenschaft um 2020, 4). Berlin 2018, S. 177–196.

Foldenauer, Monika: Die Sprache waschechter Nordlichter und raues Bairisch. Ein Vergleich sprachlicher Ideologien in bayerischen und niedersächsischen Schulbüchern. In: Bühler, Rudolf/Klausmann, Hubert/Nast, Mirjam (Hrsg.): Schule – Medien – Öffentlichkeit. Sprachalltag und dialektale Praktiken aus linguistischer und kulturwissenschaftlicher Perspektive. (Untersuchungen, 124). Tübingen 2020, S. 13–36.

Gehrig, Anna: Wortarten. Ein Vergleich von Schulbuch und Grammatik. (Thema Sprache – Wissenschaft für den Unterricht, 11). Baltmannsweiler 2014.

Janle, Frank/Klausmann, Hubert: Der ‚Dialekt' im Spannungsverhältnis zwischen Sprachdidaktik, Sprachklischee und sprachlicher Wirklichkeit. Beobachtungen zur Behandlung des Themas ‚Dialekt' im Deutschunterricht Baden-Württembergs (Schwerpunkt Gymnasium). In: Bühler, Rudolf/Klausmann, Hubert/Nast, Mirjam (Hrsg.): Schule – Medien – Öffentlichkeit. Sprachalltag und dialektale Praktiken aus linguistischer und kulturwissenschaftlicher Perspektive. (Untersuchungen, 124). Tübingen 2020, S. 55–95.

LehrplanPLUS (2017) = Staatsinstitut für Schulqualität und Bildungsforschung München (ISB) (Hrsg.): LehrplanPLUS. Gymnasium. München 2017. https://www.lehrplanplus.bayern.de/ (13.11.2023).

Maitz, Péter/Foldenauer, Monika: Sprachliche Ideologien im Schulbuch. In: Kiesendahl, Jana/Ott, Christine (Hrsg.): Linguistik und Schulbuchforschung. Gegenstände – Methoden – Perspektiven. (Eckert, 137). Göttingen 2015, S. 217–234.

Neuland, Eva: Dialekt in Sprachbüchern. Ergebnisse einer exemplarischen Auslese und kritischen Analyse von Sprachbüchern der Primarstufe und der Sekundarstufe I. In: Wirkendes Wort 29 (1979), S. 73–93.

Neuland, Eva/Hochholzer, Rupert: Regionale Sprachvarietäten im muttersprachlichen Deutschunterricht. In: Neuland, Eva (Hrsg.): Variation im heutigen Deutsch: Perspektiven für den Sprachunterricht. (Sprache – Kommunikation – Kultur. Soziolinguistische Beiträge, 4). Frankfurt am Main 2006, S. 175–190.

Neuland, Eva/Peschel, Corinna: Einführung in die Sprachdidaktik. Stuttgart 2013.

Schiegg, Markus/Ißleib, Anna: Dialektaufgaben und ihre sprachideologischen Prägungen in aktuellen süddeutschen Schulbüchern. In: Zeitschrift für Dialektologie und Linguistik. Im Erscheinen.

Erlangen/Leipzig *Markus Schiegg*

Altsächsische Monats- und Windnamen

1. Einführung

Aus der Literatur sind relativ viele Handschriften mit den Monats- und Windnamen bekannt, die im 29. Kapitel von Einhards „Vita Karoli Magni" erwähnt werden.[1] Nicht nur gibt es 134 Handschriften mit dem lateinischen Text, sondern es finden sich auch 17 Handschriften, die die Liste der Namen separat überliefern (Tischler 2001: 20–52). Unter den letzten findet sich auch die Handschrift Budapest, Országos Széchényi Könyvtar, CLMAE 7, eine Vergil-Handschrift vom Ende des 10. Jahrhunderts, die aus dem Benediktinerkloster Werden stammt und einen Nachtrag des 11. Jahrhunderts mit den Monats- und Windnamen enthält. Die Handschrift hat im Verzeichnis der Glossenhandschriften von Rolf Bergmann und Stefanie Stricker (BStK) die Nummer 1063. Nach diesem Katalog war sie im Besitz Goswins von Kempgyn und gehörte später zur Bibliothek des lutherischen Konvents in Sopron (Oldenburg), von wo sie 1814 in die Nationalbibliothek in Budapest kam.

Die Glossen zu Vergil wurden 2022 herausgegeben (Bohnert u. a.) und werden im Großen und Ganzen als moselfränkisch und rheinfränkisch eingestuft, wobei die Vorlage wohl oberdeutsch war. Das darin auch vorkommende altsächsische Material wurde vielleicht von Abschreibern und/oder Benutzern der Handschrift hineingebracht (Bohnert u. a. 2022: 473). Nach BStK ist die Sprache der Monats- und Windnamen noch nicht bestimmt.

Der Text der Monats- und Windnamen lautet in der Budapester Handschrift nach Tischler (2001: 45–46):

Et de mensibus quidem . Ianuarium . Wintar manoð . Aprilem Ostarmanoð . Iulium Wimanoð Februarium . hornung . Maium Winnemanod . Augustum . Aranmanod . Marcium . Lentinmanod . Iunium . bracmanod . Septembrem . Widumanod . Octobrem . Windumemanod . Novembrem . hervistmanod . Decembrem . helagmanod appellavit. Ventos voro [sic] hoc modo nomina impososuit [sic] ut vocaret . Subsolanum . Ostraniuuind . Austrum. affricum . Suduuestroni . Circium . Norðuuestroni . Eurum . Ostsuðroni . Affricum . Westsuðroni . Septentrionem . Norðroni . Euro austrum . Sudostroni . Zephirum . Westroni. Aquilonem Norðastroni . Austrum . Suðroni . Chorum . Vuestnordroni . Vulturnum Ostnordroni .

Die seltsame Reihenfolge der Monatsnamen wird von Tischler wohl mit Recht dadurch erklärt, dass die Namen der erste drei Jahresquartale in der Vorlage untereinander angeordnet waren und daher der April hinter dem Januar, der Juli hinter dem April usw. stand (Tischler 2001: 46; s. auch Bergmann & Stricker 2018: 224). Nach Tischler gehe dieses Verzeichnis auf ein verlorenes Werdener Exemplar der Karlsvita zurück (Tichler 2001: 46).

---

[1] Die Frage ist dabei, ob man die Wörter als Glossen betrachten kann, vgl. zu dieser Problematik Bergmann 2009.

Wenn man den Originaltext heranzieht, findet man folgendes:

Item barbara et antiquissima carmina, quibus veterum regum actus et bella cane-
bantur, scripsit memoriaeque mandavit. Inchoavit et grammaticam patrii sermonis.
Mensibus etiam iuxta propriam linguam vocabula imposuit, cum ante id temporis
apud Francos partim Latinis partim barbaris nominibus pronunciarentur. Item
ventos duodecim propriis appellationibus insignivit, cum prius non amplius quam
vix quatuor ventorum vocabula possent inveniri. Et de mensibus quidem januarium
uuintarmānōth, februarium hornung, martium lentzinmānōth, aprilem ostarmānōth,
maium uuinnemānōth, junium brachmānōth, julium heuuimānōth, august
aranmānōth, septembrem uuitumānōth, octobrem uuindumemānōth, novembrem
herbistmānōth, decembrem heilagmānōth appellavit. Ventis vero hoc modo nomina
imposuit, ut subsolanum vocaret ōstrōniuuint, eurum ōstsundrōni, euroaustrum
sundōstrōni, austrum sundrōni, austroafricum sunduuestrōni, africum uuestsun-
drōni, zephyrum uuestrōni, chorum uuestnordrōni, circium norduuestrōni, sep-
temtrionem nordrōni, aquilonem nordōstrōni, vulturnum ōstnordrōni. (nach Braune
1994: 8)

2 Der Wortschatz

Wenn man beide Texte vergleicht, wird deutlich, dass der altsächsische
Text auf eine althochdeutsche Vorlage zurückgehen dürfte, die ungefähr
denselben Text wie oben enthielt. Unten folgen die altsächsischen Formen
in alphabetischer Folge. Parallelüberlieferung in den anderen altsächsischen Denkmälern liegt nur höchst selten vor, wie aus dem folgenden
Verzeichnis der überlieferten Wörter hervorgeht:

Aranmanod 'August'. Wahrscheinlich zusammengesetzt mit as. **aran*
'Ernte', vgl. die Zusammensetzung *aranfimba* 'Getreidehaufen'
(Tiefenbach 2010: 14). Auch als anl. *aranmanoth* belegt (Koch 1965) und
als ahd. *aranmānoth* bei Einhard und in Glossen (EWA I,304-307.

bracmanod 'Juni'. Es gehört wohl zu as. *gibrākon* 'den Brachacker
umbrechen' in Urbar Werden A (Tiefenbach 2010: 40). Siehe auch anl.
brachmanoth (Koch 1965). Nach EWA IV,1149 sei der Monat nach ahd.
brācha 'Brache' benannt worden, weil im Juni das Brachfeld gepflügt
wurde, vgl. mnd. *brākmānt* und mnl. *braecmaent* (VMNW, MNW).

helagmanod 'Dezember', in der Form *halegmanoth* auch im Essener
Kalender belegt (Tiefenbach 2010: 155), vgl. ahd. *heilagmānoth* bei
Einhard.

hervistmanod 'November'. Eine Zusammensetzung mit nicht
überliefertem as. **hervist*, vgl. mnd. *hervest* 'Herbst'. EWA IV,966
behandelt ahd. *herbistmānod* 'November', das bei Einhard und seit dem

10. Jahrhundert in Glossen vorkommt. Es ist eine ziemlich allgemeine Bezeichnung, die auch in anderen Sprachen vorkommt: anl. *heruistmanoth,* mnl. *herfstmaent,* ae. *hærfestmonaþ,* an. *haustmánuðr.*

Wimanoð 'Juli'. Es dürfte sich hier um einen Fehler für *heuuimānod* handeln, eine Zusammensetzung mit nicht überliefertem as. **hewi* 'Heu', vgl. mnd. *höi, houw, hoy.* In EWA IV,1007 wird ahd. *hewimānod* behandelt, das ab dem 11. Jahrhundert vorkommt. Der Monat sei so benannt worden, weil im Juli das Heu gemacht wird (EWA IV,1149). Eine Parallele zu dieser Bezeichnung findet sich in anl. *haymanoth* (Koch 165), vgl. mnl. *hooimaent* (MNW).

hornung 'Februar'. Es hat eine Parallele in mnd. *horninc* 'Februar' (vgl. EWA IV,1147). Weiter findet sich im Altniederländischen noch die Zusammensetzung *hornungmanoth* 'Februar' bei den Monats- und Windbezeichnungen' aus Einhard (s. Koch 1965). Sonst kommen noch im Nordseegermanischen und Altnordischen verwandte Formen mit etwas anderer Bedeutung vor.

Lentinmanod 'März'. Eine Zusammensetzung mit nicht belegtem as. **len(gi)to* 'Frühling', vgl. mnd. *lente,* mnl. *lente.* EWA IV,1181 erwähnt, dass das Wort im Althochdeutschen zweimal in Glossen vorkommt und eine Parallele im Altniederländischen hat (s. Koch 1965). Daneben findet sich noch ahd. *lenzimānod.*

Norðastroni 'aquilonem', vgl. ahd. *nordôstrôni* 'nördlicher Nordostwind' (EWA VI,1033), das in einer Glosse aus dem 11. Jahrhundert belegt ist. Hier und auch sonst im Altsächsischen (s. unten) wird das Suffix *-ôni* benutzt (vgl. Bergmann & Stricker 2019: 32). Im Altniederländischen wird das Wort mit dem Substantiv *wind* 'Wind' zu einem Determinativkompositum ergänzt: *northostronovvind* (Koch 1965), wie das auch im Althochdeutschen regelmäßig vorkommt (vgl. Bergmann & Stricker 2019: 33).

Norðroni 'septentrionem', vgl. ahd. *nordrôni* 'aus dem Norden kommend' (EWA VI,1033-35), das im Abrogans (Pa) und bei Einhard vorkommt. Im Altniederländischen wird das Wort ergänzt: *northronovvind* (Koch 1965).

Norðuuestroni 'circium', vgl. ahd. *nordwestrôni* bei Einhard 'nordwestlich' (EWA VI,1035). Im Altniederländischen wird das Wort ergänzt: *northuuestronovvind* (Koch 1965).

Ostarmanoð 'April'. Eine Zusammensetzung mit nicht belegtem as. *ōstara* 'Ostern', vgl. mnd. *ôsteren* und ae. *eastre.* Nach EWA VI,1230 kommt das

Wort im Althochdeutschen bei Einhard und seit dem 11. Jahrhundert in Glossen vor. Dazu kommt noch anl. *ostermanoth* 'April' (vgl. Koch 1965).

Ostnordroni 'vulturnum'. Man vergleiche etwa ahd. *ôstnordrôni* bei Einhard und in einer Glosse des 11. Jahrhunderts (EWA VI,1233).

Ostraniuuind 'subsolanum' steht wohl für *ōstrōniwind*, vgl. as. *ōstroni* 'von Osten kommend' im 'Heliand' (Tiefenbach 2010: 299). Im Althochdeutschen erscheint es als *ōstrōnwint* bei Einhard und in einer Glosse aus dem 13. Jahrhundert (EWA VI,1234). Nur hier wird in der Budapester Handschrift der Richtungsbegriff mit dem Grundwort *wind* 'Wind' verdeutlicht, was in anderen Handschriften häufiger vorkommt, vgl. anl. *ostronowind* (Koch 1965).

Ostsuðroni 'eurum. Das Wort kommt im Altsächsischen auch in den Oxforder Vergilglossen vor (Tiefenbach 2010: 299). Es ist offensichtlich, dass das Element 'Süd' hier wie auch in den anderen Bezeichnungen mit diesem Element in dieser Handschrift an das Altsächsische angepasst wurde, denn im Althochdeutschen erscheint normalerweise *sundroni* 'südlich', das bei Einhard und in den Glossen vorkommt (Schützeichel 2006: 343). Die aus dem Nordseegermanischen stammende Form hat sich im Niederdeutschen offenbar früh verbreitet, denn im Altsächsischen und im Altniederländischen ist sie die einzige Form (vgl. Quak 2023).

Sudostroni 'euro austrum', vgl. ahd. *sundōstrōni* 'südöstlich' bei Einhard und in den Glossen (Schützeichel 2006: 342).

Suðroni 'austrum', vgl ahd. *sundrōni* 'südlich' in EV und in den Glossen (Schützeichel 2006: 343).

Suduuestroni 'austrum. affricum', vgl ahd. *sundwestrôni* 'südwestlich' bei Einhard und in den Glossen (Schützeichel 2006: 343).

Westnordrôni 'chorum', vgl ahd. *westnordrōni* 'westnördlich' bei Einhard und in den Glossen (Schützeichel 2006: 412).

Westroni 'zephirum'. Im Altsächsischen findet sich sonst noch das Adjektiv *westrōni* 'aus West wehend' im 'Heliand' (Tiefenbach 2020: 458). Es entspricht ahd. *westrōni* bei Einhard und in den Glossen (Schützeichel 2006: 412).

Westsuðroni 'affricum', vgl. ahd. *westsundtrōni* 'westsüdlich' bei Einhard und in den Glossen (Schützeichel 2006: 412).

Widumanod 'September'. Es ist offenbar eine Zusammensetzung mit as. *widu 'Holz', das in einigen Zusammensetzungen vorkommt (Tiefenbach

2010: 459). Es lässt sich mit ahd. *witumānod* vergleichen, das bei Einhard und in Glossen vorkommt (Schützeichel 2006: 423) und mit anl. *widumanoth* (Koch 1965).

Windumemanod 'Oktober, eine Zusammensetzung mit nicht belegtem as. *winduma 'Weinernte'. Es ist zu vergleichen mit. ahd. *windumemānod* bei Einhard und in Glossen (Schützeichel 2006: 418) und anl. *windumemanoth* (Koch 1965). Siehe auch mnd. *windemān* 'Oktober'.

Winnemanod 'Mai'. Vermutlich eine Zusammensetzung mit nicht belegtem as. *winnia 'Weide', vgl. anl. und afri. *winna* 'Weide' und an. *vinr* 'Weide'. Eine Parallele zu ahd. *winnemānod* bei Einhard (Schützeichel 2006: 419). EWA IV,1149 bemerkt noch, dass die althochdeutschen Monatsnamen im allgemeinen nach wirtschaftlichen Tätigkeiten benannt seien. So sei dieser Monat nach *winni* 'Weide' benannt worden, weil im Mai das Vieh auf die Weide geführt werde, s. auch anl. *winnemanoth* (Koch 1965).

Wintar manoð 'Januar', eine Zusammensetzung mit as. *wintar* 'Winter' (Tiefenbach 2020: 466). S. auch ahd. *wintarmānod* bei Einhard und in Glossen (Schützeichel 2006: 420). Das Wort ist auch im Altniederländischen belegt: *uuintarmanoth* (Koch 1965).

3. Sprache

Die Herkunft der Handschrift aus Werden suggeriert natürlich, dass die Sprache dieser Einhard-Glossen altsächsisch ist. Es ist weiter auch anzunehmen, dass der altsächsische Text dieselben Bezeichnungen wie in den althochdeutschen Fassungen enthält, wobei offensichtlich die althochdeutsche Lautverschiebung rückgängig gemacht wurde: *Lentinmanod* 'März', *bracmanod* 'Juni' und *Widumanod* 'September'. Statt ahd. <d> erscheint einige Male as. <ð>, vgl. -*manoð* (3x) neben -*manod* (7x), *norð-* (3x) neben *nord* (2x) und *suð-* (3x) neben *sud-* (1x). Gerade die Schreibung mit <ð> macht altniederländische Herkunft dieser Wörter unwahrscheinlich.

Da Parallelüberlieferungen der belegten Formen im Altsächsischen nur in einzelnen Fällen vorkommen, ist es allerdings schwer zu sagen, ob es sich um echt altsächsische Bezeichnungen handelt oder um Neubildungen nach der althochdeutschen Vorlage. Dass es sich um eine Kopie einer anderen Handschrift handelt, geht nicht nur aus der falschen Reihenfolge der Monatsnamen hervor, sondern auch aus dem Fehler in der volkstümlichen Bezeichnung für Juli: *Wimanoð*. Auch die altniederländische Fassung des Textes enthält diese Bezeichnung *(haymanoth)* (s. Koch 1965). Dass es sich um altsächsiche Sprache handelt, liegt auch nahe, wenn man einige Formen näher betrachtet. So dürfte *Norðastroni* 'Aquilonem' eine Form des Begriffes 'Ost' mit /a:/ sein, wie es auch im nordseegermanisch gefärbten Straubinger Fragment des 'Heliand' vorkommt: *astrunie* S 694 und *ástrunie* S 562. Weiter weist die Form *helagmanod* 'Dezember' die Monophthongierung von pgm. /ai/ zu /e:/ auf.

Literatur

Bergmann, Rolf: Volkssprachige Wörter innerhalb lateinischer Texte. Wind- und Monatsbezeichnungen in Einhards Vita Karoli Magni. In: Bergmann, Rolf/Stricker, Stefanie (Hrsg.): Die althochdeutsche und altsächsische Glossographie. Ein Handbuch. 2 Bände. Band 1. Berlin/New York 2009, S. 976–991.

Bergmann, Rolf/Stricker, Stefanie: Althochdeutsche Monatsbezeichnungen in Einhards Karlsvita, Kalendarien und Sachglossaren. Überlieferungsgeschichte und Wortschatzgeschichte. In: Czajkowski, Luise/Ulbrich-Bösch, Sabrina/Waldvogel, Christina (Hrsg.): Sprachwandel im Deutschen. (Lingua Historica Germanica, 19). Berlin/Boston 2018, S. 213–238.

Bergmann, Rolf/Stricker, Stefanie: Althochdeutsche Windbezeichnungen in Einhards Karlsvita, Windtafeln und Sachglsosaren. Überlieferungsgeschichte und Wortschatzgeschichte. In: Nievergelt, Andreas/Rübekeil, Ludwig unter Mitarbeit von Andi Gredig (Hrsg.): athe in palice, athe in anderu sumeuuelicheru stedi. Raum und Sprache. Festschrift für Elvira Glaser zum 65. Geburtstag. Heidelberg 2019, S. 17–43.

Bohnert, Niels/Nievergelt, Andreas/Tiefenbach, Heinrich: Vergilglossen in einer Budapester Handschrift. In: Plate, Ralf/Bohnert, Niels/Sonder, Christian/Trauth, Michael in Verbindung mit der Wissenschaftlichen Bibliothek der Stadt Trier (Hrsg.): Auf den Schwingen des Pelikans. Studien und Texte zur deutschen Literatur des Mittelalters. (Zeitschrift für deutsches Altertum und deutsche Literatur. Beihefte, 40). Stuttgart 2022, S. 103–162.

Braune, Wilhelm (Hrsg.): Althochdeutsches Lesebuch. Bearb. v. Ernst A. Ebbinghaus. 17. Aufl. Tübingen 1994.

BStK = Bergmann, Rolf/Stricker, Stefanie: BStK Online. Datenbank der althochdeutschen und altsächsischen Glossenhandschriften. https://glossen.germ-ling.uni-bamberg.de/pages/1 (1. 3. 2024).

Einhardi Vita Karoli Magni. Editio quarta, post G. H. Pertz recensuit G. Waitz. (Scriptores rerum Germanicaum in usum scholarum ex Monumentius Germaniae Historici recusi). Hannover 1880.

Einhardi Vita Karoli Magni. post G. H. Pertz recensuit G. Waitz. Editio sexta curavit O. Holder-Egger. (Scriptores rerum Germanicaum in usum scholarum ex Monumentius Germaniae Historici separatim editi). Hannover 1911. [Neudruck 1965].

EWA = Lloyd, Albert Larry/Springer, Otto/Lühr, Rosemarie (Hrsg.): Etymologi-
sches Wörterbuch des Althochdeutschen. Bd. 1 ff. Göttingen 1988 ff.

Koch, Anton Carl Frederik: Namen von Monaten und Windrichtungen in einer
niederländischen Handschrift des 11. Jahrhunderts. In: Schützeichel,
Rudolf/Zender Matthias (Hrsg.): Namenforschung. Festschrift für Adolf Bach
zum 75. Geburtstag am 31. Januar 1965. Heidelberg 1965, S. 441–443.

MNW = Verwijs, Eelco /Verdam, Jacob: Middelnederlandsch Woordenboek.
Bände 1–11. 's-Gravenhage 1885–1928.

Quak, Arend: Zuid: een expansieve windrichting. In: Neerlandistiek. Online
tijdschrift voor taal- en letterkunde. 18. 9 2023.
https://neerlandistiek.nl/2023/09/etymologica-zuid-een-expansieve-
windrichting/ (1. 3. 2024).

Schützeichel, Rudolf: Althochdeutsches Wörterbuch. 6., überarbeitete und um die
Glossen erweiterte Aufl. Tübingen 2006.

Tiefenbach, Heinrich: Altsächsisches Handwörterbuch. Berlin/New York 2010.

Tischler, Matthias M.: Einharts Vita Karoli. Studien zur Entstehung, Überlieferung
und Rezeption. Teil 1. (Monumenta Germaniae Historica. Schriften, 48).
Hannover 2001.

Amsterdam *Arend Quak*

Das „Repertorium der mittelniederdeutschen Literatur" (RML). Aufbau und Zielsetzung

An der Europa-Universität Flensburg wird seit Februar 2022 mit universi-
tätsinternen Forschungsmitteln der Aufbau des „Repertoriums der mittelniederdeutschen Literatur" (RML) gefördert. Eine erste Idee zu diesem
Projekt hat Jörn Bockmann bereits 2015 auf der Jahresversammlung des
VndS in Tallinn vorgestellt (vgl. Bockmann 2015). Im Mai 2024 wird das
RML mit zunächst zehn von insgesamt 25 für den ersten Projektzeitraum
geplanten Datensätzen der am Mittelniederdeutschen interessierten Öffentlichkeit zugänglich gemacht werden. Eine weitere Förderung des Repertoriums wurde im Januar 2024 durch die Carl-Toepfer-Stiftung in Hamburg
zugeteilt.

Das RML dient vornehmlich der Bündelung und der Strukturierung
von bisher erreichbaren Realdaten und Materialien zu mittelniederdeutschen Texten. Für die Konzeption und Betreuung ist eine universitätsüber-
greifende Arbeitsgruppe zuständig, zu der Jörn Bockmann (Flensburg),
Sarah Ihden (Kiel), Robert Langhanke (Flensburg) und Anabel Recker
(Göttingen) gehören. In die redaktionellen Arbeiten sind zudem studentische Mitarbeitende an der Universität Flensburg eingebunden.[1] Technische

---

[1] Von 2022 bis 2023 arbeitete Niklas Hachmann auf der Hilfskraftstelle. Seit 2024 ist Nele Trauer
an der Projektarbeit beteiligt.

Unterstützung erhält das Projekt durch die „Fabrica Digitalis", eine Einrichtung der Europa-Universität Flensburg, die der Begleitung von Digitalisierungsprozessen in Forschung und Lehre dient. Der verantwortliche Kollege Helge Lamm hat vom Beginn der Projektlaufzeit an nicht nur die Bereitstellung der technischen Umgebung sichergestellt, sondern auch durch eine kontinuierliche Begleitung des Projekts immer wieder Anpassungsbedarfe während der laufenden Arbeit erfüllen können. Auf diesen Aspekt wird noch näher einzugehen sein.

Das Repertorium steht in enger Verbindung zum parallel entstehenden Lehrwerk „Mittelniederdeutsche Sprache und Literatur. Eine Einführung", das von den oben genannten Autorinnen und Autoren erarbeitet und als Studienbuch im Verlag de Gruyter erscheinen wird. Das RML kann dabei entweder als eigenständiges Informationsangebot oder auch als Ergänzung zum Lehrwerk betrachtet werden, zumal auch die Aufnahme didaktisch aufbereiteter Materialien zu den Texten geplant ist (vgl. Bockmann u. a. 2021).[2]

Die Zielsetzung des RML besteht darin, bisweilen verstreut gebotene Informationen zu Handschriften und Drucken der mittelniederdeutschen Überlieferung sowie Forschungsliteratur und weitere Materialien zu den Texten (z. B. für den Einsatz in der Lehre) schrittweise in einer digitalen Umgebung nach einem spezifischen Metadatenraster zusammenzutragen. Dabei werden die Möglichkeiten der digitalen Ressource genutzt, die eine weltweite Erreichbarkeit garantiert und ständige Erweiterungen und Korrekturen, Verknüpfungen und Querverweise zulässt. Das Vorhaben sieht sich den FAIR-Prinzipien (findable, accessible, interoperable, reusable) verpflichtet (vgl. Wilkinson 2016), die einen nachhaltigen Umgang mit Forschungsdaten und deren voraussetzungslose Erreichbarkeit in den Vordergrund rücken.

Dass Daten zur mittelniederdeutschen Literatur bisher kaum gebündelt und auf einem aktuellen Forschungsstand vorliegen, hat bekanntlich wissenschaftshistorische sowie sprach- und bildungspolitische Gründe. Ein Studium der älteren Sprachstufen des Hochdeutschen als der historischen Grundlage der rezenten hochdeutschen Standardsprache steht seit dem Beginn der Germanistik im 19. Jahrhundert außer Frage. Die überwiegend hochdeutsch geprägte mediävistische Fachtradition der jüngst vergangenen anderthalb Jahrhunderte legt davon ein deutliches Zeichen ab. Die älteren

---

[2]   Inzwischen ist ein weiteres Lehrbuchprojekt zum Thema entstanden, vgl. dazu Schultz-Balluff 2024. Für die Lehre bietet zudem die Sammlung Meier/Möhn 2008 eine wichtige Arbeitsgrundlage. Vgl. zum Desiderat mittelniederdeutscher Textausgaben und deren Rückwirkung auf die Mittelniederdeutschvermittlung auch Bostelmann/Holznagel 2019 und Bieberstedt/Bockmann 2019.

Sprachstufen des Niederdeutschen sind vor dem Hintergrund der historischen Entwicklung nie mit vergleichbarer Selbstverständlichkeit vermittelt worden, da sich ihr sprachgeschichtlicher Status seit dem 16. Jahrhundert verschoben hat und das Sprachprestige des Niederdeutschen insgesamt geschwächt wurde. Diese Entwicklung prägte in der Folge auch die Institutionalisierung einer wissenschaftlichen Auseinandersetzung mit dem Niederdeutschen und den zugehörigen Diskurs im 19. und 20. Jahrhundert. Eine Notwendigkeit der Kenntnis älterer niederdeutscher Sprachstufen wurde lange Zeit nicht gesehen. In der Folge geriet die Auseinandersetzung mit niederdeutscher Sprache und Literatur eher zu einem Fall für Spezialdiskurse als zu einem Anteil einer breiter aufgestellten sprach- und literaturhistorischen Lehre.

Diese wissenschaftsgeschichtliche Entwicklung hat erhebliche Folgen für die rezente Lage zur Erschließung mittelniederdeutscher Texte. Nicht von ungefähr stammen viele für das Repertorium fortgesetzte relevante Forschungsbeiträge und Editionen bereits aus dem 19. Jahrhundert und sind in der Folge – ganz im Gegensatz zu den klassischen Texten der mittelhochdeutschen Zeit mit ihrer hohen Zahl an Revisionen seit der Erstausgabe – nicht neu bearbeitet worden. Trotz dieser Tatsache lässt sich die gelegentlich anzutreffende Auffassung, es sei zu den Texten der älteren niederdeutschen Literatur bisher insgesamt wenig gearbeitet worden, mit einem Blick auf die Forschungsgeschichte der niederdeutschen Philologie rasch widerlegen. Deren Ergebnisse sind oftmals mit einem dezidiert philologischen Blick gestaltet worden, der Überlieferungsfragen und dialektologische sowie sprachhistorische Details in den Vordergrund rückt und in der Regel stärker gewichtet als literaturwissenschaftliche Aspekte. Vielleicht auch aus diesem Grund erhalten diese Ergebnisse im hochdeutschbezogenen Forschungskontext häufig zu wenig Aufmerksamkeit. Diesem Umstand soll im Repertorium Rechnung getragen werden. Es wird in Bezug auf die bibliografische Erfassung ein breiter Anspruch erhoben, indem auch verstreute oder der sogenannten grauen Literatur zugehörige Titel verzeichnet werden. Die bisherige Arbeit hat das erwartete hohe Potenzial einer vertieften bibliografischen Erschließung und damit auch der Sichtbarmachung der Forschungsgeschichte zu mittelniederdeutschen Texten bestätigt. Es bleibt das weitergehende Ziel bestehen, gegebenenfalls auch in einer späteren Projektphase, insbesondere die Maßstäbe für diese bibliografische Erfassung beständig nachzuschärfen und zu ergänzen.

Ein Repertorium ist keine Literaturgeschichte und kann diese auch nicht ersetzen, aber mit einem aktuellen Datenstand durchaus (zumindest im Fall der erfassten Texte) Erschließungslücken füllen. Die Zahl der

Überblicksdarstellungen zur mittelniederdeutschen Texttradition ist überschaubar, so dass es insbesondere am Beginn einer Auseinandersetzung mit dem Gegenstand eine Herausforderung darstellt, die Textüberlieferung und ihre spezifischen Merkmale überhaupt zu überblicken. Die wirksame Bündelung älterer Darstellungen und neuer Textfunde von Hartmut Beckers, vor mittlerweile über 40 Jahren und auch nicht vollständig abgeschlossen vorgelegt (Beckers 1977–1979), bietet fortgesetzt einen verlässlichen Ausgangspunkt, der auch die Wissensbestände älterer Darstellungen, zum Beispiel von Stammler (1920) und Jellinghaus (1925), integriert und fortentwickelt. Dennoch kann in jenen Daten nicht der methodische und thematische Bestand der neueren Mediävistik abgebildet sein. Aber auch das umfassendste Werklexikon deutschsprachiger Texte des Mittelalters, das „Verfasserlexikon" (^{2}VL), zeigt große Lücken in Bezug auf Anzahl und/oder Aktualität der Informationen zu den mittelniederdeutschen Texten. Daran hat auch die (sofern der lizenzrechtlich gebundene Zugang gegeben ist) erfolgreiche Integration in die Verfasserdatenbank nichts ändern können. Eine digitale Volltextsuche nützt wenig, wenn die gebotenen Informationen veraltet, unvollständig oder unzuverlässig sind, was bei nicht wenigen Artikeln allein schon in Hinsicht auf die dialektale Einordnung der Textzeugen der Fall ist, für die variationslinguistische Instrumente der gegenwärtigen niederdeutschen Philologie auch eine deutlich bessere Basis bilden würden.

Für das RML, obwohl auf den Status quo der Forschung ausgerichtet, besteht somit der Auftrag, zweifelhafte Aussagen nach Möglichkeit zu korrigieren, auch dann, wenn diese (noch) die Mehrheitsmeinung der vorliegenden Forschung abbilden, um auf diese Weise – gestützt durch neue Ergebnisse z. B. in Datierungs-, Quellen- und Dialektbestimmungsfragen – gegen eine eingeschleifte communis opinio zu votieren. Die entsprechenden Vorgehens- und Rechercheweisen des RML bei der Materialerschließung lassen sich dennoch nur als Vorarbeit zu einer (auch didaktisch modern ausgerichteten) Neupräsentation der breiten mittelniederdeutschen Überlieferung in einer literaturgeschichtlichen Darstellung begreifen.

Das Repertorium legt – ebenso wie das parallel entstehende Einführungswerk zum Mittelniederdeutschen – ein vollständig an der tatsächlichen Überlieferung geschultes Verständnis von mittelniederdeutscher Literatur zugrunde. Daher werden Texte auch stets anhand eines ausgewählten Überlieferungszeugen vertieft erfasst. Ebenso gilt jeder in niederdeutscher Sprache überlieferter Text (vom Beginn des 13. Jahrhunderts an bis ca. 1650) als Zeugnis der mittelniederdeutschen Literatur. Damit ist bewusst jede Art mittelniederdeutscher Textlichkeit integriert. Es wird nicht, wie bisweilen geschehen, zwischen angeblich nachgeordneter Übersetzungsliteratur und vermeintlicher Originalliteratur unterschieden. Somit ist ein mittelniederdeutscher Textzeuge, also eine bestimmte Handschrift oder ein konkreter Druck, Dreh- und Angelpunkt der einzelnen Datensätze im RML. Ausgeschlossen sind Texte, für die eine mittelniederdeutsche Fassung angenommen wird, aber nicht gefunden oder sicher erschlossen werden konnte. So enthält das Repertorium zum Beispiel keinen Eintrag zum „Ulenspiegel"-Text, da bis heute kein mittelniederdeutscher Textzeuge nachweisbar ist.

Auf diese Weise entsteht eine digitale Lehr-, Lern und Forschungsumgebung, die über ihre Bündelung der Informationen Ausgangspunkt weiterer Arbeiten sein wird und vor allem für die Lehre zur mittelniederdeutschen Sprache und Literatur ein Unterstützungsangebot darstellt. In einer ersten, von der Universität Flensburg geförderten Projektphase werden Informationen zu 25 Texten aufbereitet und bereitgestellt. Diese minimale Auswahl aus einer allein handschriftlich über 1200 Texte umfassenden Überlieferungstradition[3], die umfassende Drucküberlieferung tritt noch hinzu,[4] versucht, diverse Texttypen verschiedener Entstehungszeiten und aus unterschiedlichen Schreibsprachenlandschaften abzubilden, um die Vielfalt mittelniederdeutscher Schriftlichkeit zu vermitteln. Dabei wurden nicht allein häufiger erwähnte und erforschte und somit als kanonisch empfundene Texte, sondern auch weniger im Fokus stehende Texttypen und unbekanntere Einzeltexte berücksichtigt, um unterschiedliche Stadien von Forschungsständen auszuloten.

Bisher wurden bzw. werden zur mittelniederdeutschen Literaturtradition zwei Projekte realisiert, die als Referenz für das Vorgehen des Repertoriums gelten können. Zum einen hat das Projekt „Niederdeutsch in Westfalen. Historisches digitales Textarchiv" (https://www.niederdeutsch-in-westfalen.de, 1. 3. 2024) mit Arbeitsstellen an den Universitäten Münster, Bielefeld und Osnabrück unter der Leitung von Robert Peters, Ulrich Seelbach und Harald Haferland von 2009 bis 2015 eine fortgesetzt im Netz erreichbare digitale Übersicht zu und eine Bereitstellung von altwestfälischen und mittelwestfälischen Texten erarbeitet, die jeweils auch mit ausführlichen Metainformationen in Form von Tabellen versehen wurden (vgl. Peters/Nagel 2010). Zum anderen wurde an der Universität Münster von 2021 bis 2022 das Projekt „Mittelniederdeutsche Frühdrucke digital" (MNFD; https://www.uni-muenster.de/Germanistik/mnfd/, 1. 3. 2024) gefördert und unter der Leitung von Christian Fischer und Viola Voß von

---

[3]   Vgl. zu dieser Zahl den derzeitigen Bestand mittelniederdeutscher Texte in der Datenbank „Handschriftencensus" (www.handschriftencensus.de, 1. 3. 2024).

[4]   Vgl. dazu Borchling/Claussen 1936–1957. Siehe auch Meyer 2022, S. 77–78.

Johanna Meyer durchgeführt (vgl. Meyer 2022; Meyer 2023). Es schließt an die analoge münstersche mittelniederdeutsche Frühdrucksammlung an und dient der Erfassung digitaler Bereitstellungen aller mittelniederdeutschen Inkunabeln und Frühdrucke. Eine Fortsetzung des Projekts wird angestrebt. Die Datenbestände des MNFD werden an jeweils passender Stelle mit dem Repertorium verknüpft. Schließlich ist auch der umfassende Handschriftencensus (https://handschriftencensus.de/, 1. 3. 2024) eine wichtige Referenz und Informationsquelle für den niederdeutschen Handschriftenbestand.

Mit einer steigenden Anzahl an Datensätzen im RML werden die Suchfunktionen von Interesse sein, die es ermöglichen, zu jeder berücksichtigten Kategorie eine Ergebnisliste zu erstellen, so dass beispielsweise Texte bestimmter Zeitfenster, Schreibsprachen oder Texttypen angezeigt werden können, was zu weiteren Analysen und Querschnittsbetrachtungen anregt. Auch lässt sich auf diese Weise für bestimmte didaktische Ziele in der Lehre Arbeitsmaterial generieren. Rechercheaufgaben zur mittelniederdeutschen Literatur können durch die Lernenden selbständig am Repertorium erprobt werden. Diese Lehr- und Lernmöglichkeiten rücken es auch in die Nähe des umfangreichen „Referenzkorpus Mittelniederdeutsch / Niederrheinisch (1200–1650)" (vgl. https://www.slm.uni-hamburg.de/ren.html; ReN-Team 2021; Peters 2017; Schröder u. a. 2017), das neben seinen grammatischen Annotationen die Texte auch in einer Leseversion bereitstellt[5] und auf diese Weise Arbeiten am mittelniederdeutschen Textbestand ermöglicht.

Für die erste Projektphase des RML wurden 25 Texte ausgewählt, die bereits in Ansätzen die Vielfalt der mittelniederdeutschen Überlieferung widerspiegeln sollen. Zusätzlich zu Titel und Datum sind in der folgenden Liste auch jeweils der größer gefasste Texttyp (z. B. Sachliteratur) sowie die Textsorte (z. B. Rechtsbuch) genannt (vgl. zu dieser Einteilung Bockmann u. a. 2024).

Agneta Willeken: Brief. 28.08.1535. Alltagsschriftlichkeit, Privatbrief.
Albert Pistoris: Ermahnung und Belehrung. 1454. Erbauungsliteratur, Seelsorgebrief.
Bordesholmer Marienklage. Um 1472. Spiel, Marienklage.
Brandans Reise. 2. Hälfte des 15. Jhs. Erzählliteratur, Verslegende.
Bugenhagen-Bibel. 1533/34. Erbauungsliteratur, Bibelübersetzung.
Der Dieb von Brügge. Um 1420. Erzählliteratur, Versnovelle.
Geomantia. 1566. Sachliteratur, Mantik.

---

[5]   Die Leseversion im PDF-Format kann über die Seite des Referenzkorpus beim Zentrum für nachhaltiges Forschungsdatenmanagement der Universität Hamburg (https://www.fdr.uni-hamburg.de/record/9195, 1. 3. 2024) oder über folgenden Direktlink heruntergeladen werden: https://www.fdr.uni-hamburg.de/record/9195/files/pdf_1.1.zip?download=1 (1. 3. 2024).

Göttinger Liebesbriefe. 1458. Alltagsschriftlichkeit, Privatbrief.

Großer Seelentrost. Um 1350. Erbauungsliteratur, Exempelsammlung.

Hermann Bote: Radbuch. Um 1493. Erzählliteratur, Ständeallegorie.

Hildebrand Veckinghusen: Briefe. 1410–1426. Alltagsschriftlichkeit, Geschäftsbrief.

Katharina-Legende. Um 1470. Erzählliteratur, Prosalegende.

Lübecker Totentanz. 1489. Erbauungsliteratur, Totentanz.

Ludolf von Sudheim: Reisebuch. 1. Hälfte des 15. Jhs. Erzählliteratur, Reisebericht.

Dat Narrenschyp. 1497. Erzählliteratur, Satire.

Oldenburger Sachsenspiegel. 1336. Sachliteratur, Rechtsbuch.

Paris und Vienna. 1488. Erzählliteratur, Prosaroman.

Redentiner Osterspiel. 2. Hälfte des 15. Jhs. Spiel, Osterspiel.

Revaler Handwerkerschragen. 1394–1531. Sachliteratur, Zunftordnung.

Reynke de vos. Lübecker Druck 1498. Erzählliteratur, Tierepos.

Rostocker Liederbuch. 2. Hälfte des 15. Jhs. Lyrik, Liederbuch.

Sächsische Weltchronik, Gothaer Handschrift Ende des 13. Jhs. Erzählliteratur, Weltchronik.

Der Schapherders Kalender. 1523. Sachliteratur, Kalender.

Wyngaerden der sele. 1502. Erbauungsliteratur, Geistliche Allegorie.

Zeno-Legende. Mitte des 15. Jhs. Erzählliteratur, Verslegende.

Ausgehend von dieser Liste werden in einem ersten Zugriff zehn Datensätze online gestellt, die Informationen zur „Bordesholmer Marienklage", zu „Brandans Reise", zur „Bugenhagen-Bibel", zum „Dieb von Brügge", zu den „Göttinger Liebesbriefen", zum „Großen Seelentrost", zu Hermann Botes „Radbuch", zum Prosaroman „Paris und Vienna", zum „Schapherders Kalender" und zum „Reynke de vos" bieten werden.

Neben der Vergleichbarkeit herstellenden Kategorisierung der Textinformationen standen die Auswahl und die Einrichtung einer passgenauen technischen Umgebung für die Datenbank im Mittelpunkt der Projektarbeit. Vorhaben der Digital Humanities stehen einer größeren Auswahl an kostenpflichtigen oder auch freien technischen Lösungen zur Datenverwaltung- und Datenpräsentation gegenüber, die eine Verknüpfung der Faktoren leichte Bedienbarkeit, mögliche Übertragbarkeit in andere, modernere Verwaltungssysteme und Herstellung einer benutzungsfreundlichen Oberfläche gewährleisten sollen. Nach einigen Testläufen fiel die Wahl auf die Open-Source-Software „WordPress" (vgl. www.wordpress.org, 1. 3. 2024), die kostenfrei angeboten wird und im Netz stetig von der Nutzendengemeinschaft fortentwickelt wird. Das Programm „WordPress" erwies sich als ebenso flexibel wie benutzungsfreundlich, da es neben einer instruktiven Bedienbarkeit vor allem gute

Möglichkeiten für die oben beschriebene Suche und Sortierung von Texten bereithält.[6]

Zusammenfassend liegen die Vorzüge einer digitalen Lehr-, Lern- und Forschungsumgebung zur mittelniederdeutschen Literatur auch darin, dass sie sich der niederdeutschen Textüberlieferung in der temporären Phase ihres stärksten Ausbaus und ihrer breitesten Überlieferung verschreibt, die als Entwicklungsprozess in den Jahrhunderten zwischen 1200 und 1650 einzuordnen ist. In dieser Phase steht die mittelniederdeutsche Schriftlichkeit in einem engen Transferprozess der europäischen Text- und Schriftkulturen und ist als Mitgestaltung nicht fortzudenken. Diese Tatsache kann über das Repertorium wieder in ein helleres Licht gerückt und vor allem durch erleichterte Zugänge zu Daten, Informationen und Texten transparent gemacht werden.

Das RML wird ab dem Mai 2024 im Internet unter „https://mittelniederdeutsch-repertorium.uni-flensburg.de" erreichbar sein. Diese URL wird zum einen dauerhaft über die Seite des Instituts für Germanistik der Universität Flensburg und zum anderen zum Start der Webseite über den Mail-Verteiler des VndS sowie langfristig auf der Webseite des Sprachvereins zur Verfügung gestellt. Mit der Veröffentlichung der ersten Datensätze tritt das Projekt in eine neue Phase ein. Jeder inhaltliche Hinweis zu bereits bearbeiteten Texten aus der Gemeinschaft der Nutzenden ist herzlich willkommen und kann über ein Kontaktformular auf der Projektseite oder über eine direkte E-Mail an die Projektbeteiligten mitgeteilt werden. Auf diese Weise versteht sich das RML auch als ein Gemeinschaftsprojekt derjenigen, die sich mit der mittelniederdeutschen Überlieferung befassen. Daher ist auch die bewusste Mitarbeit weiterer Kolleginnen und Kollegen an zukünftig geplanten Datensätzen, an denen vielleicht ein besonderes Interesse besteht oder für die bereits eine ausgeprägte Expertise vorliegt, im Sinne des Repertoriums als Gemeinschaftsaufgabe sehr wünschenswert. Die Mitwirkung an der Datenbank wird selbstverständlich in einem entsprechenden Verzeichnis auf der Projektwebseite dokumentiert. Die einzelnen Datensätze zu den Texten verstehen sich als dynamisch korrigier- und veränderbare Informationsspeicher, die anders als gedruckte Verzeichnisse flexibel auf Neuerungen und Ergänzungen reagieren können. Um diese Flexibilität gewährleisten zu können, werden die fortgesetzte Förderung und die Ausprägung einer größer werdenden Gruppe mitwirkender Beitragender angestrebt.

---

[6] Im Zuge dieser technischen Erarbeitung und Bereitstellung erhielt das Projekt umfassende Unterstützung durch Helge Lamm von der „Fabrica Digitalis" der Europa-Universität Flensburg.

Über die eingangs erwähnte Anschlussförderung durch die Carl-Toepfer-Stiftung ist die grundständige Erarbeitung von 25 weiteren Datensätzen gesichert. Langfristiges Ziel der Arbeit am Repertorium ist seine stetige Erweiterung mit dem Fernziel, die mittelniederdeutsche Textüberlieferung möglichst vollständig zu kategorisieren und zu erfassen – dabei fortgesetzt dem erläuterten Prinzip folgend, dass jeweils ein konkreter Textzeuge näher beschrieben wird als ein Exemplar einer möglicherweise breiter vorliegenden Überlieferung. In der Summe wird das RML eine zukünftige Literaturgeschichtserzählung des Mittelniederdeutschen nicht ersetzen, kann aber das Gerüst bieten, das dann mit einer verknüpfenden Erzählung zu der hier erfassten Textüberlieferung ausgestattet wird. Bis zu einer entsprechenden Füllung des Repertoriums ist noch eine längere Bearbeitungsphase einzuplanen, doch soll dem RML auch eine lange und kontinuierliche Nutzung und Bearbeitung ermöglicht werden, um die angestrebte breite Entfaltung der Datensätze zur mittelniederdeutschen Literatur zu erreichen.

Literatur

Beckers, Hartmut: Mittelniederdeutsche Literatur – Versuch einer Bestandsaufnahme. Teil I: Niederdeutsches Wort 17 (1977), S. 1–58. Teil II: Niederdeutsches Wort 18 (1978), S. 1–47. Teil III: Niederdeutsches Wort 19 (1979), S. 1–28.

Bieberstedt, Andreas/Bockmann, Jörn: Die Mittelniederdeutsche Bibliothek. Zur Konzeption und Realisierung einer neuen Buchreihe. In: Nd. Kbl. 126 (2019), S. 31–35.

Bockmann, Jörn: Das Repertorium mittelniederdeutscher Literatur (RMNL). Eine Projektskizze. In: Nd. Kbl. 122 (2015), S. 116–122.

Bockmann, Jörn/Ihden, Sarah/Langhanke, Robert/Recker, Anabel: Mittelniederdeutsche Sprache und Literatur. Eine Einführung. Zur Konzeption eines Lehrbuches. In: Nd. Kbl. 128 (2021), S. 109–118.

Bockmann, Jörn/Ihden, Sarah/Langhanke, Robert/Recker, Anabel: Das Repertorium der mittelniederdeutschen Literatur. Zum Aufbau einer digitalen Lehr-, Lern- und Forschungsumgebung. In: Coniglio, Marco/Recker, Anabel/Sahm, Heike (Hrsg.): Mittelniederdeutsch zwischen Korpuslinguistik und Literaturwissenschaft. Göttingen 2024, im Druck.

Borchling Conrad/Claussen, Bruno: Niederdeutsche Bibliographie. Gesamtverzeichnis der niederdeutschen Drucke bis zum Jahre 1800. Band 1. 1473 bis 1600. Band 2. 1601 bis 1800. Neumünster 1936 [Erscheinungsbeginn 1931]. Band 3. Nachträge. Ergänzungen, Verbesserungen. Neumünster 1957.

Bostelmann Annika/Holznagel, Franz-Josef: Vorüberlegungen zu einer Publikationsreihe ‚Mittelniederdeutsche Bibliothek'. In: Unzeitig, Monika/Magin, Christine/Eisermann, Falk (Hrsg.): Schriften und Bilder des Nordens. Niederdeutsche Medienkultur im späten Mittelalter. (ZfdA-Beiheft, 28). Stuttgart 2019, S. 1–13.

Jellinghaus, Hermann: Geschichte der mittelniederdeutschen Literatur. (Grundriss der Germanischen Philologie, 7). 3., verb. Aufl. Berlin/Leipzig 1925.

Meier, Jürgen/Möhn, Dieter: Spuren der Vergangenheit für die Gegenwart. Hundert niederdeutsche Texte zwischen dem 9. und 17. Jahrhundert. (Schriften des Instituts für Niederdeutsche Sprache, 33). Leer 2008.

Meyer, Johanna: Mittelniederdeutsche Frühdrucke digital. Ein Projektbericht. In: Nd. Kbl. 129 (2022), S. 75–81.

Meyer, Johanna: Mittelniederdeutsche Frühdrucke digital. Projektabschlussbericht. In: Nd. Kbl. 130 (2023), S. 76–86.

Peters, Robert: Das Referenzkorpus Mittelniederdeutsch/Niederrheinisch (1200–1650). In: Nd. Jb. 140 (2017), S. 35–42.

Peters, Robert/Nagel, Norbert: Das Korpus-Projekt „Niederdeutsch in Westfalen (Historisches Digitales Textarchiv)". Ein Projektbericht. In: Nd. Kbl. 117 (2010), S. 10–17.

ReN-Team: Reference Corpus Middle Low German/Low Rhenish (1200–1650); Referenzkorpus Mittelniederdeutsch/Niederrheinisch (1200–1650). Version 1.1. 2021. https://doi.org/10.25592/uhhfdm.1668.

Schröder, Ingrid/Barteld, Fabian/Dreessen, Katharina/Ihden, Sarah: Historische Sprachdaten als Herausforderung für die manuelle und automatische Annotation: Das Referenzkorpus Mittelniederdeutsch/Niederrheinisch (1200–1650). In: Nd. Jb. 140 (2017), S. 43–57.

Schultz-Balluff, Simone: Mittelniederdeutsch als ‚fremde Sprache'. In: Bieberstedt, Andreas/Brandt, Doreen/Ehlers, Klaas-Hinrich/Schmitt, Christoph (Hrsg.): 100 Jahre Niederdeutsche Philologie. Ausgangspunkte, Entwicklungslinien, Herausforderungen. Teil 2. Aktuelle Forschungsfelder. (Regionalsprache und regionale Kultur. Mecklenburg-Vorpommern im ostniederdeutschen Kontext, 7). Berlin 2024, im Druck.

Stammler, Wolfgang: Geschichte der niederdeutschen Literatur von den ältesten Zeiten bis auf die Gegenwart. (Aus Natur und Geisteswelt, 815). Leipzig/Berlin 1920. Nachdruck Darmstadt 1968.

VL²: Ruh, Kurt/Wachinger, Burghart u. a. (Hrsg.): Die deutsche Literatur des Mittelalters. Verfasserlexikon. Begründet von Wolfgang Stammler. Fortgeführt von Karl Langosch. 14 Bände. 2. Aufl. Berlin/New York 1978–2008.

Wilkinson, Mark D. u. a.: The FAIR Guiding Principles for scientific data management and stewardship. In: Scientific Data 3,1 (2016). https://doi.org/10.1038/sdata.2016.18 (1. 3. 2024).

Flensburg   *Jörn Bockmann*
Kiel   *Sarah Ihden*
Flensburg   *Robert Langhanke*
Göttingen   *Anabel Recker*

Frye Kunst oder *thom Kophandel gerichtet.* Die *Arithmetica Dudesch* des Achacius Dörinck[1]

Heft 27 (2023) der Reihe *Der Rechenmeister* des Adam-Ries-Bundes e.V. thematisiert eines der verbreitetsten mittelniederdeutschen (mnd.) Rechenbücher des 16. und beginnenden 17. Jhs., die *Arithmetica Dudesch* des Hamburger Rechen- und Schulmeisters Achacius Dörinck.[2] Untersuchungsgegenstand ist die vierte von insgesamt sechs Auflagen, erschienen 1573 bei Wolfgang Kirchner in Magdeburg.[3]

Während der Anwendungsbezug mnd. Rechenbücher im Hinblick auf die kaufmännische Ausbildung bei Starke (1993)[4] und auf Ausbildung und soziales Umfeld von Rechenmeistern bei Schneider (2016)[5] im Mittelpunkt stehen, liegt der Schwerpunkt dieser Untersuchung auf dem Abgleich zwischen intendierter und belegter Rezeption. Ein historischer Rezeptionsvorgang kann in seinen orts-zeitlichen Rahmen eingebettet, sein

---

[1] Bericht zu: Elbing, Bernhard: Frye Kunst oder thom Kophandel gerichtet. Die Arithmetica Dudesch des Achacius Dörinck. In: Der Rechenmeister, 27 (2023), hrsg. von Rainer Gebhardt und Annegret Münch. Annaberg-Buchholz 2023. Prof. Gebhardt schulde ich einen herzlichen Dank für die Genehmigung des Abdrucks.

[2] Dörinck verantwortete den Erstdruck 1449 – ist also wohl vor bzw. um 1530 geboren – und wird im Druck von 1573 (p. Aij^v: Achacio seliger) als verstorben aufgeführt. Da er unter *Achatius Döring* zudem in den Ratsakten des Hamburger Staatsarchivs für Dezember 1558 als Notar aufgeführt ist (freundl. Hinweis Prof. Rainer Gebhardt, Adam-Ries-Bund), verstarb er zwischen 1559 und 1573. Daneben „verpflichteten in der Reformationszeit auch die protestantischen Kirchen- bzw. Schulordnungen Lehrer und Schüler zur musikalischen Gestaltung der Gottesdienste" (Mitterschifflthaler, Karl: Mesner, Schulmeister, Organisten. Zur sozialen und materiellen Situation von Kirchenmusikern im Biedermeier. In: Studien zur Musikwissenschaft 50 (2002), S. 133–163. S. 135), sodass er auch als Organist tätig war (vgl. auch Jellinghaus, Hermann: Geschichte der mittelniederdeutschen Literatur. [Grundriss der germanischen Philologie, 7]. 3., verb. Aufl. Berlin 1925, S. 78).

[3] VD16 ZV 18097, Original und digitale Bereitstellung: Universitäts- und Landesbibliothek Sachsen-Anhalt, Halle (Saale) [Sign.: Pon IIp 215. Link zum Digitalisat: http://dx.doi.org/10.25673/opendata2-960]. Scans des untersuchten Druckexemplars sind unter Permalink http://gateway-bayern.de/VD16+ZV+18097 abrufbar.

[4] Starke, Wolfgang: ein nye Rekensboeck vp aller Koepmanshandelinge– kommerzielles Wissen in den niederdeutschen Arithmetiken des 16. und 17. Jahrhunderts. In: Jenks, Stuart und Michael North (Hrsg.): Der hansische Sonderweg? Beiträge zur Sozial- und Wirtschaftsgeschichte der Hanse. (Quellen und Darstellungen zur hansischen Geschichte, N. F. 39). Köln/Weimar/Wien 1993, S. 235–254.

[5] Schneider, Ivo: Ausbildung und fachliche Kontrolle der deutschen Rechenmeister vor dem Hintergrund ihrer Herkunft und ihres sozialen Status. In: Feistner, Edith/Holl, Alfred (Hrsg.): Erzählen und Rechnen in der frühen Neuzeit. Interdisziplinäre Blicke auf Regensburger Rechenbücher. (Regensburger Studien zur Literatur und Kultur des Mittelalters. 1). Berlin/Münster 2016. S. 35–62.

Inhalt anhand einer im untersuchten Druckexemplar handschriftlich einge-
tragenen Textaufgabe abgeleitet werden. Zeitliche Kriterien entstammen
textinternen bibliographischen Angaben sowie einer paläographischen
Einschätzung der Schreiberhand. Die sprachgeographische Einschätzung
geht von 30 Wortformen aus, die mithilfe des mnd. sprachgeographischen
Atlas (Peters 2017)[6] sowie frühneuhochdeutschen (fnhd.) Vergleichsmate-
rials zugeordnet werden. Daneben wird exemplarisch belegt, zu welchen
Anteilen fnhd. Formen in einem konzeptionellen fachsprachlichen mathe-
matischen Text an der Südostflanke des mnd. Sprachgebiets zu Beginn des
17. Jhs. bereits vertreten sind.

Fachhistorische Fragestellungen betreffen die Einschätzung, inwieweit
das Rechenbuch auf dem Boden des zeitgenössischen Status quo der Wissenschaft steht, bzw. ob auch Themen und Verfahren jenseits des rein
kaufmännischen Interesses wie solche der aufkommenden Algebra thematisiert werden. Dabei spielen intertextuelle Vergleiche mit Lehrbüchern
der *Ars arithmetica* sowie volkssprachigen, von Gelehrten wie Peter Apian
und Michael Stifel verfassten Rechenbüchern ebenso eine Rolle wie der
Umfang einer arithmetischen Symbolsprache. Die Ausprägung von Fach-
sprachlichkeit wird aus einem Inventar lat. und mnd. Fachlexik sowie
anhand von Indikatoren wie der Eindeutigkeit verwendeter Fachbegriffe
bestimmt. Erstmalig wird somit ein in mnd. Sprache gedrucktes Rechenbuch aus fachhistorischer und philologischer Perspektive einer Erschließung zugeführt.

Bonn   *Bernhard Elbing*

---

[6]   Peters, Robert, unter Mitwirkung von Christian Fischer und Norbert Nagel: Atlas spätmittelalter-
licher Schreibsprachen des niederdeutschen Altlandes und angrenzender Gebiete (ASnA). Band I.
Einleitung, Karten. Band II. Verzeichnis der Belegtypen. Band III. Verzeichnis der Schreibfor-
men und der Textzeugen (Ortspunktdokumentation). Berlin/Boston 2017.

Jesus spricht Niederdeutsch

Als Erstsprachlerin des Niederdeutschen, als Fachberaterin für Niederdeutsch beim Regionalen Landesamt für Schule und Bildung (Hannover/Braunschweig) sowie als Förderschullehrerin und Bibelerzählerin ist es mein Anliegen, die Niederdeutschvermittlung in der Schule voranzubringen. Auf welche Weise können Schüler:innen für diese bedrohte Regionalsprache begeistert werden, wie kann sich die Niederdeutschvermittlung unaufwändig in die schulischen Abläufe einfügen, und wie kann sie in die Arbeitspläne der Schulen[1] aufgenommen werden – und das auch für Nicht-Erstsprachler:innen? Ein entsprechendes Beispiel habe ich auf Pfingsttagung des Vereins für niederdeutsche Sprachforschung 2023 in Greifswald vorgestellt und werde es im Folgenden beschreiben. Es möge als eine Antwort auf die gestellten Fragen gelten.

Durch das Projekt MELT[2] wurde ich angeregt, die Methode des mehrsprachigen Lesetheaters zweisprachig mit Niederdeutsch/Hochdeutsch zu auszuprobieren und ggf. die Erstsprache einzelner Kinder mit aufzunehmen. Wie sich herausstellte, kann es mit dieser Vorgehensweise gelingen, Schüler:innen sukzessive an das Niederdeutsche heranzuführen.

Als Unterrichtsfach bot sich der Religionsunterricht an. Da ich kurz zuvor eine Ausbildung zur Bibel-Erzählerin absolviert hatte, wurden mir die Themen schnell deutlich. Lehrplangerecht wählte ich aus dem Neuen Testament die „Zachäus"-Geschichte für den Unterricht aus, verschriftete die Dialoge in Niederdeutsch und Hochdeutsch. Jesus erhielt bewusst den niederdeutschsprachigen Part.

Jesus:	Zachäus! Zachäus! Zachäus! Wat maaks du dor boven? Ik kann di nich seihn! Kumm rünner!
Erzähler:	Zachäus war ein kleiner Mann. Er war auf einen Baum geklettert, damit er besser sehen konnte. Er wollte Jesus sehen. Er hatte viel von Jesus gehört. Zachäus bewunderte Jesus. Er wollte Jesus kennenlernen. Jesus hatte ihn gerufen. Zachäus erschrak. Wie konnte das sein. Meinte Jesus ihn?

---

[1] Der niedersächsische Erlass „Die Region und die Sprachen Niederdeutsch und Saterfriesisch im Unterricht" [Aktenzeichen: 32 - 82101/3-2] von 2019 sieht die verbindliche Vermittlung des Niederdeutschen sowie des Saterfriesischen in allen Schulformen vor. Eine Erneuerung des Erlasses erfolgte 2023.

[2] Vgl. https://melt-multilingual-readers-theatre.eu/ (zuletzt abgerufen am 18.03.2024). MELT dient dazu, die Mehrsprachigkeit von Kindern anzuerkennen und den Fokus nicht nur auf das Deutsche zu legen. Die Herkunftssprachen der Kinder sollen gewürdigt werden und das Lesetheater so gestaltet werden, dass diese ihre Kompetenzen einsetzen und weitergeben können.

Jesus:	Zachäus, ick menn di! Worüm verstopps du di? Kumm rünner!
Erzähler:	Langsam kletterte Zachäus vom Baum herunter. Viele Menschen waren dort. Sie schauten zu. Sie murmelten vor sich hin. Einige schimpften.
Zuschauer:	Wat schall dat? Worüm schnackt Jesus nich mit mi? Ik bin väl wichtiger. Ik dau nie wat Leipes. Leigen un Bedreigen dait Zachäus! Dat kann jo woll nich angaahn. Ik verstaah Jesus nich.
Erzähler:	Nun stand Zachäus vor Jesus. Jesus war sehr freundlich.
Jesus:	Zachäus, ik will di beseuken. Laat us naa dien Huus gahn.
Erzähler:	Zachäus war durcheinander. Jesus meinte ihn! Jesus wollte *ihn* besuchen. Er führte Jesus zu seinem Haus. Er fragte Jesus, was er essen und trinken wolle.
Jesus:	Ik mag gern Appels, Datteln, Wiendruben, Oliven un Brot äten. Ik mag gern Water un Wien drinken.

Tabelle 1: Jesus und Zachäus [3]

Geprobt wurde in einer 3. Klasse des Primarbereichs einer Förderschule mit dem Schwerpunkt Sprache. Die Lernvoraussetzungen der Schüler:innen können als äußerst heterogen bezeichnet werden; von Schwierigkeiten in der Sprachverarbeitung sowie in der Aussprache und beim Lesen musste ausgegangen werden. Zunächst fungierte die Lehrerin als Modell. Ich las den Lesetext zweisprachig vor, mit stimmlichem Ausdruck, die Dialoge durch Gestik und Mimik unterstützt. Überraschung sah ich auf den Gesichtern der Kinder, plötzliche Stille und aufmerksames Horchen. Zunächst war der Grund wohl die Lehrerin, die „Theater spielt", aber dann war es die fremde Sprache, die sie im Wechsel mit dem Hochdeutschen hörten.

Fast alle Schüler:innen waren begeistert, als sie im Anschluss aufgefordert wurden, sich einen Platz in der Schule zu suchen und dieses zweisprachige Lese-Theaterstück in Tandems selbst zu erproben, die Rollen zu verteilen und den zweisprachigen Text lesend zu üben. Auf einmal waren

---

[3] Vgl. Neues Testament Lk 19, 1-10, eigene Übersetzung. Die gewählte Schreibung zur Verdeutlichung der regionalen dialektalen Besonderheiten wurde unverändert beibehalten und nicht vereinheitlicht.

niederdeutsche Sätze im Schulgebäude zu hören, erstmalig von den Kindern in den Mund genommen.

Der Einsatz dramaturgischer Elemente unterstützte die Motivation der Kinder. Die Schüler*innen probierten sich gern aus, versuchten passende Intonationen, Mimik und Gestik einzusetzen. Das textgestützte Vorlesen fiel den Kindern leichter, als eine Rolle auswendig zu lernen und auskleiden zu müssen. Dieser Umstand stellt sicherlich einen Vorteil des mehrsprachigen Lese-Theater-Prinzips dar.

In einer späteren Reflexionsphase wurden andere erstsprachliche Wörter der Kinder aufgenommen und eine Tabelle erstellt. Ein Zusammenhang zwischen dem Niederdeutschen und dem Englischen wurde den Schüler:innen sehr schnell offenbar. Hier wurden Möglichkeiten eines rezeptiven Erschließens einer unbekannten Sprache deutlich. Mehrsprachigkeit und die jeweiligen Muttersprachen erfuhren eine Sichtbarmachung und Würdigung; Ähnlichkeiten und Unterschiede in Bezug auf das Hochdeutsche wurden benannt.

Niederdeutsch	Englisch	Hochdeutsch	Türkisch
ik	I	ich	–
kumm	–	komm	–
Appels	apple	Apfel	–
jo	yes	ja	evet
beseuken	–	besuchen	–
wat	what	was	–
Wien	–	Wein	–

Tabelle 2: Ergebnisse des Sprachenvergleichs

Bei der anschließenden Aufgabe, verschiedene Sprachen im Körper zu verorten, wurde die jeweilige Erstsprache häufig in Herznähe dargestellt.

Abschließend war die Bibelgeschichte „Moses"[4] zu hören, von mir frei erzählt aus einem individuellen Blickwinkel. Als Bibelerzählerin habe ich gelernt, wie man „Story-Boards" erstellt und Leerstellen mit eigenen Ideen füllt. Auf diese Weise entstehen persönliche Erzählungen. In der Erstsprache Niederdeutsch vorgetragen, erhält das Erzählte eine große Tiefe und Authentizität, die besonders aufhorchen lässt.

Burgdorf *Hildegard Meyer-Glose*

---

[4] Quelle: Altes Testament Ex 1-2.

135. Jahresversammlung des Vereins für niederdeutsche Sprachforschung vom 29. Mai bis zum 1. Juni 2023 Greifswald

In Kooperation mit dem Kompetenzzentrum für Niederdeutschdidaktik der Universität Greifswald sowie dem Lehrstuhl für Niederdeutsche Sprache und Literatur der Universität Rostock wurde die Pfingsttagung 2023 mit dem Schwerpunktthema „Niederdeutsch vermitteln" in Greifswald durchgeführt. Die Vorträge fanden im Hörsaal des Alfried Krupp Wissenschaftskolleg im Herzen der Greifswalder Altstadt statt. Die Tagungsräumlichkeiten boten eine umfassende technische Ausstattung, was – auch und insbesondere durch die engagierte Betreuung durch Mitarbeitende des Kollegs – eine digitale Übertragung des Vortragsprogramm an heimische Schreibtische ermöglichte.

Am Abend des 29. Mai fand zum Auftakt ein Abendessen und geselliges Beisammensein in der „Brasserie Hermann" statt.

Das offizielle Programm wurde am Dienstagvormittag durch den Vorsitzenden des Vereins, Prof. Dr. Michael Elmentaler, eröffnet. Seine Begrüßung wurde ergänzt durch Grußworte der Dekanin der Philosophischen Fakultät, Prof. Dr. Theresa Heyd, des Wissenschaftlichen Geschäftsführers des Alfried Krupp Wissenschaftskollegs Greifswald, Dr. Christian Suhm, und PD Dr. Birte Arendt sowie Prof. Dr. Andreas Bieberstedt in ihrer Funktion als Mitorganisierende.

Den ersten Vortrag der Tagung hielt **Monika Unzeitig** (Greifswald) zum Thema „Ein Blick zwischen die Buchdeckel. Mittelniederdeutsche Drucke der Inkunabelzeit in Lübeck".

Wie bereits Hartmut Beckers 1977 in seiner Darstellung zur „Mittelniederdeutsche(n) Literatur – Versuch einer Bestandaufnahme" feststellt, ist es keineswegs einfach, den Begriff ‚mittelniederdeutsche Literatur' zu bestimmen bzw. zu fassen, welche Texte unter dieser Bezeichnung versammelt werden können. Dabei ist es weniger problematisch, einen erweiterten Literaturbegriff anzusetzen und stattdessen allgemein von Texten zu sprechen, als vielmehr das Adjektiv und damit die sprachliche Einordnung ‚mittelniederdeutsch' mit Bezug auf die Textentstehung festzulegen.

Die Perspektive des Vortrags ist daher keine historisch philologische, sondern eine pragmatische und mediale. Im 15. Jahrhundert wird Lübeck zu einem bedeutenden Druckort der Inkunabelzeit und zu dem wichtigsten Druckort für mittelniederdeutsche Inkunabeln. Exemplarisch soll es um die beeindruckende hohe Produktivität der ersten Drucker in Lübeck gehen, die Gestaltung der Drucke im Spiegel ihrer Druckprogramme und im Kontext der Anfänge des Buchdrucks.

Jörn Bockmann (Flensburg), **Sarah Ihden** (Hamburg), **Robert Langhanke** (Flensburg) und **Anabel Recker** (Braunschweig) sowie **Simone**

Schultz-Balluff (Halle) und **Timo Bülters** (Halle) stellten anschließend „Zwei Lehrbuchprojekte zur Mittelniederdeutschvermittlung" vor.

Mittelniederdeutsche Texte stoßen in den vergangenen Jahren in Forschung und Lehre auf ein zunehmendes Interesse auch außerhalb der niederdeutschen Philologie. Die Vermittlung des Mittelniederdeutschen wird jedoch durch ein großes Desiderat erheblich erschwert: Bislang existiert kein Lehrbuch, das in diese Sprachstufe und ihre literarische Überlieferung einführt. Zwei Einführungswerke mit unterschiedlichen, einander ergänzenden inhaltlichen und methodischen Schwerpunkten werden diese Lücke schließen.

Das zentrale Prinzip des Lehrbuches „Mittelniederdeutsche Sprache und Literatur. Eine Einführung" von Jörn Bockmann, Sarah Ihden, Robert Langhanke und Anabel Recker besteht in der engen Verbindung von Sprach- und Literaturwissenschaft. Von besonderer Bedeutung ist zudem die Einbindung gegenwärtiger Forschungsergebnisse. Für die Darstellung der grammatischen Grundlagen werden aktuelle Erkenntnisse aus der Bearbeitung der neuen „Mittelniederdeutschen Grammatik" (Ingrid Schröder und Sarah Ihden) sowie aus ergänzenden Analysen auf der Basis des „Referenzkorpus Mittelniederdeutsch/Niederrheinisch" (ReN) genutzt. Einen zentralen Teil des Lehrbuches bildet neben der Sprachlehre das umfangreiche Primärtextkapitel, in dem ausgewählte Quellen vorgestellt und die Besonderheiten unter anderem verschiedener Texttypen oder bestimmter Schreiborte aufgezeigt werden. Durch die Berücksichtigung von Quellen unterschiedlicher Entstehungszeiten, Schreibsprachenlandschaften und Texttypen und die Aufnahme nicht nur kanonischer, sondern auch weniger stark wahrgenommener Texte wird die Breite der mittelniederdeutschen Überlieferung abgebildet. Außerdem zeigt sich in den Quellen durch unterschiedliche Entstehungskontexte bedingte sprachliche Variation. Durch die stets auf einander bezogene Vermittlung der sprachlichen und der literarischen Grundlagen werden die Lesenden zur eigenständigen Arbeit mit mittelniederdeutschen Quellen befähigt. Unterstützt wird dies im Lehrbuch durch Textauszüge und jeweils zugehörige Übungen, die unmittelbar für die Lehre genutzt werden können.

Das Lehrwerk „Mittelniederdeutsch als fremde Sprache" (Simone Schultz-Balluff & Timo Bülters) folgt in seiner Anlage und Ausrichtung dem Konzept des seit über 10 Jahren in der Lehre vertretenen Lehrbuchs „Mittelhochdeutsch als fremde Sprache", das in Kürze in einer völlig neu bearbeiteten, 5. Auflage erscheinen wird (Schultz-Balluff/Lindemann/Wegera). Grundlegend sind bei diesem Lehrwerk fremdsprachendidaktische Methoden und ein kognitionswissenschaftlicher lesedidaktischer Zugriff – als übungsbasiertes Lehrbuch werden die Lernenden vom ersten Moment an aktiv eingebunden. Die Vermittlung der mittelniederdeutschen Sprache erfolgt dabei nicht exhaustiv, sondern text- bzw. situationsgebunden, sodass immer ein konkreter Anwendungsbezug erkennbar bleibt. Am Beispiel eines Probekapitels wird ein Einblick in das Lehrwerk gegeben und das grundlegende Konzept erläutert.

Zum Thema „Motive der Sprachthematisierung in der plattdeutschen Lyrik im Vergleich mit der Sprachthematisierung im Jiddischen – mit einigen Überlegungen zur Didaktisierung" sprach **Armin Eidherr** (Salzburg/A).

Es fällt auf, dass Literaturen in „kleinen", nicht-staatlichen und oft auch gefährdeten Sprachen in allen literarischen Gattungen besonders zur Thematisierung der Sprache selbst tendieren bzw. Erklärungen und Rechtfertigungen liefern, warum gerade in dieser Sprache geschrieben wird. Dies soll in diesem Vortrag anhand der Lyrik veranschaulicht werden. Es gibt tatsächlich hunderte Gedichte in plattdeutscher Sprache, die sprachthematisierend sind, das heißt, es gibt kaum Dichterinnen oder Dichter im Plattdeutschen, die keine derartigen Texte, die ich „Moderspraak-Gedichte" nennen will, verfasst haben. Ähnlich, wenn nicht noch mehr ins Auge springend und quantitativ größer ist die Situation im Jiddischen, was die dort vorhandenen „Mameloschn-Gedichte" betrifft.

Der Vortrag möchte einen Eindruck vermitteln von den vorrangigen Motiven und Themen dieser Texte und die diversen Hintergründe für Ähnlichkeiten und Verschiedenheiten paradigmatisch vor allem anhand eines Vergleiches plattdeutscher und jiddischer Lyrik aufzeigen. Außerdem sollen einige Gedanken zum didaktischen Einsatz solcher Texte formuliert werden, etwa was die Beschäftigung gerade mit dem Subgenre „sprachthematisierender Gedichte" für das Kennenlernen der jeweiligen Literatur, ihrer historischen, „ideologischen" und kulturellen Voraussetzungen bringen kann.

Im Anschluss an das Vortragsprogramm fand die VndS-Mitgliederversammlung statt. Für den Dienstagnachmittag wurde den Tagungsteilnehmenden ein Altstadtrundgang oder eine Stadtführung mit dem Titel „Sechs Jahrhunderte Universitätsgeschichte" angeboten. Am Abend empfing der Oberbürgermeister der Stadt Greifswald, Dr. Stefan Fassbinder, die Tagungsgäste im Foyer des Alfried Krupp Wissenschaftskollegs.

Der zweite Tag der Tagung rückte den Themenschwerpunkt „Niederdeutsch vermitteln" in den Fokus. Eröffnet wurde der Vormittag von **Hildegard Meyer-Glose** (Burgdorf), die aus ihrem schulischen Alltag berichtete: „Jesus spricht niederdeutsch. Beispiel eines zweisprachigen Lese- und Erzähltheaters".

Die Vermittlung der niederdeutschen Sprache sowie deren Implementierung in die Lehr- und Arbeitspläne der Schulen ist selbst auf der Ebene der Sprachbegegnung eine nicht leicht zu bewältigende Aufgabe. Um der niederdeutschen Sprache dennoch einen angemessenen Stellenwert zukommen zu lassen, bietet sich m. E. beispielsweise das Fach Religion an. Die vorgegebenen fachspezifischen Lerninhalte können genutzt werden, um die niederdeutsche Sprache zu hören und zu verstehen, um sie im Anschluss selbst lesend und sprechend erproben zu können.

Gestartet wurde der Versuch anhand der biblischen Zachäus-Geschichte (Lukas 19, 1-10) in einer 2. Klasse des Primarbereichs. Zu Beginn erfolgte die lehrplangemäße Erarbeitung der Bibelstelle auf hochdeutsch, so dass der Inhalt bei den Schüler*innen als bekannt vorausgesetzt werden konnte. Danach wurden im Sinne eines Lese- und Erzähltheaters die Rollen der vorkommenden Personen, Jesus und Zachäus, verteilt. Ein vorbereiteter Text mit der Verschriftlichung des Dialogs stand zur Verfügung – „Jesus" erhielt den niederdeutschen Part. Durch die vorangegangene Erarbeitung kannten die Schüler*innen den Inhalt und waren somit in der Lage, die niederdeutschen Sequenzen größtenteils zu verstehen bzw. gezielt nachzufragen. Der erste Durchlauf erfolgte lesend und mit verteilten Rollen. Fast alle Kinder waren motiviert, das Niederdeutsche auch zu sprechen, einige nahmen die vorbereiteten Dialogkarten zu Hilfe. Für alle Kinder kam hier ein erster Kontakt mit der niederdeutschen Sprache zustande. Sie hatten sichtlich Freude an der ungewohnten Aussprache und wollten mehr über die Sprache wissen.

Eine weitere Möglichkeit, niederdeutsch zu lehren, wurde von mir im Rahmen meiner Ausbildung zur Bibel-Erzählerin entdeckt. Die biblischen Geschichten wurden ursprünglich mündlich weitergegeben und es bietet sich an, auch beim Bibel-Erzählen zweisprachig vorzugehen. Durch eine spezifische Auseinandersetzung mit den biblischen Texten lassen sich sog. „Leerstellen" von den Schüler*innen mit eigenen Ideen und Vorstellungen füllen. Selbst gewählte Rollen können sprachlich (z. B. als Dialog oder als Monolog) ausgestaltet werden und ins Niederdeutsche übertragen werden. Zuhörer*innen tauchen dabei in ein immersives Erzählerlebnis ein.

Anschließend stellten **Birte Arendt** und **Ulrike Stern** (Greifswald) „Didaktische Ressourcen zur Niederdeutschvermittlung, Konzepte und Formen am Beispiel der Handreichung zu Fritz Reuters *Kein Hüsung*" vor.

Zu den grundlegenden Aufgaben einer Niederdeutschdidaktik gehört auch die Entwicklung und Evaluation didaktischer Lehr-Lern-Mittel. Als Ressource zur Optimierung von Unterrichtsprozessen (Freudenstein 2007: 396) sind sie für den schüler*innenseitigen akzelerierten Wissenserwerb von essentieller Bedeutung. Zu den Prinzipien der Lehrmittelgestaltung gehören Methodenvielfalt, Handlungs-, Prozess- und Schüler*innenorientierung. Auf Basis eines kognitiv-konstruktivistischen Lernbegriffes verstehen wir unter didaktischen Ressourcen zur Niederdeutschvermittlung kompetenz- und prozessbezogen strukturierte, sprachstands- und sachdifferenzierte Unterrichtsmittel, die einen integrativen Sprach- und Literaturunterricht der Regionalsprache Niederdeutsch unterstützen können. Die wissenschaftlich begründete Entwicklung derartiger Ressourcen steht für die Vermittlung der Regionalsprache Niederdeutsch dabei ebenso am Anfang wie die empirisch geprüfte Evaluation.

Der Vortrag fokussiert exemplarisch die aktuell am Kompetenzzentrum für Niederdeutschdidaktik entwickelte Lehrer*innenhandreichung für Fritz Reuters Versepos „Kein Hüsung", das zu den wichtigsten Werken der neuniederdeutschen Literatur gehört und sich gemäß Rahmenplan Niederdeutsch Mecklenburg-Vorpommern für die Sekundarstufe 1 und die gymnasiale Oberstufe in mehreren Klassenstufen für die Erarbeitung sprachlicher und literarischer Inhalte gleichermaßen eignet. Dabei soll der Vortrag beleuchten und zur Diskussion stellen, wie die oben genannten Prinzipien differenziert berücksichtigt und in konkreten Sprachaufgaben umgesetzt werden.

Franziska Buchmann (Oldenburg) sprach zum Thema „Niederdeutsch unterrichten – Das Verhältnis zwischen schriftbasierten (fremd)sprachdidaktischen Methoden, der im Unterricht zu vermittelnden Fertigkeit Schreiben und dem Status der Schrift im Niederdeutschen".

Das plurizentrische Bildungssystem in Deutschland sorgt dafür, dass die Regionalsprache Niederdeutsch in den verschiedenen Bundesländern in Schulen (und anderen Bildungseinrichtungen) auf ganz verschiedene Art und Weise in das Bildungsangebot aufgenommen wird. Betrachten wir allein die Schulen, findet sich Niederdeutsch als Unterrichtsfach (z. B. in MV, SH, HH, HB), Niederdeutsch als Immersionsunterricht (z. B. in NI) sowie Niederdeutsch in AG-Angeboten (z. B. in NI). Niederdeutsch ist für alle Lernenden i. d. R. eine Zweitsprache. Ihr Erwerb bewegt sich je nach Angeboten zwischen einem ungesteuerten Erwerb, z. B. in der Familie, in AGs, im immersiven Fachunterricht, und einem (institutionell) gesteuerten Lernen, z. B. im Unterrichtsfach Niederdeutsch. Über die Grenzen der Bundesländer hinweg lassen sich dennoch Gemeinsamkeiten der sich aktuell entwickelnden Fachdidaktik Niederdeutsch entdecken. So berücksichtigen alle Bundesländer in ihren curricularen Vorgaben die üblichen Bildungsstandards der Kultusministerkonferenz für die (erste) Fremdsprache, also die kommunikativen Fertigkeiten sowie die allgemeineren Methodenkompetenzen. Zieht man nun vorhandene Lehrmaterialien aller Art hinzu, zeigt sich, dass diese schriftbasiert sind. Dies ist mit Blick auf den Schulunterricht in der Bundesrepublik nicht überraschend, denn aller Unterricht ist mehr oder weniger schriftbasiert. Mit der ersten Unterrichtsstunde Niederdeutsch werden die kommunikativen Fertigkeiten Lesen und Schreiben angebahnt. Tatsächlich ist die Entwicklung dieser Fertigkeiten für das Niederdeutsche – so wie der Erwerb und das Lernen aller kommunikativen Fertigkeiten für das Niederdeutsche – völlig unbeforscht. Darüber hinaus ist auch das Ziel der Fertigkeiten Schreiben und Lesen noch nicht ausbuchstabiert. Gehen wir davon aus, dass in Bildungskontexten aller Art eine konzeptionelle Schriftlichkeit, die medial schriftlich oder mündlich produziert und rezipiert wird, nötig ist, dann offenbaren sich die spezifischen Bedingungen des Niederdeutschen eindrücklich: Es ist kein Geheimnis, dass das Niederdeutsche eine primär gesprochene Sprache ist und dass Textsorten, die besonders in Bildungskontexten gebraucht werden (im Sinne von Sachtexten aller Art), sowie die dazugehörige Standardisierung fehlen.

Im Vortrag wird das fragile Verhältnis zwischen dieser fehlenden Schriftlichkeit einerseits und schriftbasiertem Fremdsprachunterricht andererseits anhand der zu vermittelnden Fertigkeit Schreiben diskutiert. Fragen der Standardisierung sind dem Thema immanent und schließen sich an.

Thematisch anknüpfend beschäftigte sich **Robert Langhanke** (Flensburg) in seinem Vortrag mit „Literacy niederdeutsch. Schriftspracherwerb und Schriftlichkeitsdidaktik im Niederdeutschunterricht".

An der Frage, wie schriftsprachbezogene Kompetenzen in die schulische Nieder-deutschvermittlung integriert werden, entzündet sich auch die Diskussion, welcher Stellenwert einer gesteuerten Niederdeutschvermittlung überhaupt zugemessen wird, denn während das Anbahnen sprechsprachlicher Kompetenz in rezenten Unterrichtskonzepten zum Niederdeutschspracherwerb fraglos erwünscht ist, wird das Spektrum schriftsprachlicher Kompetenzen randständiger berücksichtigt und zudem kritisch betrachtet. Zur Diskussion einer gesteuerten Niederdeutschvermitt-lung gehört jedoch die Frage, wie und weshalb schriftsprachliche rezeptive und produktive Kompetenz erzielt wird, da ihr Erwerb untrennbarer Teil eines mehr-jährigen Lernprozesses ist (vgl. Portmann 1991). Rezenter Sprachunterricht setzt auf die Vorstellung integrierter Kompetenzvermittlung, die das alltäglich erfahrba-re Miteinander von Hören, Sprechen, Lesen und Schreiben auf die Lehr- und Lern-situation überträgt. Niederdeutschvermittlung lässt sich jedoch nicht kritiklos in ein solches Konzept einreihen, da niederdeutscher Schriftlichkeit ein anderer Status zugeordnet ist als standardsprachlicher Schriftlichkeit. Sie muss entsprechend justiert werden.

Der Vortrag überprüft zunächst den Stellenwert niederdeutscher Literalitäts-vermittlung in historischen und rezenten Papieren zur Niederdeutschvermittlung. Dem ebenso gewandelten wie ernüchternden Befund wird eine schriftsprachdidak-tische Konzeption gegenübergestellt, die Niederdeutschvermittlung vom alleinigen Primat niederdeutscher Mündlichkeit abrückt und die Option eines parallelen Schriftspracherwerbs im Hochdeutschen und im Niederdeutschen aufruft (vgl. Langhanke 2021). Die traditionelle unterrichtliche Hervorhebung der Mündlichkeit bildet die Sprachwirklichkeit des Niederdeutschen nur noch bedingt ab. Der dyna-mische Rückgang der Sprachverwendung lässt stabile Sprachgebrauchssituationen so selten werden, dass der Grad ihrer Authentizität ebenso eingeschränkt erscheint wie derjenige schriftsprachlicher niederdeutscher Existenzformen, die sich vor-nehmlich im Kontext kultureller und institutioneller Sprachvermittlung Raum verschafft haben. An diese schriftsprachlichen Handlungsräume des Niederdeut-schen kann die schulische Vermittlung anknüpfen, um sie zugleich zu erweitern und didaktisch zu testen.

Als Folgerung aus diesem Befund werden didaktische Handlungsfelder zur Schriftlichkeitsvermittlung des Niederdeutschen identifiziert, wofür sowohl schriftsprach- als auch literaturdidaktische Ansätze relevant sind (vgl. Dehn 1981, Dehn/Merklinger/Schüler 2011). An jüngeren Lehrmaterialien zum Niederdeut-schen (u. a. „Paul un Emma un ehr Frünnen", Hamburg 2018, und „Snacken Pro-ten Kören", Hamburg 2021) wird der dort gewählte Stellenwert der Schriftlichkeit vergleichend geprüft und um Vorschläge erweitert, die den parallelen Schrift-spracherwerb Hochdeutsch und Niederdeutsch an den Beginn einer niederdeut-schen Schriftlichkeitsdidaktik stellen und schrittweise eine niederdeutschbezogene Textdidaktik anschließen, die insbesondere unter literaturdidaktischer Perspektive die Anbahnung von Literacy im Niederdeutschen umfassend fördert (vgl. van der Knaap 2023). Auf diese Weise stärkt der Niederdeutschunterricht die grundsätzli-che Lese- und Schreibkompetenz der Lernenden auf dem Weg zur umfassenden Literacy-Kompetenz, wodurch die Auseinandersetzung mit dem Niederdeutschen einmal mehr in übergreifende schulische Bildungsziele integriert ist (vgl. Holmes 2004, Hallet 2011).

Die Diskussion des Themas erfordert ebenso Positionierungen zu orthografischer, grammatischer und lexikalischer Standardisierung niederdeutscher Lehrvarietäten und daraus resultierender LernerInnensprachen wie den Abgleich mit deutsch- und fremdsprachdidaktischem Lehrmaterial und das Aufzeigen erreichbarer und geforderter Texte für den Niederdeutschunterricht in unterschiedlichen Klassenstufen (vgl. Hansen-Wilkens i. Dr.). Mit dem Lernfortschritt wird zugleich die dialektale Varietätensensibilität auch schriftsprachlich geschult, wofür die niederdeutsche Literatur eine gute Ausgangslage bietet.

Abschließend steht die Frage, ob die Vermittlung des Niederdeutschen und anderer regionaler Sprachen einen Sonderweg gegenüber der gesteuerten Vermittlung standardisierter Sprachen verfolgt oder ob diese Vorstellung lediglich bewährte Konzepte des Niederdeutschen auf die Prämissen seiner Vermittlung überträgt. Aufschlussreich ist die Positionierung des Niederdeutschen im Kreise anderer Kleinsprachen und ihrer Schriftlichkeitsvermittlung.

Nach der Mittagspause stand zunächst der Vortrag „Niederdeutsch vermitteln mit dem REDE SprachGIS" von **Marina Frank** und **Vanessa Lang** (Marburg) auf dem Programm:

In der Debatte um die Standardisierung des Niederdeutschen für die Vermittlung in der Schule (und in der Lehramtsausbildung an den Universitäten) wird weiterhin diskutiert, welche regionalspezifischen Ausprägungen einer Lehrvarietät zu etablieren sind (vgl. Arendt/Langhanke 2021). Neben der Standardisierungsdebatte ist außerdem relevant, wie im Unterricht Variation thematisiert und für diese sensibilisiert werden kann. Dabei können einerseits die Erfahrungen der Schüler*innen in den Unterricht eingebracht werden, andererseits sollte auch die überregionale Variation des Niederdeutschen berücksichtigt werden.

Eine Möglichkeit für das Recherchieren, Analysieren und Verstehen von Variation besteht darin, bereits existierende, onlinebasierte Plattformen der Variationslinguistik zu nutzen, bspw. das REDE SprachGIS. Das REDE SprachGIS (Sprachgeografisches Informationssystem, Schmidt et al. 2020ff.) ist eine Forschungsplattform für die modernen Regionalsprachen des Deutschen und beinhaltet daher vielfältige Materialien zum Niederdeutschen. Digitalisierte Sprachatlanten, die den niederdeutschen Sprachraum umfassen, sind neben dem „Sprachatlas des Deutschen Reichs" von Georg Wenker (WA, 1888–1923) der „Plattdeutsche Wort-Atlas von Nordwestdeutschland" von Wilhelm Peßler (PWA, 1928) und der „Atlas der Celler Mundart" von Richard Mehlem (Cell. MA, 1967). Weiterhin enthält das SprachGIS mehrere Tonkorpora mit niederdeutschen Sprachaufnahmen. Hierzu zählen die Tonaufnahmen der Neuerhebung des Projekts „Regionalsprache.de" (REDE, 2008–2012), des „Phonetisch-Phonologischen Atlas von Deutschland" (PAD, 1960er–1970er, 1990er), des „Niedersächsischen Dialektarchivs" (NSD, 1950er–1960er) und des „Zwirner-Korpus" (ZW, 1955–1970, nur Niedersachsen). Im neu integrierten „Sprechenden Norddeutschen Sprachatlas" (SNOSA) werden Aufnahmen aus dem Projekt „Sprachvariation in Norddeutschland" (SiN, 2008–

2010) kartiert. Weitere Recherchemöglichkeiten zur Forschungsliteratur bietet die „Georeferenzierte Online-Bibliographie Areallinguistik" (GOBA). Ein weiteres Recherche-Tool stellt die „Wenkerbogen-App" (https://wenker.online.uni-marburg.de/wenker/) dar, über die Wenkerbögen aufgerufen und transliteriert werden können.

Auf der Grundlage der vorgestellten Recherchemöglichkeiten wird anhand eines konkreten Beispiels (Einheitsplural im Niederdeutschen) ein Vorschlag für die Anwendung in der Schule und somit die Nutzung des SprachGIS in der Vermittlung des Niederdeutschen vorgestellt. Hierfür wird zunächst als historischer Ausgangspunkt die Karte *fliegen* aus dem „Sprachatlas des Deutschen Reichs" analysiert. In einem zweiten Schritt können Tonaufnahmen aus dem niederdeutschen Sprachgebiet in die Karte geladen und miteinander verglichen werden. Durch die vorgestellte Analyse kann Dialektdynamik und -stabilität aufgezeigt und gleichzeitig Variantenvielfalt im Raum sichtbar gemacht werden. Anhand des Vortrags werden verschiedene Analysemöglichkeiten zur Variation im Niederdeutschen für den Schulunterricht aufgezeigt.

Anschließend teilte **Martin Wolf** (Kiel) Erfahrungen zum Thema „Von den Daten zu den Karten. Forschendes Lernen in der universitären Niederdeutschdidaktik":

In jüngerer Zeit wird das forschende Lernen als innovatives didaktisches Konzept zunehmend in die Hochschullehre integriert. Die Idee dieses Konzepts ist, den Lernprozess wie einen Forschungsprozess zu gestalten. Der Vortrag geht der Frage nach, wie forschendes Lernen im Rahmen der Hochschullehre im Fach Niederdeutsch eingesetzt werden kann. Am Beispiel eines Seminars aus dem Wintersemester 2022/23 an der Universität Kiel wird im ersten Teil des Vortrags eine entsprechende Möglichkeit aufgezeigt. Das Ziel des Seminars mit dem Titel „Sprachgeografie Norddeutschlands" war es, den Studierenden Kompetenzen zu vermitteln, mit denen sie im REDE-SprachGIS (Schmidt et al. 2020ff.) Dialektkarten erstellen können. Als Datenbasis hierfür dienten die schleswig-holsteinischen Fragebögen des unveröffentlicht gebliebenen „Niederdeutschen Wortatlas" (NWA), die in zwei Fragerunden 1950 und 1965 unter der Leitung von William Foerste (Münster) erhoben wurden (Foerste 1965, Hofmann 1970). Nach einer theoretischen Einführung zur regionalen Variation im Niederdeutschen und zu verschiedenen Kartierungsmethoden durchliefen die Studierenden den Prozess der Kartenerstellung von der Festlegung der Forschungsfrage bzw. des Karteninhalts bis zur Präsentation der fertigen Dialektkarten.

Im zweiten Teil des Vortrags werden die Erfahrungen bei der Durchführung des Seminars aus Sicht des Dozenten und der Studierenden reflektiert und anhand dessen das Potenzial des forschenden Lernens in der Niederdeutschdidaktik an Hochschulen diskutiert.

Das Programm des Schwerpunkttages wurde durch den abschließenden Vortrag „Mehrsprachige Bildung in pommerischen Gemeinden Brasiliens" von **Peter Rosenberg** (Frankfurt/Oder) abgerundet:

In mehreren pommerischsprachigen Gemeinden Brasiliens beginnt ab 2023 das Projekt „Educação bilingue". Es hat folgende Ziele:

1. Bilinguale Alphabetisierung Portugiesisch-Pomerano in den Anfangsjahren der Grundschule,
2. Standarddeutsch ab der 3. Klasse (Nutzung des Pomerano als „língua ponte"),
3. Englisch ab der 5. Klasse (Intercomprehensive Language Learning nah verwandter germanischer Sprachen).

Das Projekt verortet sich im Rahmen einer mehrsprachigen Bildung, des Translanguaging und des Intercomprehensive Language Learning. Die schulische Förderung der Minderheitensprache verfolgt das Konzept einer Transkulturalisierung, nicht einer Renaissance der Autonomie der Minderheit des 19. Jahrhunderts, die in der modernen und mobilen Gesellschaft Brasiliens unrealistisch ist. Es findet statt in mehreren Orten in Brasilien (in Espírito Santo und Rio Grande do Sul), in denen von einer relevanten Anzahl von Sprechern die Pomerano-Varietät gesprochen wird, teils noch von der Mehrheit der örtlichen Sprecher im informellen Kontext, auch von der jüngsten Generation. In der Mehrzahl dieser Orte ist das Pomerano die kooffizielle Sprache auf munizipaler Ebene.

Die Kooffizialisierung von Minderheitensprachen (indigenen Sprachen und Sprachen der Immigration) stellt für Brasilien einen wichtigen Schritt in der Anerkennung der Diversität seiner Bevölkerung dar, nachdem 70 Jahre lang Minderheitensprachen zugunsten des portugiesischen Monolingualismus vernachlässigt oder marginalisiert wurden. Gleichwohl stellt die Kooffizialisierung, vor allem die Implementierung dieser Sprachen in das Bildungswesen, eine große Herausforderung dar. Denn es handelt sich großenteils um mündlich tradierte, nichtstandardisierte Sprachen und Varietäten, für die selten eine Orthographie, Literatur, didaktisches Material, Lehrkräfteausbildung existieren.

Das Projekt wird von den beteiligten Universitäten in Zusammenarbeit mit den örtlichen Bürgermeistern, Bildungssekretariaten, Schulleitungen und Lehrkräften durchgeführt. Für die Pilotprojektphase 2023 sind die Orte Santa Maria de Jetibá und Domingos Martins (Espírito Santo), für 2024 Canguçu (Arroio do Padre) und Turuçu (Rio Grande do Sul) vorgesehen. Herausforderungen des Projekts liegen in Folgendem:

- Eine Standardisierung des Pomerano hat mit Wörterbuchprojekten und einer Grammatik (Tressmann 2006, Schneider 2019; Postma 2019) begonnen, ist aber natürlich nicht unumstritten.
- Eine einheitliche Schreibweise sieht sich mit regionaler Variation des Pomerano konfrontiert, dies kann aber durch Zulassung von „Varianten" gelöst werden.
- Didaktisches Material liegt nur in individuell von einzelnen Lehrkräften ausgearbeiteter Form vor, es gibt keine Fibel und kein Material in Progression für höhere Klassen.
- Die Lehrkräfte sind nicht hinreichend für den Pomerano-Unterricht ausgebildet, erst recht nicht für eine bilinguale Didaktik der gleichzeitigen Alphabetisierung in zwei Sprachen. Erste Kurse hierzu haben stattgefunden.

- Es gibt in Espírito Santo keine Deutschlehrerausbildung an der Landesuniversität UFES.
- Auch dürfte Schulbildung auf Pomerano angesichts des portugiesischsprachigen Monolingualismus als Transgression empfunden werden, was die Erhebung der Einstellungen von Eltern und Pädagogen zur schulischen Vermittlung einer bis dato oralen Varietät nötig machen wird.
- Zudem muss auch der wachsenden Anzahl von Kindern (und deren Familien), die nicht mit Pomerano in die Schule kommen, eine attraktive Orientierung gegeben werden.

Das hier dargestellte Konzept will auf diese Herausforderungen realistische Antworten geben. Die wissenschaftliche Begleitung wird bisher von der UFF Rio de Janeiro, der Viadrina Frankfurt/Oder und der UFC Fortaleza geleistet; eine Kooperation mit Kollegen der TU Darmstadt, der Universität Potsdam, der Universität Greifswald (Kompetenzzentrum für Niederdeutschdidaktik) ist vorgesehen, weitere Partner sind willkommen.

Der öffentliche Abendvortrag der VndS-Jahrestagung 2023, der traditionell am Mittwochabend stattfindet, bot den Rahmen, die *3. Plattdeutschen Wochen in Mecklenburg-Vorpommern* feierlich zu eröffnen. Ministerpräsidentin Manuela Schwesig sprach ein Grußwort; **Klaas-Hinrich Ehlers** (Berlin) sprach anschließend zum Thema „Ankommen auf Niederdeutsch. Niederdeutschlernen und -sprechen bei immigrierten Vertriebenen in der Zeit nach dem Zweiten Weltkrieg":

Flucht und Vertreibung der deutschsprachigen Bevölkerung aus den ostmitteleuropäischen Siedlungsgebieten setzten am Ende des Zweiten Weltkrieges im Zeitraum von nur zwei Jahren eine unerhört große Immigrationsbewegung Richtung Westen in Gang. Die meisten der etwa 12 Millionen Menschen, die damals ihre alte Heimat verlassen mussten, wurden im Norden der Bundesrepublik und der DDR angesiedelt. Wie arrangierten sich diese Menschen, die oft aus ganz entfernten Dialektregionen kamen, mit ihrem neuen Sprachumfeld, das damals noch stark vom Plattdeutschen geprägt war? Die übliche Antwort auf diese Frage lautet: Die immigrierten Vertriebenen ebenso wie die alteingesessenen Norddeutschen nahmen vom Gebrauch ihrer jeweiligen Dialekte rasch Abstand und trafen sich sprachlich im überregionalen Hochdeutsch. Die Zuwanderung der Vertriebenen hätte demnach einen schnellen und umfassenden Dialektverlust zur Folge gehabt.

Umfangreiche Zeitzeugenbefragungen in Mecklenburg-Vorpommern zeigen dagegen ein anderes Bild. Demnach passten sich viele der Zuwanderer sprachlich an ihr neues Lebensumfeld an, indem sie das mecklenburgische Niederdeutsch lernten. Das Niederdeutsche fand unter den zugewanderten Menschen also eine beachtliche Zahl von neuen Sprecherinnen und Sprechern. Der Vortrag fragt nach dem Umfang des Niederdeutscherwerbs bei Vertriebenen und beleuchtet die Rahmenbedingungen und Motive für das Erlernen des norddeutschen Dialekts. Grundlage der Untersuchung sind 90 Zeitzeugeninterviews und Sprachtests, die 2010 bis 2015 in der Umgebung von Rostock durchgeführt wurden. Die Ergebnisse der Untersuchung sind in der gerade erschienenen zweibändigen „Geschichte der mecklenburgischen Regionalsprache seit dem Zweiten Weltkrieg" (Ehlers 2018, 2022) ausgewertet worden.

Ein anschließender Empfang mit Catering wurde von den Tagungsteilnehmenden für einen geselligen Austausch genutzt.

Am Donnerstag wurde das Programm von **Christine Kaiser** (Königslutter) eröffnet, die einen „Werkstattbericht" mit dem Thema „‚Auch ich bin […] dem Niederdeutschen nicht ganz treu geblieben'. Genese und zeitgenössische Rezeption der berlinischen Sprachgeschichte Agathe Laschs" gab:

Mit großer Spannung wurde ab Mitte der 1920er-Jahre in Berlin das Erscheinen von Agathe Laschs Buch „Berlinisch. Eine berlinische Sprachgeschichte" erwartet. Das Interesse in (sprach)historisch sowie heimatkundlich orientierten Kreisen war durch die Ankündigung des zweiten Bandes der von Fritz Behrend im Auftrag der Gesellschaft der Berliner Freunde der deutschen Akademie herausgegebenen „Berlinischen Forschungen" frühzeitig geweckt worden. Dann aber stellte der Verlag Reimar Hobbing die Geduld des Publikums auf eine harte Probe. Ende 1927 schließlich hatte das Warten ein Ende: Die erste umfassende Darstellung der Geschichte einer Stadtsprache (Lasch 1928) wurde mit einer Startauflage von immerhin 5.000 Exemplaren ausgeliefert und löste insbesondere im Berliner Sprachraum fast ausnahmslos Begeisterungsstürme aus.

Die von Agathe Lasch geleistete Pionierarbeit für die moderne Stadtsprachenforschung wurde in der Vergangenheit des Öfteren hervorgehoben; schon kurz nach dem Erscheinen galt ihre berlinische Sprachgeschichte „methodisch als Muster der Geschichte einer Stadtsprache" (Rosenfeld 1929). Welchen Stellenwert die Niederdeutschforscherin ihren sprachgeschichtlichen Arbeiten zum Berlinischen tatsächlich beimaß und unter welchen Umständen diese parallel zu ihrer aufreibenden Tätigkeit am Hamburgischen und Mittelniederdeutschen Wörterbuch entstanden und schließlich in den ersten Jahren nach ihrem Erscheinen über die einschlägigen wissenschaftlichen Rezensionen hinaus rezipiert wurden, kann achtzig Jahre nach ihrem gewaltsamen Tod im August 1942 anhand teils neu erschlossener Quellen verdeutlicht werden.

Anschließend widmete sich **Nico Förster** (Rostock) dem Thema „Eine Frage der Einstellung? Niederdeutsch im Leben der Jugendgeneration auf Rügen und Hiddensee":

In der Frage der modernen Niederdeutschvermittlung dreht sich der Diskurs um die Gewinnung von New Speakers in der Kinder- und Jugendgeneration. Dabei fokussierte sich die Forschung bislang auf die Kompetenzen und Spracheinstellungen noch vorhandener Niederdeutschsprecher*innen älterer Generationen und lässt eine breite empirische Grundlage vermissen, auf der gezielte Maßnahmen zur Niederdeutschvermittlung angesetzt werden können. Mein Vortrag soll einen Beitrag zur Beantwortung der Frage leisten, inwiefern das Niederdeutsche noch Teil der Sprachrealität der Jugendlichen in Mecklenburg-Vorpommern ist. Hierfür präsentiere ich die Ergebnisse einer Fragebogenerhebung aus dem Jahr 2021 an sechs Schulen auf Rügen und Hiddensee bezüglich der Spracheinstellungen, selbsteingeschätzten Sprachkompetenzen, der intergenerationellen niederdeutschen Sprachweitergabe und des niederdeutschen Sprachumfeldes der Jugendlichen. Insbesondere diskutiere ich einen möglichen Spracheinstellungswandel, der sich in der Jugendgeneration vollzieht, und wie die erhobenen Daten Hinweise auf die Ursachen dafür geben können. Ich zeige damit, dass die Fokussierung der Forschung auf die jüngere Generation einen wertvollen Beitrag zur aktuellen Debatte der Niederdeutschdidaktik leisten und Perspektiven hierfür aufzeigen kann. Zusammengefasst gibt diese erste Erhebung bereits Hinweise auf noch verdeckte Entwicklungen, die in der aktuellen Debatte zur Niederdeutschvermittlung herangezogen werden müssen.

Den abschließenden Vortrag der Tagung hielten **Michael Elmentaler** (Kiel) und **Peter Rosenberg** (Frankfurt/Oder). Sie stellten den „Sprachwandel im Norden" in den Fokus und gaben „Einblicke in den Norddeutschen Sprachatlas (NOSA)":

Ende 2022 ist der zweite Band des „Norddeutschen Sprachatlas" (NOSA 2) zu den „dialektalen Sprachlagen" erschienen. Er versteht sich als Dokumentation des Niederdeutschen und als Forschungsinstrument der Niederdeutsch-Forschung. Mit Band 2 ist der areal-linguistische Teil des Forschungsprojekts „Sprachvariation in Norddeutschland" abgeschlossen, einer 15-jährigen Kooperation von Linguisten sechs norddeutscher Universitäten. Der NOSA ist der erste überregionale Sprachatlas des niederdeutschen Raums. Er ist das Ergebnis der Arbeit von 12 Mitarbeitenden und 20 Hilfskräften. Mit zusammen 876 Seiten bietet er eine umfassende Bestandsaufnahme der niederdeutschen Dialekte und der norddeutschen Regiolekte (Elmentaler/Rosenberg 2015, 2022). Die beiden Bände dokumentieren die sprachliche Variation bei 54 lautlichen und grammatischen Phänomenen anhand von gut 200 Karten und etwa 100 Diagrammen und Tabellen. Der NOSA 2 enthält – ausgehend von der Aufarbeitung des Forschungsstands zur Geschichte der niederdeutschen Dialekte – 60 Karten zur arealen Verbreitung und diachronen Entwicklung von 25 vokalischen, konsonantischen und morphologischen Variablen des Niederdeutschen.

Im Vortrag wird anhand von Kartenbeispielen auf die situative und areale Varianz und die diachrone Entwicklung des Niederdeutschen eingegangen. In Hinblick auf den Faktor Situativität sind deutliche Unterschiede zwischen den elizitierten Wenkersätzen und den alltäglichen Tischgesprächen festzustellen, in denen sich hochdeutsche Lexik stark geltend macht und ein Einfallstor auch für hochdeutsche Phonologie bildet. In arealer Hinsicht stehen stabile und regressive Niederdeutschregionen nebeneinander, die sich allerdings in ihrer Ausdehnung je nach Sprachmerkmal unterscheiden, so dass insgesamt eher von Variantenarealen auszugehen ist. Die Diachronie des Niederdeutschen ist insgesamt durch einen diskontinuierlichen Rückgang traditioneller Formen gekennzeichnet. Anhand von Kartenbeispielen wird der Sprachwandel auf Variantenebene dokumentiert und hinsichtlich seiner Wandelprinzipien – Standardadvergenz und Orientierung an norddeutschen Regiolekten, Standarddivergenz sowie Orientierung an einer neuen plattdeutschen Norm – diskutiert.

In einem Ausblick wird die künftige Entwicklung des Niederdeutschen reflektiert. Hierbei dürften sich Statusplanung und Korpusplanung als interdependent erweisen; der Ausbau des Niederdeutschen durch den Schulunterricht wird Standardisierung(en), die Entwicklung von Schreibnormen und eine institutionelle Förderung von Zweisprachigkeit (mit dem Niederdeutschen als L2 bei Hochdeutsch-Dominanz) zur Folge haben. Der Niederdeutschdidaktik kommt hierbei zentrale Bedeutung zu.

Abschließend fand ein Treffen des Interuniversitären Lehrnetzwerks „Niederdeutsch vermitteln" (LeNie) statt. Über den aktuellen Stand berichteten **Birte Arendt** (Greifswald) und **Andreas Bieberstedt** (Rostock) sowie **Anne Hertel** und **Jörg Holten** (beide Greifswald):

Das interuniversitäre Lehrnetzwerk „Niederdeutsch vermitteln", kurz LeNie, verbindet und unterstützt Hochschullehrer*innen von mehr als zehn Universitäten aus ganz Deutschland bei der Bewältigung aktueller Herausforderungen in dreifacher Hinsicht

- In hochschuldidaktischer Hinsicht zur interuniversitären Kooperation,
- in technologischer Hinsicht zur Digitalisierung und
- in fachspezifischer Hinsicht zur Ausbildung von Niederdeutschlehrer*innen.

Über die vergangenen fünf Jahre etablierte es eine interuniversitäre Kernstruktur, forcierte die Fachdiskussion und realisierte zahlreiche innovative Kooperations- und Lehrformate. Lehrkooperationen stellen an die Lehrenden hohe Anforderungen. Das von der Stiftung „Innovation in der Hochschullehre" geförderte Projekt entwirft und erprobt Lösungswege analog zu den dreifachen Herausforderungen wie folgt:

- Netzwerktreffen und Weiterbildungsworkshops zu Themen der Rechtssicherheit, Digitalisierung und Wissensmanagement adressieren die hochschuldidaktische Perspektive,
- die Einrichtung einer gemeinsamen digitalen Lehr-Lern-Plattform, wie z.B. Moodle, und die Entwicklung von OER adressieren die technologische Perspektive,
- die Ausrichtung dreier Winterakademien an unterschiedlichen Netzwerkstandorten adressieren die fachspezifische Perspektive.

Das Projekt ist am Kompetenzzentrum für Niederdeutschdidaktik der Universität Greifswald angesiedelt. Kooperationspartner sind der Verein für Niederdeutsche Sprachforschung (VndS) und der Arbeitsbereich „Digitale Lehre" (Rektorat) der Universität Greifswald. Im Meeting wird der Projektplan (2023–2026) inkl. Winterakademien, Weiterbildungsworkshops und OERs von der Projektleitung vorgestellt.

Auch im Jahr 2023 bot die Pfingsttagung den Teilnehmenden vielfältige Möglichkeiten des wissenschaftlichen wie persönlichen Austauschs in anregender Atmosphäre. Ein Dank für die großzügige Förderung der Tagung geht an das Alfried Krupp Wissenschaftskolleg Greifswald, das Kompetenzzentrum für Niederdeutschdidaktik der Universität Greifswald und den Heimatverband Mecklenburg-Vorpommern. Für die sorgfältige Planung und den herzlichen Empfang im schönen Greifswald gilt dem gesamten Organisationskomitee ein großer Dank!

Literatur

Arendt, Birte/Langhanke, Robert (Hrsg.): Niederdeutschdidaktik. Grundlagen und Perspektiven zwischen Varianz und Standardisierung. Berlin u. a. 2021.

Dehn, Mechthild/Merklinger, Daniela/Schüler, Lis: Texte und Kontexte. Schreiben als kulturelle Tätigkeit in der Grundschule. Seelze 2011.

Dehn, Wilhelm: Das Interesse am Schreiben. In: Der Deutschunterricht 33 (1981), S. 26–41.

Ehlers, Klaas-Hinrich: Geschichte der mecklenburgischen Regionalsprache seit dem Zweiten Weltkrieg. Varietätenkontakt zwischen Alteingesessenen und immigrierten Vertriebenen. Teil 1: Sprachsystemgeschichte. Berlin u. a. 2018.

Ehlers, Klaas-Hinrich: Geschichte der mecklenburgischen Regionalsprache seit dem Zweiten Weltkrieg. Varietätenkontakt zwischen Alteingesessenen und immigrierten Vertriebenen. Teil 2: Sprachgebrauch und Sprachwahrnehmung. Berlin u. a. 2022.

Elmentaler, Michael/Rosenberg, Peter: Norddeutscher Sprachatlas (NOSA). Band 1: Regiolektale Sprachlagen. Unter Mitarbeit von Liv Andresen, Klaas-Hinrich Ehlers, Kristin Eichhorn, Robert Langhanke, Hannah Reuter, Claudia Scharioth und Viola Wilcken; Kartografie, Layout und Satz: Ulrike Schwedler. Hildesheim u.a. 2015.

Elmentaler, Michael/Rosenberg, Peter: Norddeutscher Sprachatlas (NOSA). Band 2: Dialektale Sprachlagen. Unter Mitarbeit von Liv Andresen, Klaas-Hinrich Ehlers, Chiara Fioravanti, Robert Langhanke, Viola Wilcken und Martin Wolf; Kartografie, Layout und Satz: Ulrike Schwedler. Hildesheim u.a. 2022.

Foerste, William: Dialektologische Unternehmungen an der Universität Münster. In: Zeitschrift für Mundartforschung 32 (1965), S. 157–159.

Freudenstein, Reinhold: Unterrichtsmittel und Medien. In: Bausch, Karl-Richard et al. (Hrsg.): Handbuch Fremdsprachenunterricht. 5. Aufl. Tübingen 2007, S. 395–399.

Hallet, Wolfgang: Fremdsprachliche literacies. In: Hallet, Wolfgang/Königs, Frank G. (Hrsg.): Handbuch Fremdsprachendidaktik. Seelze-Velber 2010, S. 66–70.

Hansen-Wilkens, Alena: Lernsprache Niederdeutsch. Zur Qualität und zum didaktischen Potential niederdeutscher Bilderbücher für den gesteuerten Spracherwerbsunterricht an Grundschulen. In: Klaus-Groth-Gesellschaft. Jahrbuch 64 (2022), i. Dr.

Hofmann, Dietrich: Das wissenschaftliche Werk William Foerstes. In: Hofmann, Dietrich (Hrsg.): Gedenkschrift für William Foerste. Unter Mitarbeit von Willy Sanders. Köln/Wien 1970, S. 1–8.

Holme, Randal: Literacy. An Introduction. Edinburgh 2004.

Langhanke, Robert: Niederdeutsche Literalität als Voraus- und Zielsetzung des Unterrichtshandelns. Argumente für den parallelen Schriftspracherwerb im Hochdeutschen und im Niederdeutschen. In: Arendt, Birte/Langhanke, Robert (Hrsg.): Niederdeutschdidaktik. Grundlagen und Perspektiven zwischen Varianz und Standardisierung. Berlin u. a. 2021, S. 285–312.

Lasch, Agathe: Berlinisch. Eine berlinische Sprachgeschichte. Berlin 1928.

Portmann, Paul R.: Schreiben und Lernen. Grundlagen der fremdsprachlichen Schreibdidaktik. Tübingen 1991.

Postma, Gertjan: A contrastive grammar of Brazilian Pomeranian. Amsterdam/Philadelphia 2019.

Rosenfeld, Hans-Friedrich: Rezension zu Agathe Lasch, Berlinisch. In: Archiv für das Studium der neueren Sprachen und Literaturen 84 (N.F. 56) (1929), S. 293f.

Schmidt, Jürgen Erich et al. (Hrsg.): Regionalsprache.de (REDE). Forschungsplattform zu den modernen Regionalsprachen des Deutschen. Marburg 2020ff.

Schneider, Aloi: Dicionário escolar conciso. Português – pomerano. Pomerisch – portugijsisch. Koncis Schaulwöörbauk. Porto Alegre 2019.

Tressmann, Ismael: Dicionário Enciclopédico Pomerano-Português. Pomerisch Portugijsisch Wöirbauk. Santa Maria de Jetibá 2006.

Van der Knaap, Ewout: Literaturdidaktik im Sprachenunterricht. Bielefeld 2023.

Kiel *Viola Wilcken*

Zum 12. Nachwuchskolloquium des Vereins für niederdeutsche Sprachforschung und zum 11. Kolloquium des Forums Sprachvariation im September 2023 in Bern

Vom 6. bis zum 8. September 2023 fanden bei bester spätsommerlicher Witterung das 12. Nachwuchskolloquium des VndS und das 11. Kolloquium des Forums an der Universität Bern statt.[1] Jeffrey Pheiff hatte nach Bern eingeladen und organisierte die Doppeltagung zusammen mit Nicole Palliwoda (Kiel) und Robert Langhanke (Flensburg). Ein Auftaktabend im Berner Café Kairo sorgte auch bei den weitgereisten Tagungsgästen für eine gute Ankunft in der Bundesstadt. Die Begrüßungen am nächsten Morgen verliehen vor allem der Freude darüber Ausdruck, dass die Konferenz erstmals seit 2019 wieder in Präsenz stattfinden konnte. Der Literaturwissenschaftler Nicolas Detering begrüßte die Tagungsgäste im Namen

---

[1] Vgl. zur Doppeltagung auch den dauerhaft archivierten Abstractband: Langhanke, Robert/Palliwoda, Nicole/Pheiff, Jeffrey (Hrsg.): 11. Kolloquium des Forums Sprachvariation. 12. Kolloquium des Vereins für niederdeutsche Sprachforschung, 6. bis 8. September 2023, Universität Bern. Book of Abstracts. Bern 2023. DOI: 10.48350/186074. https://boris.unibe.ch/186074/ (1. 3. 2024).

des Fachbereichs und hob den interdisziplinären, Sprach- und Literaturwissenschaft verbindenden Ansatz der Tagung hervor.

Eine Gruppe von ungefähr zwanzig Vortragenden und Zuhörenden war
zusammengekommen, um in der Summe elf Vorträgen an zwei Tagen zu
folgen. Den Auftakt gestaltete Adrian Leeman (Bern), der für den Hauptvortrag der Konferenz eingeladen worden war. Sein Thema „Sprachwan-
delforschung zwischen Tradition und Innovation: Erkenntnisse aus dem
SDATS-Projekt" ging der Frage nach dem Umfang und den Gründen
dialektaler Veränderungen im Schweizerdeutschen auf allen grammatischen Ebenen nach. Für den neuen „Schweizerdeutschen Sprachatlas"
(SDATS) wurden an 127 Orten Daten von 1016 Personen per ZOOM
erhoben – jeweils vier ältere und vier jüngere Sprecher:innen pro Ortspunkt wurden aufgenommen. Die Berücksichtigung soziodemografischer
Details steht im Zentrum des Projekts, das im Abgleich mit älteren Daten
zum Schweizerdeutschen umfangreiche Aussagen zum Dialektwandel und
auch Zukunftsprognosen zum Sprachgebrauch zulässt. Über zahlreiche
Beispiele grammatischer und pragmatischer Variation konnte Leeman
diesen Wandel transparent machen und die unterschiedliche Wirksamkeit
bestimmter Wandelfaktoren diskutieren. Die Hinzunahme sprachbiografischer und sozialer Faktoren erwies sich als besonders aufschlussreich.

Nachdem der materialreiche Hauptvortrag die Aufmerksamkeit für die
aufgerufenen Themenfelder geschärft hatte, standen zweit Vorträge der
ersten Sektion „Lexik" zur Diskussion. Zunächst hielt Andrin Büchler
(Bern) seinen Vortrag „*Grännisch* oder *brüelsch*? Zur lexikalischen Akkommodation in der alemannischen L2-Varietät von Rätoroman*innen".
Ihn interessierte die Langzeitakkommodation von Sprecher:innen des
Rätoromanischen, deren alemannische churrheintalische L2-Varietät durch
einen Umzug nach Bern neuen sprachlichen Einflüssen ausgesetzt war.
Nach der Feststellung entsprechender Veränderungen auf phonetischer
Ebene stand insbesondere die lexikalischen Akkommodation im Zentrum
des Interesses. Das über Bildkarten im Rahmen von Interviews erhobene
lexikalische Wissen der Proband:innen zeigt, dass lautlich angepasste
standarddeutsche Lexemvarianten die dialektalen Varianten häufig über-
wiegen. Es werden eher supralokale Wortformen als allein berndeutsche
Formen übernommen, da diese auch in der übrigen Schweiz einsetzbar
sind. Einmal mehr wurden die vielseitigen Erhebungsmöglichkeiten im
Rahmen sprachbiografischer Interviews deutlich.

Anschließend stellte Heiko Kammers (Marburg) „Lexikalisierungs-
muster von PUT-Ereignissen in den deutschen Regionalsprachen" in den
Mittelpunkt eines Vortrags. Er entwarf variationslinguistische Fragestellungen zum Einsatz von PUT-Verben im Deutschen, denen die Aufgabe

zukommt, die verursachte Bewegung von Objekten zu beschreiben, wofür im Deutschen eine Reihe von spezifizierenden Verben im Einsatz ist. Ihr unterschiedlicher Gebrauch auf den Ebenen Dialekt, Regiolekt und Kolloquialstandard soll über eine größere Fragebogenerhebung geklärt werden. Für die Beschreibung der differenzierten Verwendungen steht die These im Raum, dass bestimmte PUT-Verben bestimmte Zusatzinformation zum jeweiligen Bewegungsablauf transportieren können.

Da ein zunächst angekündigter Beitrag zur niederdeutschen Literatur dieses Mal noch nicht vorgestellt werden konnte, folgte für die Tagungsgruppe eine längere Mittagspause, die auch zu ersten Erkundungen in der näheren Umgebung der Universität und auch in der Universität selbst einlud. Jeffrey Pheiff führte einige Teilnehmende durch das Institut für Germanistik der Universität Bern und die große Institutsbibliothek, die neben vielen weiteren Bibliotheken und Instituten vor einigen Jahren im architektonisch eindrucksvollen historischen Gebäude der Schokoladenfabrik Tobler, dem nunmehrigen preisgekrönten Unitobler, Einzug hielten. Die Bibliothek weist einen beeindruckend großen Bestand auch zur niederdeutschen Sprache und Literatur auf.

Am Nachmittag setzte die Sektion Soziolinguistik mit drei Vorträgen das Tagungsprogramm fort. Aaron Schmidt–Riese (Potsdam) sprach über „Kommunikative Faktoren für Dialekt-Standard-Variation im frühkindlichen Sprachgebrauch" und stellte eine Longitudinalstudie zur frühen Eltern-Kind-Interaktion im Hochalemannischen als Teilvorhaben eines Potsdamer SFB-Projektes vor. Auf der Basis desvon 2017 bis 2021 erhobenen *LEKI*-Korpus (*Longitudinalkorpus Eltern-Kind-Interaktion*) werden Daten zur Kommunikation mit 1–6 Jahre alten Kindern in drei Familien im hochalemannischen südwestdeutschen Sprachraum untersucht. Zunächst standen qualitative Analysen zur Herausarbeitung von Faktoren zur Wahl des dialektalen oder standardnahen Sprachgebrauchs der Kinder im Fokus, um spätere quantitative Analysen auf dieser Grundlage vorzubereiten. Über Beispielanalysen konnte insbesondere das *pretend play*, also das (kindliche) Rollenspiel, als Moment sprachlicher Variation bei den kindlichen Sprecher:innen herausgearbeitet werden. Auch von Kindern durchgeführte sprachliche Reparaturen lassen sich nachweisen, so das wiederkehrende Sprachgebrauchsstrukturen der jungen Sprecher:innen bei der Dialekt-Standard-Variation deutlich werden.

Anschließend sprach Sandra Wolf (Freiburg i. Ü.) über „Deutsche in der Deutschschweiz. Varietäten im geschäftlichen Umfeld" und konnte insbesondere für bundesdeutsche Zuhörer:innen aufschlussreiche Forschungsergebnisse zu Gehör bringen. Anhand von Gesprächsdaten aus den Videokonferenzen eines größeren schweizerischen Konzerns und über 17 zusätzliche leitfadengestützte Interviews problematisierte der Vortrag die Sprachsituation von langfristig in der Schweiz lebenden und arbeitenden Deutschen orientiert an den Fragen, ob sie das Schweizerdeutsche im Berufsalltag aktiv verwenden und ob diese Verwendung auch akzeptiert wird. Während alle deutschen Probanden das Schweizerdeutsche beherrschen, wird diese erlernte Sprachkompetenz im Berufsumfeld kaum akzeptiert, so dass die Verwendung standardnaher Varietäten des Hochdeutschen im Gespräch mit schweizerdeutschen Kolleg:innen und Vorgesetzten bedeutsam bleibt. Insbesondere die sprachbiografischen Interviewdaten ermöglichten die Herausstellung von individuellen Spracheinstellungen und daraus resultierenden Sprachgebrauchsmustern, die zur Erläuterung des in den Videokonferenzen aufgezeichneten Sprachverhaltens gewinnbringend beitragen.

Tillmann Pistor (Bern) schloss den Beitrag „Sequels of Sound. Zur Modellierung einer soziolinguistischen Lautästhetik" an, der neue Fragestellungen zur ästhetischen Wahrnehmung lautlicher Strukturen brachte und dabei regionalsprachliche Merkmale mit subjektiver Ästhetik verknüpfte. Dabei rückte die Frage in den Vordergrund, ob konkrete lautliche Realisierungen in bestimmten Regionen zur Beliebtheit oder Unbeliebtheit einer Dialekt- oder Regiolektregion beitragen und sich unter Umständen mit spezifischen Zuschreibungen verknüpfen. Das umfassend angelegte Projekt stellt unter anderem instrumentalphonetisch gestützte lautliche Einzelanalysen in einen Bezug zu soziodemographischen Daten und möchte auf diese Weise individuelle Sprachbewertungsstrukturen und ihre jeweilige Verknüpfung mit sprachlichen und außersprachlichen Faktoren verbinden. Der konkrete Blick auf die ästhetische Wahrnehmung lautlicher und eventuell auch weiterer grammatischer Realisierungen im individuellen Prozess der Bewertung sprachlicher Varietäten und der Ausprägung bestimmter Zuschreibungen zu diesen Varietäten stellt einen neuen Forschungsansatz dar. Eine Pilotstudie zu zwei hochalemannischen Varietäten bot erste Ergebnisse zur angeführten Verknüpfung von Lautung und ästhetischer Wahrnehmung. In der Diskussion wurde herausgestellt, dass die Bewertung der aufgerufenen Merkmale stets im Kontext weiterer Merkmale erfolgt.

Im Anschluss an eine Kaffeepause wurde in einem Austausch zum Tagungsformat zum einen der zur Tagung geplante Sammelband vorgestellt und zum anderen das Doppelkolloquium des Folgejahres in Kiel angekündigt. Es bestand Einigkeit darüber, dass dieses Konferenzformat nun, da es wieder möglich ist, vornehmlich als Präsenzangebot dienen soll und daher nicht hybrid gestaltet wird. Die Alternative vollständig online angebotener Durchführungen bleibt, falls es ratsam erscheinen sollte wie im vorangegangenen Jahr, davon unbenommen. Die Kieler Tagung wird in Präsenz stattfinden.

Im Anschluss verblieb bei bestem Wetter Zeit für individuelle Stadt-rundgänge, die schließlich am frühen Abend in ein stimmungsvolles Apéro im Restaurant Große Schanze über den Dächern der Berner Altstadt mün-deten. Die apérotypische lockere Verbindung aus kleinen Speisen, Geträn-ken und Gesprächen sorgte unter freiem Himmel für einen schönen Aus-klang des ersten Konferenztages.

Der zweite Tag begann mit einer Sektion zur Morphologie. Philipp Cirkel (Dortmund) setzte das Programm mit seinem Vortrag „Entwicklung eines Analyseverfahrens zur Beschreibung der Kasusmorphologie des Ruhrdeutschen" fort, in dem er ein Verfahren zur Beschreibung flexions-morphologischer Systeme im Ruhrdeutschen vorstellte, das auf der Analy-se vollständiger Flexionsparadigmen kasustragender Wortarten und nicht nur allein auf der Feststellung wiederkehrender Kasusvertauschungen beruht. Am Beispiel des indefiniten Artikels wurde das Potenzial entspre-chend angelegter Studien zur regionalen Flexionsmorphologie herausgear-beitet und unter anderem über einen dort feststellbaren Kasussynkretismus erläutert. Im Ergebnis entsteht ein belastbarer Beitrag zur Regiolektgram-matik, der in der Folge auch den passgenauen Abgleich mit anderen regio-lektalen Strukturen ermöglicht. Grundlage der Studien ist die überzeugen-de Annahme einer Systematik der empirisch erfassbaren grammatischen Strukturen des Ruhrdeutschen.

Anschließend thematisierte Gilia Peruzzi (Verona/Marburg) „Die Ent-stehung des Einheitsplurals in der Ostschweiz" und stellte einen umfas-send diachron angelegten Forschungsansatz vor, dessen Korpus von alt-hochdeutschen Daten Notkers über frühneuzeitliche Daten und die Dia-lektliteratur des 19. Jahrhunderts bis zu dialektalen Daten des 20. Jahrhun-derts reicht. Auf diese Weise kann die Entwicklung des alemannischen Einheitsplurals in den schweizerdeutschen Dialekten nachgezeichnet wer-den. Die Korpora historischer Daten zeigen die einzelnen Entwicklungs-schritte hin zum Einheitsplural, dessen Entstehung zudem mit der Diskus-sion theoriegeleiteter Ansätze wie der Erläuterung über die Kategorienfre-quenz im Verbalparadigma (Rabanus 2008) oder der Idee einer natürlich-keitstheoretischen Morphologie (Mayerthaler 1980) verknüpft wird. Jün-gere Daten zum Phänomen zeigen, dass seit dem 19. Jahrhundert hierzu kaum noch Veränderungen festzustellen sind.

Christa Schneider (Bern) stellte in ihrem Vortrag „Von Hexen, Hoch-verrat und grammatischem Geschlecht" die über verschiedene Verfahren der *digital humanities* unterstützte digitale Aufbereitung einer sehr umfas-senden Überlieferung frühneuzeitlicher Gerichtsprozessprotokolle aus den

Berner Turmbüchern vor, wodurch die regionale Kanzleisprache Berns des Zeitraums 1547 bis 1747 in den Blick gerät. In einem Folgeschritt wurden unter anderem Personennamen in den Texten identifiziert, um nun auf dieser Datengrundlage Aussagen zur Genese des grammatischen Geschlechts bei Personennamen im Schweizerdeutschen anstellen zu können, die bisher weniger Beachtung fand. Es lassen sich verschiedene Varianten der Movierung herausstellen. Zugleich wird deutlich, dass die Komplexität der Namen mit der Zeit abnimmt. Der Entwicklung der einzelnen Formen des grammatischen Geschlechts soll weitergehend nachgezeichnet werden.

Mit einer Sektion zur Phonologie und Phonetik kam die Tagung im zweiten Teil des Vormittags zu ihrem Abschluss. Dennis Beitel (Marburg) sprach über „Rundungs– und Entrundungsumlaut (in Hessen)" und stellte „Eine alternative Rekonstruktion der Umlautgenese" vor. Im Zentrum des Vortrags stand die Ablösung der traditionell vertretenen Lehrmeinung, dass ein durch historische Umlautfaktoren ausgelöster Sekundärumlaut in zahlreichen Dialektregionen durch spätere Entrundungsprozesse wieder rückgängig gemacht wurde, durch die neue Überlegung, dass stattdessen parallele lautliche Assimilationsprozesse beschrieben werden können. Das muss auch den Blick auf den historischen Umlautfaktor verändern, dem Beitel die Auslösung von insgesamt drei Lautprozessen zuordnet. Der Umlautfaktor kann demnach in den Dialekten verschiedene Möglichkeiten einer Anpassung der Stammsilbe ausgelöst haben. Diese Prozesse wurden vornehmlich an Belegen hessischer Dialekte erläutert.

Anschließend diskutierte Lisa Felden (Münster) unter der beleggestützten Kennformel „Ki[χ]schen auf der Ma[χ]zipanto[χ]te" die „Variation in der Realisierung des /r/–Allophons im Sprachgebrauch von Schüler*innen verschiedenen Alters in der Voreifel". Die entsprechende Erhebung regiolektaler Daten in der als fortgesetzt dialektstark geltenden Voreifel erfolgte über Bildbenennungen, Vorlesetexte und zusätzliche sprachbiografische Interviews. Der Dialekt ist den Schüler:innen bekannt, doch bildet der Regiolekt die eigene Hauptvarietät ab. Das erhobene Datenmaterial jüngerer Sprecher:innen lässt verschiedene Aussagen zum /r/-Allophon zu. Die [χ]-Variante findet sich eher in freien Gesprächsaufnahmen als im Vorlesetext. Während die Altersgruppen und das Geschlecht Unterschiede in der Verwendung beschreibbar machen, trifft das auf die in der Erhebung erfassten unterschiedlichen Schulformen nicht zu. Individuelle Gebrauchsunterschiede sind deutlich zu berücksichtigen und können auch mit den erhobenen sprachbiografischen Daten in eine Verbindung gesetzt werden. Die Bewertungen der aufgerufenen Variante [χ] fallen unterschiedlich aus.

Nadja Spina (Marburg) schloss mit dem zuammen mit Alfred Lameli (Marburg) erarbeiteten Vortrag „*Pre–boundary lengthening* in deutschen

Dialekten. Mittelbairisch und Niederdeutsch kontrastiv" die Tagung ab und bot in ihrer Fragestellung eine treffende Verknüpfung der für das Tagungsformat wichtigen hochdeutschen und niederdeutschen Dialekträume. Die thematisierte „Dehnung von Segmenten vor prosodischen Phrasengrenzen" (= *pre-boundary leghtening*) wurde anders als für standardsprachliche Daten für regiolektale und dialektale Sprachdaten bisher kaum untersucht. Erste Untersuchungen dialektaler Sprachdaten auf der Grundlage von Wenkersatzübersetzungen deuten auf einen Unterschied zwischen niederdeutschen und hochdeutschen Dialekten hin, weshalb sich eine weitere kontrastive Betrachtung der entsprechenden Quantitätsverhältnisse in den ausgewählten Dialekten dieser Räume anbietet. Die prosodischen Grenzmarkierungen können auch unter weiteren Fragestellungen zur Herausstellung regionaler Sprachvariation dienen, wobei Produktion und Perzeption gleichermaßen in den Blick geraten. Die geschilderten Verfahren erweitern insgesamt die Möglichkeiten zur Herausstellung regionalsprachlicher Variation.

Mit diesem Beitrag endete die Konferenz zur Mittagszeit des zweiten Konferenztages. Alle Vorträge wurden von lebhaften Diskussionen abgeschlossen, die manchen Hinweis geben konnten und zu verschiedenen weitergehenden Klärungen auf der einen oder anderen Seite beitrugen. Der teildisziplinenübergreifende Zuschnitt des Programms hat sich erneut bewährt, da die Vielfalt die Bearbeitungsmöglichkeiten von vergleichbar angelegten oder erhobenen Sprachdaten deutlich werden konnte.

Bern war ein überaus beeindruckender Tagungsort. Die von der türkisblauen Aare umschlossene Altstadt war von der Universität aus direkt erreichbar und lud zu Spaziergängen ein, selbst das Schwimmen in der Aare wäre möglich gewesen, zählt es doch zu den üblichen Freizeitbeschäftigungen in Bern. Auch das kommende Doppelkolloquium wird sich vom Wasser nicht entfernen. Vom 30. September bis zum 2. Oktober 2024 lädt die Kieler Förde zum Schwimmen ein – und die Konferenz zu einem Vortragsprogramm, dessen Aufruf noch bis zum 1. Juni 2024 läuft.

Flensburg *Robert Langhanke*

Bericht zur Winterakademie 2024 des Lehrnetzwerks Niederdeutsch vermitteln in Hannover

Die erste Winterakademie des „Lehrnetzwerks Niederdeutsch vermitteln" (LeNie), das unter Federführung des Kompetenzzentrums für Niederdeutschdidaktik in Greifswald von der Stiftung Innovation in der Hochschullehre gefördert wird, fand vom 5. bis 7. Februar 2024 in Hannover statt. Ausgerichtet von der Professur für Didaktik der deutschen Literatur der dortigen Leibniz Universität nahmen über 40 Studierende und Dozierende von sieben Universitäten an der Veranstaltung teil. Unter dem Themenschwerpunkt „Literatur- und Mediendidaktik Niederdeutsch im 21. Jahrhundert" erwarteten die Teilnehmer:innen Workshops zu Unterrichtsplanung, zum reflektierten Einsatz lyrischer sowie musikalischer Texte im Niederdeutschunterricht, zur Theaterdidaktik, zur digitalen Methodik, zu kinder- und jugendliterarischen Medien samt Unterrichtsmethodik, zur Filmdidaktik und zu Interferenzen des Niederdeutschen zum Hochdeutschen. Angereichert wurde das Programm um eine Filmvorführung von Dörte Hansens bzw. Lars Jessens *Mittagsstunde* (2022) in der niederdeutschen Version und um eine Podiumsdiskussion zum öffentlichen Status des Niederdeutschen, veranstaltet vom Literarischen Salon Hannover, mit Gesche Gloystein (Landschaft Emsland / Bentheim) und Ilka Brüggemann (NDR). Neben innovativen und digitalen Ansätzen für den Schulunterricht rückten in Anbetracht dieser vielfältigen Aspekte ebenso immer wieder Fragen zur Zukunft der Regionalsprache Niederdeutsch in den Fokus. Insgesamt zeigte sich die Akademie als ein Ort der norddeutschlandweiten Vernetzung.

Bereits in der Begrüßung durch die Studiendekanin der Philosophischen Fakultät der Leibniz Universität, Claudia Schomaker (Professorin für Sachunterricht und inklusive Didaktik in Hannover), wurde auf den bekannten Abbruch der familiären Vermittlung als Erstsprache und folglich die gewichtige Rolle schulischer Vermittlung eingegangen. Auf ein erstes Kennenlernen und für einige Teilnehmende auch auf einen ersten intensiveren Kontakt mit dem Niederdeutschen folgte der eröffnende Workshop am Montagnachmittag (Cornelius Herz, Professor für Didaktik der deutschen Literatur in Hannover). Hier wurde ein reflektierter Zugriff auf das Niederdeutsche fokussiert, indem die Stilisierung von „Platt" und Norddeutschland in verschiedenen Formen von Songtexten/Lyrics zwischen Hannes Wader und rezenteren Rap- bzw. Singer-Songwriter:innen thematisiert wurde. Gerade weil literarische Kommunikation immer ästhetisch ist, bietet es sich an, Literatur und korrespondierende mediale Produkte zum Kompetenzerwerb für Schüler:innen zu nutzen, um die gewollte Gestaltung von Medien, Literatur und Sprache verstehen zu lernen.

Zum Abschluss des ersten Tages besuchten die Teilnehmer:innen der Akademie eine Veranstaltung des Literarischen Salons der Leibniz Universität Hannover, der seit 30 Jahren in Lesungen und Podiumsgesprächen ein breit gefächertes Publikum aus der Region anspricht. Unter dem Titel „Plattdüütsch, wat nu? Die Sprache der Alten und was die Jungen aus ihr machen" diskutierten Gesche Gloystein und Ilka Brüggemann gemeinsam mit Salon-Moderator Johannes Krüger. Ilka Brüggemann ist seit über 20

Jahren für das Niederdeutsche beim NDR-Radio aktiv, hatte darüber hinaus einen niederdeutschen Podcast und veröffentlichte zwei Bände mit Erzählungen. Gesche Gloystein fungiert als Leiterin der Fachstelle Plattdeutsch der Emsländischen Landschaft, war Dramaturgin für das Niederdeutsche Theater in Oldenburg, schreibt für den NDR und die Lübecker Nachrichten und ist darüber hinaus plattdeutsche Poetry-Slammerin. Beide ordneten ihre eigenen Biografien als Nicht-Erstsprachlerinnen sowie den Sprachstatus des Niederdeutschen im Kulturbetrieb ein (als Podcast des Literarischen Salons nachhörbar via Spotify: Plattdüütsch, wat nu?[1]).

Der zweite Tag startete mit einer Keynote aus der Praxis: Gesa Retzlaff, Leiterin des Zentrums für Niederdeutsch im Landesteil Schleswig in Leck und Vorsitzende des Niederdeutschen Bühnenbundes Schleswig-Holstein, gab durch verschiedene Impulse und Best Practices Einblick in ihre Arbeit für Schulen sowie auf und neben der Bühne vom Dorf- bis zum Staatstheater. Anschließend konnten die Teilnehmenden selbst theaterpädagogische Zugangsweisen zum Niederdeutschen durch eigenes Spielen und Sprechen ausprobieren. Durch unterschiedliche methodische Zugriffe zwischen Aufwärmspielen und kleinen spielenden Aktivitäten zum Lernen niederdeutscher Wörter und Aussprachen konnten so Einblicke in die didaktische Praxis ermöglich werden. Von allseits wertschätzendem Applaus und Respekt vor der Hürde begleitet, theatralisch agieren zu sollen, fand der Workshop seinen Abschluss in kleinen Aufführungen.

Söhnke Post, der nach seiner Promotion sowohl als Lehrer an einem niedersächsischen Gymnasium tätig ist als auch im Rahmen einer Abordnung die Lehrer:innenbildung an der Leibniz Universität Hannover mitgestaltet, stellte im anschließenden Workshop „Methodik Schulpraxis: Mit welchen Tools lässt sich Niederdeutsch digital unterrichten?" Möglichkeiten des digital gestützten Niederdeutschunterrichts vor. Dabei standen primär Bedingungen eines modernen und funktionierenden Verhältnisses von analogen und digitalen Lehr- bzw. Lernaktivitäten im Rahmen von fachdidaktischen Aspekten im Vordergrund. Ziel ist ein personalisierter, multimodal aktiver und reflektierter Lernprozess im Niederdeutschunterricht. Anhand von zwei Praxisbeispielen wurden in gemeinsamer Planung digital gestützte Unterrichtsszenarien vorbereitet, durchgeführt und evaluiert. Dass auch innerhalb des Niederdeutschunterrichts Fragen des digitalen Unterrichts gegenwärtig und zukünftig eine große Rolle spielen, wurde durch die Teilnehmenden anschaulich erarbeitet. In der abschließenden

---

[1] https://open.spotify.com/episode/55W0oiRwWHMuJuaVfdlYFM?si=8195dbf19b5d4c72 (29. 2. 2024).

Diskussion wurden zudem Wege der dementsprechenden Qualifizierung von (zukünftigen) Lehrkräften erörtert.

Im Anschluss konnten die Teilnehmenden gemeinsam mit Cornelius Herz thematisieren, wie Niederdeutsch in ansonsten hochdeutsch verfassten Texten wie Dörte Hansens *Mittagsstunde* (2018) als stilistisches Gestaltungsmittel eingesetzt wird. Daraus resultierte zugleich die Gelegenheit, einen Ausblick in die Curricula Mecklenburg-Vorpommerns samt Abiturvorgaben sowie in die Filmdidaktik zu geben und den Tag im Rahmenprogramm mit einer Vorführung der *Mittagsstunde*-Verfilmung von Lars Jessen (2022) zu schließen.

Am Mittwoch wurde der Faden zunächst in einem Workshop zu verschiedenen kinder- und jugendliterarischen Texten [u. a. Bellmann *Lüttjepütt* (1983), Lemmermann *Ebbe und Hehn* (2007)] aufgenommen und v. a. methodisch durch eine Vertiefung in die Handlungs- und Produktionsorientierung ergänzt. Den Anschluss bildete ein integrierter Vortrag samt Diskussion von François Conrad zum DFG-Projekt „Die Stadtsprache Hannovers", das er als Post-Doc und Experte u. a. für Fragestellungen zur Phonetik/Phonologie sowie zur Variationslinguistik und zum Sprachkontakt leitete. Zugleich konnte hier in Bezug auf die Konstruktion und Variation eines Standards eine Brücke zu anderen Fachbereichen geschlagen werden, die über die Literatur- und Mediendidaktik hinausverweisen. Aufschlussreich waren insbesondere Befunde dazu, dass der vermeintlich typisch hannöversche Standard des Hochdeutschen aus synchroner Sicht tendenziell in einem sehr großen Raum nördlich der Benrather Linie in der Aussprache realisiert wird (d. h. in den meisten Teilen Norddeutschlands bzw. des niederdeutschen Sprachraums).

Zum erfolgreichen Abschluss erhielten alle Teilnehmenden das erste Zertifikat einer geförderten LeNie-Winterakademie. Wir gratulieren herzlich und bedanken uns für das große Engagement aller Beteiligten! Folgeveranstaltungen sollen 2025 in Greifswald und 2026 in Flensburg stattfinden.

Hannover   *Cornelius Herz, Johannes Krüger, Söhnke Post*

Erste Edition von Kaspar Friedrich Renners „Hennynk de Han" (Bremen 1732). Ein Oldenburger Studierendenprojekt

An der Carl von Ossietzky Universität Oldenburg entsteht derzeit aus der Zusammenarbeit einer Gruppe von Studierenden der Germanistik mit Prof. Dr. Doreen Brandt eine Studienausgabe des niederdeutschen Tierepos „Hennynk de Han", das 1732 in Bremen gedruckt wurde. Entsprechende

Vorüberlegungen und Vorarbeiten für dieses Projekt fanden bereits im Rahmen eines Masterseminars im Sommersemester 2023 statt.

Nicht nur der Titel des Werks „Hennynk de Han" und die Einrichtung des Druckes erinnern an das mittelniederdeutsche Tierepos „Reynke de Vos", das 1498 in Lübeck gedruckt wurde. Auch der angebliche Herausgeber Franz Henrich Sparre, der in einigen Druckexemplaren in einer vorgeschalteten Vorrede genannt wird, bezeichnet das Werk darin als eine Nachahmung des „Reynke", die ihm in einem alten Manuskript aus dem 16. Jahrhundert in die Hände gefallen sei. Forscher des ausgehenden 18. und beginnenden 19. Jahrhunderts erkannten jedoch, dass es sich bei dem Namen des Herausgebers um ein Pseudonym des Bremer Stadtvogts Kaspar Friedrich Renner (1692–1772) handelte (Kinderling 1800; Meier 1813; Scheller 1826). Zugleich sei er es auch gewesen, der das Tierepos im Stil des „Reynke" verfasst habe.

Das mittelniederdeutsche Tierepos „Reynke de Vos" nimmt in der niederdeutschen Literaturgeschichte eine herausragende Stellung ein. Dies zeigt sich unter anderem in der regen Rezeption durch Nachdrucke und Übersetzungen bis in das 18. Jahrhundert hinein, obwohl der im 16. Jahrhundert beginnende Schriftsprachenwechsel vom Niederdeutschen zum Hochdeutschen einen erheblichen Rückgang niederdeutscher Literatur zur Folge hatte. Zur Rezeptionsgeschichte des „Reynke" ist auch der „Hennynk" zu zählen.

Eine weitreichende Berücksichtigung des „Hennynk" in der Forschung ist bislang ausgeblieben. Hier galt überwiegend die Ansicht, dass es sich beim „Hennynk de Han" in Form und Inhalt um eine bewusste Imitation des „Reynke de Vos" handeln würde. Dem Werk wurde damit nicht nur seine Eigenständigkeit abgesprochen, es reichte nach Ansicht der Forschung im 20. Jahrhundert zudem in seiner literarischen Qualität nicht an den „Reynke de Vos" heran, weshalb Untersuchungen zumeist oberflächlich und pauschal verblieben. Eine Betrachtung des Werkes, die dessen literaturhistorische und poetische Eigenständigkeit in den Vordergrund rückt, fand daher bis heute nur vereinzelt statt (Lesser 1936; Bellmann 1977; Brandt 2021).

Ein Grund für die skizzierte Forschungssituation dürfte auch darin zu suchen sein, dass bis heute keine moderne wissenschaftliche Edition des Werkes existiert. Hier setzt das Editionsprojekt an, das vertiefende Untersuchungen des bisher wenig rezipierten Werkes leisten soll. Geplant ist eine Textausgabe mit einer Übersetzung ins Neuhochdeutsche und einer umfangreichen Kommentierung.

Der „Hennynk" ist aus vier Büchern aufgebaut, die in mehrere Gesetze und Glossen untergliedert sind. Von den Studierenden im Masterseminar wurden zunächst die ersten Gesetze diplomatisch transkribiert, normalisiert und anschließend mit einer Übersetzung versehen. Mit den so erworbenen Kompetenzen in der Editionsphilologie waren die Studierenden dann in der Lage, sich im Rahmen von Hausarbeiten mit weiteren Textabschnitten des „Hennynk" vertiefend zu befassen. Im Ergebnis lagen bereits zu Beginn des Wintersemesters 2023/24 vorläufige diplomatische Transkriptionen, Normalisierungen und Übersetzungen zu einzelnen Gesetzen des ersten sowie zweiten Buches und den dazugehörigen Glossen vor. Zugleich sind im Rahmen der Hausarbeiten Stellenkommentare erarbeitet worden, die ebenfalls in die Edition des „Hennynk" einfließen sollen.

Im Verlauf des Wintersemesters erarbeiteten die studentischen Hilfskräfte Thees Becker, Joschka von Lienen und Kea-Marie Wolters unter der Leitung von Doreen Brandt zum einen diplomatische Transkriptionen und Normalisierungen zu den Textabschnitten des „Hennynk", die im Rahmen des Masterseminars nicht vertiefend bearbeitet werden konnten. Darüber hinaus nahmen sie an den bereits im Seminar entstandenen diplomatischen Transkriptionen und Normalisierungen Korrekturen vor. Zum anderen fanden regelmäßige Arbeitstreffen des Projektteams aus dem vergangenen Sommersemester statt. Gemeinsam wurden bei diesen Treffen die Übersetzung des „Hennynk" fortgesetzt und gleichzeitig weitere kommentierungswürdige Textstellen identifiziert. Neben den genannten studentischen Hilfskräften sind die Studierenden Theresia Remmert, Lena Sassen und Jan-Ludwig Schlachter an der Projektarbeit beteiligt.

Ausgehend von dieser gemeinsamen Arbeit liegt derzeit bereits die diplomatische Transkription und Normalisierung des Werkes vor. Die Übersetzung des ersten von vier Büchern im „Hennynk" ist ebenfalls abgeschlossen. Auch im Sommersemester 2024 sollen regelmäßige Arbeitstreffen stattfinden, um in einem ersten Schritt die Übersetzung abzuschließen und sich in einem zweiten Schritt der umfassenden Kommentierung des Werkes zu widmen. Der Abschluss der wissenschaftlichen Edition ist derzeit für das Jahr 2025 angesetzt.

Neben der vertiefenden Untersuchung des Werkes selbst soll die Edition auch dazu anregen, das Auftreten des „Hennynk" inmitten der weniger produktiven Phase niederdeutscher Schriftlichkeit im Zeitraum von 1650 bis 1800 so zu berücksichtigen, dass die Besonderheiten seiner Entstehungsumstände gleichfalls erkennbar werden. Das Projekt schließt damit eine Lücke in der niederdeutschen Literatur- und Forschungsgeschichte.

Oldenburg   *Thees Becker, Doreen Brandt*

Tagungsaufruf für das 13. Nachwuchskolloquium des VndS und das 12. Forum Sprachvariation vom 30. 9. bis zum 2. 10. 2024 in Kiel

Die 13. Auflage des Nachwuchskolloquiums des Vereins für niederdeutsche Sprachforschung kehrt nach der Tagung in Bern im September 2023 wieder in den niederdeutschen Sprachraum zurück und wird erneut zusammen mit dem 12. Forum Sprachvariation der Internationalen Gesellschaft für Dialektologie des Deutschen als Gemeinschaftstagung vom 30. September bis zum 2. Oktober 2024 in Kiel stattfinden. Auf einen Auftaktabend am Montag folgen zwei Vortragstage, die von dem Hauptvortrag eines eingeladenen Gastes eingeleitet werden. Die Konferenz wird ausschließlich in Präsenz durchgeführt.

Zur weiteren gemeinsamen Programmgestaltung rufen die Organisatorinnen und Organisatoren gern auf. Willkommen sind Vortragsvorschläge zur gesamten Bandbreite der Arbeit der beiden ausrichtenden Gesellschaften, wobei ebenso programmatisch und theoretisch oder primär methodisch ausgerichtete Beiträge willkommen sind wie auch datenbasierte Studien zu historischen oder rezenten Sprachdaten oder zu älteren und neueren Texten.

Aufgerufen sind Beiträge zur Regionalsprachenforschung des niederdeutschen, mitteldeutschen und oberdeutschen Sprachraums, um über die Grenzen der dialektalen Großräume hinweg zu übergreifenden theoretisch-methodischen Fragen und über den Vergleich von Daten ins Gespräch zu kommen. Die sprachwissenschaftlich orientierte Fragenstellungen können jüngere Sprachdaten bearbeiten oder auch Beiträge zur historischen Dialektologie und zur Sprachgeschichtsforschung leisten. Neben die Untersuchung objektiver Sprachdaten tritt die Untersuchung subjektiver Sprachdaten im Kontext wahrnehmungsdialektologischer Studien. Auch die Lexikografie und Phraseologie regionaler Sprachformen gehören zum Interessenspektrum der Konferenz.

Als weiterer Schwerpunkt treten die ältere und neuere niederdeutsche Literatur und flankierend dazu auch ältere und neuere literarische Texte regionaler Schreibsprachen der hochdeutschen Dialekträume hinzu. Die methodische Herangehensweise an die literarische Überlieferung in den aufgerufenen Sprachformen kann sich in vielfältiger Form in das Tagungsgeschehen integrieren, das insbesondere von textlicher und methodischer Vielfalt profitiert. Für das Niederdeutsche sind somit Studien zur altsächsischen, mittelniederdeutschen, frühneuniederdeutschen und neuniederdeutschen Sprache und Literatur gleichermaßen aufgerufen. Die Spannbreite der aufgerufenen Projekte erstreckt sich von Abschlussarbeiten und Promotions- und -Habilitationsvorhaben bis hin zu weiteren kleineren und größeren Forschungsvorhaben und Fragestellungen.

Die nähere thematische Gliederung des Programms ergibt sich im Juni aus den Vortragsvorschlägen, die immer auch gegenwärtige Forschungsparadigmen zuverlässig spiegeln. Der interdisziplinäre Ansatz der Tagung, der sowohl sprach- als auch literaturwissenschaftliche Herangehensweisen zulässt und sowohl historische Überlieferungen und Sprachsituationen als auch gegenwärtige Sprachdaten und literarische Konstellationen aufruft, hat sich in besonderer Weise bewährt, da verbunden durch die Klammer der regionalsprachlich ausgeprägten Daten und Texte die Vielfalt der möglichen wissenschaftlichen Auseinandersetzung mit diesen Sprachzeugnissen deutlich wird und auch Kontakte außerhalb der eigenen engeren Teildisziplin geknüpft werden können.

Über die Jahre hat sich eine offene Diskussionskultur etabliert, die sowohl die Präsentation abgeschlossener Qualifikationsarbeiten als auch die Vorstellung erster Arbeits- und Projektideen zulässt, die in Form eines Werkstattberichts präsentiert werden. Aus dem Zusammenspiel bereits erarbeiteter Ergebnisse und erprobter Methoden mit jüngst aufgerufenen Fragestellungen und ersten Ideen ergibt sich eine gewinnbringende Verbindung unterschiedlicher Perspektiven und Expertisen.

Um dieses Potenzial erneut nutzen zu können, sehen wir Euren Beitragsvorschlägen zum breiten Feld der oben angeführten Möglichkeiten gern entgegen. Die Vorträge werden voraussichtlich auf 20 Minuten zuzüglich einer Diskussion zehn Minuten angelegt. Zusätzlich zu den Vorträgen wird in diesem Jahr auch eine Posterpräsentation geboten, für deren Gestaltung Vorschläge ebenfalls herzlich willkommen sind. Allen Beitragenden wird im Anschluss der Tagung die Möglichkeit der Publikation in einem gemeinsamen Tagungsband geboten, der gern die Vielfalt der aufgerufenen Fragestellungen abrufen soll.

Die Konferenz wird gemeinsam von Nicole Palliwoda (Kiel) und Jeffrey Pheiff (Bern) für das Forum Sprachvariation und von Robert Langhanke (Flensburg) für das VndS-NwK ausgerichtet. Die Organisationsgruppe freut sich auf Rückmeldungen mit Vortragsvorschlägen und Posterideen bis zum **1. Juni 2024** in einem Umfang von maximal 500 Wörtern an die E-Mail-Adresse forum@igdd.org. Bis Mitte Juni erfolgt die Information über die Annahme des Vorschlags, und Anfang Juli wird das Tagungsprogramm veröffentlicht werden. Auch nicht selbst vortragende Kolleginnen und Kollegen sind herzlich zur Teilnahme an der Konferenz eingeladen. Möglichkeiten zur Anmeldung werden mit dem Programm im Juli mitgeteilt werden. Bitte weisen Sie gern auch in Ihrem

Arbeitsbereich auf das Doppelkolloquium unter Beteiligung des Sprachvereins hin!

Flensburg   *Robert Langhanke*

Dr. Ommo Wilts, 20. Mai 1937–28. Dezember 2021

Der Akademische Direktor Dr. Ommo Wilts wurde am 20. Mai 1937 in
Oldenburg, Niedersachsen geboren, wo er aufwuchs und zur Schule ging.
Nach der Schulzeit ging er zunächst nach Marburg, um Anglistik und
Germanistik zu studieren, wechselte aber später nach Kiel, um zusätzlich
das Studium des Faches Skandinavistik unter der Leitung von Prof. Dr.
Hans Kuhn aufzunehmen. Während des Studiums war er zeitweilig als
studentische Schreibkraft in der Nordfriesischen Wörterbuchstelle beschäftigt. Dies hat offensichtlich sein Interesse für das Friesische geweckt;
in jedem Falle wurde er vom 01. August 1966 bis zum 31. Juli 1969 als
Verwalter einer Assistentenstelle bzw. Assistent in der Wörterbuchstelle
angestellt. Während dieser Zeit hat er mit einer Arbeit über „Formproble-
me germanischer Spruchdichtung" promoviert. Am 01. August 1969 ging
er zurück nach Oldenburg in den Schuldienst. Prof. Kuhn hatte jedoch
seine Fähigkeiten erkannt und es gelang ihm, Ommo wieder in die Wörterbuchstelle zu holen, wo er vom 1. Februar 1973 bis zu seiner Pensionierung am 30. September 2002 blieb.

Ommo Wilts war vielseitig begabt und tätig. Es fallen drei Merkmale
auf, die sich wie rote Fäden durch seine Arbeit ziehen: a) sein Wunsch und
vor allem seine Fähigkeit, mit den Friesen eng zusammenzuarbeiten, b)
das Prinzip der Didaktisierung, das vielen Arbeiten zugrunde liegt und c)
seine Begabung, Bedarf zu erkennen und gleich entsprechend zu handeln.

Schon früh hat er beispielsweise erkannt, dass sich das Friesische im
Würgegriff der nationalpolitischen Auseinandersetzung befand. Der Kon-
flikt zwischen „Deutschen" und „Dänen" im Landesteil Schleswig hatte
sich nach dem Zweiten Weltkrieg auf die friesische Volksgruppe übertragen, was die Kultur- und Spracharbeit erschwerte. Daraufhin hat Ommo
1978 die Tagung „Friesisch heute" in Sankelmark initiiert. Diese hat dazu
beigetragen, die Förderung des Friesischen auf ein wissenschaftliches
Niveau zu bringen, und Ommo hat konsequent in diese Richtung weiter-
gearbeitet, auch wenn es manchmal Kräfte in der Fakultät gab, die
„Sprachpflege" für „unwissenschaftlich" hielten. Die Entwicklung der
sprachsoziologischen Disziplinen Sprachwechsel und Sprachtod sowie
Sprachrevitalisierung und Sprachplanung zeigen, dass er eigentlich seiner
Zeit voraus war.

Seine Arbeitsgebiete lassen sich grob in folgende Bereiche einteilen: a) Lexikographie, b) Grammatik, c) Soziolinguistik, d) Literaturwissenschaft, e) Didaktik und f) Landeskunde. Ommo war nicht nur an drei großen Projekten der Wörterbuchstelle beteiligt (*Frasch Uurdebök* 1988, *Freesk Uurdebuk* 1994 und *Fering-Öömrang Wurdenbuk* 1999), sondern hat auf eigene Initiative auch neun weitere Wörterbücher herausgebracht, von denen sich zwei mit Sprichwörtern befassen. Diese Wörterbücher waren zu einem großen Teil durch den Bedarf an lexikographischen Hilfsmitteln für den Friesischunterricht beeinflusst und hatten oft auch Deutsch als Ausgangssprache. Deutlich wird hier seine gedeihliche Zusammenarbeit mit qualifizierten Gewährsleuten aus den einzelnen Mundartgebieten. Ein Glücksfall war es auch, dass er lange mit einer aus Süderende gebürtigen Föhrerin, Elene Braren, in der Wörterbuchstelle zusammenarbeiten konnte. Im Zuge seiner lexikographischen Tätigkeit hat er auch eine minderheitenspezifische Lexikographietheorie entwickelt, die er in diversen Aufsätzen thematisiert hat.

In Ergänzung zu den Wörterbüchern hat er ebenfalls Formenlehren für sieben nordfriesische Mundarten herausgebracht. Ein Manuskript für eine Formenlehre der nordfriesischen Mundart von Helgoland liegt vor, das aber nicht abgeschlossen werden konnte.

Auch die Herausgabe von Schriftensammlungen gehörte zu seinen Tätigkeiten. Beispiele sind Dietrich Hofmanns *Gesammelte Schriften* (2 Bände, 1988 und 1989, zusammen mit Gert Kreutzer und Alastair Walker) sowie die *Friesischen Studien I, II* und *III* (zusammen mit Volkert Faltings und Alastair Walker), die die Beiträge der Föhrer Symposien zur Friesischen Philologie in den Jahren 1991, 1994 und 1996 enthalten.

Ommo hat sich ferner mit soziolinguistischen sowie literaturwissenschaftlichen Themen befasst und z. B. 1978 einen grundlegenden Aufsatz zur Entstehung der Mehrsprachigkeitsverhältnisse in Schleswig-Holstein verfasst. Zu seinen literaturwissenschaftlichen Publikationen gehören mehrere Überblicksartikel zur nordfriesischen Literatur. In dem wohl wichtigsten Werk der Frisistik der letzten Jahrzehnte, dem 2001 erschienenen *Handbuch des Friesischen/Handbook of Frisian Studies*, hat er alleine acht Beiträge über nordfriesische Themen geliefert. Er konnte aber auch populärwissenschaftlich arbeiten. So sind mehrere Beiträge zur friesischen Sprache und Literatur in entsprechenden populärwissenschaftlichen Publikationen erschienen.

Im Zuge des heute abgeebbten Interesses für das Sprachlabor hat Ommo die Initiative ergriffen, zwei Sprachkurse, *Mooring* (1976) und *Sölring* (1977), auszuarbeiten, die später als Grundlage für drei Sprachkurse für den universitären Lehrbetrieb dienten. Er sprach selbst verschiedene nordfriesische Mundarten mit dem Schwerpunkt auf den inselnordfriesischen Mundarten von Föhr und Amrum (*Fering-Öömrang*) sowie von Sylt (*Söl-ring*).

Als ausgebildeter Lehrer hat er Materialien für den friesischen Schulunterricht auf den Inseln herausgebracht. In Anerkennung der Beliebtheit von Astrid Lindgrens Büchern hat er z. B. die *Bullerbü*-Bücher in Zusammenarbeit mit Anna Gantzel (Keitum/Sylt) ins Sylterfriesische übersetzt, ein Beispiel, dem andere gefolgt sind. Bei seinen didaktischen Werken hat er gerne Illustrationen aufgenommen, die von Elke Boysen und Gisela Backmann angefertigt wurden. Aufgrund seiner didaktischen Arbeiten und Fähigkeiten landete Dr. Ommo Wilts auf dem ersten Listenplatz, als im Jahre 1987 die neu eingerichtete C4-Professur für Friesisch an der damaligen Pädagogischen Hochschule Flensburg ausgeschrieben wurde. Berufen wurde Prof. Nils Århammar aus Groningen.

Im Rahmen seiner Forschungen zur Literaturwissenschaft und Landeskunde hat er sein Augenmerk insbesondere auf drei für das Friesische wichtige Persönlichkeiten gelegt: den Grammatiker und Magnetiseur Bende Bendsen aus Risum (1787–1875), den Chronisten von Sylt C. P. Hansen (1803–1879) und den Lyriker Jens Mungard (1885–1940), ebenfalls aus Sylt. Zusammen mit Prof. Tony Feitsma von der Freien Universität Amsterdam hat er ein Buch über Bendsen herausgebracht und in diesem Zusammenhang einen unvergesslichen Ausflug auf die dänische Insel Ærø organisiert, um Bendsens Wirkungsstätte und Grab zu besuchen. Im zweiten Fall ist in Zusammenarbeit mit Dörte Ahrens und Albert Panten ein Buch über Hansen erschienen. Im dritten Fall hat er u. a. Hans Hoeg (Keitum/Sylt) bei der Herausgabe von Mungards Schriften geholfen. Hans Hoeg war nur einer von vielen, die Ommo tatkräftig unterstützt hat. Anna Gantzel und Elene Braren hat er dazu ermutigt, spannende landeskundliche Lesebücher in friesischer Sprache zu verfassen. Auch die Arbeitsgruppe in der Wiedingharde und deren Zeitschrift *En krumpen üt e Wiringhiird* haben von ihm profitiert.

Neben allen diesen Aktivitäten hat Ommo ab dem Sommersemester 1979 ebenfalls unterrichtet. Da seine Kollegen ihre Schwerpunkte eher in der Linguistik hatten, hat er häufig literaturwissenschaftliche Themen aufgegriffen. Er hatte durchaus seine eigene „Fangemeinde".

Ausgezeichnet wurde Ommo Wilts im November 2010 mit dem C. P. Hansen-Preis der Söl'ring Foriining und im November 2011 mit der Ehrennadel des Nordfriesischen Vereins.

Ommo starb am 28. Dezember 2021 in Kiel und hat seine letzte Ruhestätte neben seinen Eltern im St.-Gertruden-Kirchhof in Oldenburg gefunden. Neben dem gemeinsamen Grabstein liegt ein weiterer Stein, der an seine bereits 1976 verstorbene Frau Bärbel erinnert.

Ommo und ich waren circa 30 Jahre lang Kollegen im Dienste des Friesischen und der Wissenschaft. Ich denke mit großer Dankbarkeit an diese Zeit zurück.

Kiel *Alastair Walker*

Heinz Werner Pohl (1929–2022)

Mit 93 Jahren starb am 11. Juni 2022 in Bremen Dr. Heinz Werner Pohl, der dem Verein für niederdeutsche Sprachforschung seit 1967 angehört hatte. Zu seinem 90. Geburtstag wurde er in dieser Zeitschrift (Nd. Kbl. 127, 2020, S. 181–182) ausführlich gewürdigt.

Durch seine Dissertation „Augustin Wibbelt als niederdeutscher Lyriker"[1] kam er schon 1962 in die Jury des Klaus Groth-Preises (ab 1985 Fritz-Reuter-Preis) der Alfred-Toepfer-Stiftung F. V. S. Hamburg. 1985 übernahm Heinz Werner Pohl den Vorsitz der Jury. Ihm ist mit zu danken, dass junge Lyriker wie Norbert Johannimloh und Johann Diedrich Bellmann, mit dem er bis zuletzt im Kontakt blieb, ausgezeichnet wurden. Er arbeitete 35 Jahre in den Preiskuratorien mit und dokumentierte „Die Niederdeutschen Preise der Alfred-Toepfer-Stiftung F. V. S. 1955–2000", Hamburg 2001, die in insgesamt sechs Sparten verliehen worden sind.

Soltau *Heinrich Kröger*

Professer Bernd-Ulrich Kettner (1939–2023) is doodbleven

Des Menschen Wirken ist endlich, doch wenn es segens- und erfolgreich war, bleiben der Nachwelt seine Spuren. Nur recht kurze Zeit ist es her, dass wir im Niederdeutschen Korrespondenzblatt Bernd-Ulrich Kettner zum achtzigsten Geburtstag gratulieren, sein wissenschaftliches und gesellschaftliches Wirken ausführlich würdigen und ihm alles Gute für seine Zukunft wünschen konnten (vgl. Nd. Kbl. 127, 2020, S. 187–189).

Nun erreichte uns die traurige Nachricht, dass Prof. Dr. Bernd-Ulrich Kettner nach fortschreitenden gesundheitlichen Beschwerden am 23. Januar 2023 seinen irdischen Wirkungsort verlassen hat. Er wird nun nicht mehr zum Pfingsttreffen des Vereins für niederdeutsche Sprachforschung kommen, an dem er – verbunden mit der Freude, seine niederdeutschen Fachkollegen und Freunde zu treffen – sehr gerne teilnahm.

---

[1] Pohl, Siegbert: Augustin Wibbelt als niederdeutscher Lyriker. (Niederdeutsche Studien, 8). Köln/Graz 1962.

Als Wissenschaftler und in der Universitäts- und Kommunalpolitik engagierte Persönlichkeit, als strenger, aber gerecht urteilender Hochschullehrer wird er seinen Kollegen, Mitarbeitern und akademischen Schülern in dankbarer Erinnerung bleiben. Alle trauern mit seinen Angehörigen. Roh in Freden, leef Professer Kettner!

Marburg *Heinrich J. Dingeldein*

Forscher, Hochschullehrer und Mentor. Nachruf auf Prof. Dr. Friedhelm Debus

Am 3. Mai 2023 verstarb im Alter von 91 Jahren der renommierte Kieler Germanist Prof. Dr. Friedhelm Debus. Nicht nur in seinem zentralen Forschungsgebiet, der Onomastik, gehörte er zu den international führenden Vertretern seines Fachs.

Friedhelm Debus wurde am 3. Februar 1932 im hessischen Oberdieten geboren und studierte an den Universitäten Marburg, Dijon, Paris-Sorbonne und Tübingen Germanistik, evangelische Theologie und Romanistik. Promoviert wurde er 1957 in Marburg mit einer Arbeit über „Die deutschen Bezeichnungen für die Heiratsverwandtschaft". Nach seiner Promotion war er am dortigen Deutschen Sprachatlas zunächst wissenschaftlicher Assistent, dann wissenschaftlicher Rat. Durch seine Mitarbeit u. a. am „Deutschen Wortatlas" gab er entscheidende Impulse zur Erforschung deutscher Dialekte. Dem Sprachatlas (heute Forschungszentrum Deutscher Sprachatlas) blieb er sein Leben lang verbunden und unterstützte tatkräftig die Entwicklung des Forschungsinstituts, zuletzt auch als Vorsitzender dessen wissenschaftlichen Beirats. Von 1965 bis 1969 hatte Debus die Professur „Duitse letterkunde en de taalkunde" an der Universität Groningen/Niederlande inne. Im September 1969 wurde er auf den Lehrstuhl für Deutsche Philologie an der Christian-Albrechts-Universität zu Kiel berufen, wo er bis zu seiner Emeritierung im Jahre 1997 forschte und lehrte.

Zu seinen Hauptforschungsgebieten gehörten anfänglich u. a. die bereits in Marburg begonnenen Arbeiten zur Dialektologie, Dialektlexikografie, Sprachgeschichte und Namenkunde. Im weiteren Verlauf seines Forscherlebens kamen zahleiche weitere Felder hinzu: mittelalterliche Sprache und Literatur, die Rolle Martin Luthers in der Entwicklung des Neuhochdeutschen, Entwicklungen der Gegenwartssprache, Sprachenpolitik u. v. m. Zentral blieb jedoch weit über seine Emeritierung hinaus die Onomastik. Anfänglich galt sein Interesse insbesondere den Ortsnamen („Siedlungsnamentypen in Hessen" 1961, „Flurnamen und Sprachforschung. Zur Deutung und Sammlung hessischer Flurnamen" 1965). Die Ortsnamenforschung blieb auch in seinen späteren Arbeiten mit unterschiedlichen Schwerpunktsetzungen ein wichtiges Feld, so etwa der Bereich Toponymie und Sprachkontakt (beispielsweise im Sammelband „Deutsch-slawischer Sprachkontakt im Lichte der Ortsnamen. Mit besonderer Berücksichtigung des Wendlandes" 1993). Schon früh wandte er sich auch namentheoretischen Aspekten zu („Aspekte zum Verhältnis Name – Wort" 1966) und verfasste grundlegende zusammenfassende und einführende Abhandlungen (so etwa den Artikel „Onomastik" 1980 im Lexikon der Germanistischen Linguistik oder später die Einführung „Namenkunde und Namengeschichte" 2012). In der Personennamenkunde waren seine Untersuchungen im Bereich der Sozioonomastik (wie auch überhaupt die Hinwendung zur soziolinguistisch orientierten Namenforschung) wegweisend [„Namengebung und soziale Schicht" 1973, „Soziale Veränderungen und Sprachwandel. Moden im Gebrauch von Personennamen" 1977, „Aufgaben, Methoden und Perspektiven der Sozioonomastik" 1988, „Soziolinguistik der Eigennamen. Name und Gesellschaft (Sozio-Onomastik)" 1995]. Friedhelm Debus war es stets ein wichtiges Anliegen, dass wissenschaftliche Erkenntnisse über enge Fachkreise hinaus ein breiteres Publikum erreichen. Ein Beispiel aus seinen Schriften dafür ist „Reclams Namenbuch" (zuerst 1993 mit mehreren Neuauflagen), das zur wissenschaftlich fundierten namenkundlichen Ratgeberliteratur zu zählen ist. Ebenso erschienen zahlreiche Werke im Bereich der literarischen Onomastik („Namen in deutschen literarischen Texten des Mittelalters" 1989, „Namen in literarischen Werken" 2002). Debus wissenschaftliches Schaffen reichte weit über seine Emeritierung hinaus. Ein eindrucksvolles Bild über die breite Publikationstätigkeit aus den späteren Jahren vermitteln die Bände 3–5 seiner „Kleineren Schriften" (2007–2017).

Auch als Wissenschaftsorganisator genoss er einen hervorragenden Ruf. Von seinen zahlreichen Aktivitäten aus diesem Bereich seien hier nur einige genannt. Er war Mitglied im International Comittee of Onomastic Sciences, der Akademie der Wissenschaften und der Literatur zu Mainz, der Joachim-Jungius-Gesellschaft in Hamburg und in weiteren in- und ausländischen wissenschaftlichen Organisationen. Dem Mannheimer Institut für Deutsche Sprache (IDS, heute Leibniz-Institut für Deutsche Sprache) war er besonders verbunden. 1987 wurde er ins Kuratorium berufen und zwischen 1995 und 1997 war er Präsident des IDS. Nicht nur er prägte in vielerlei Hinsicht das Institut, sondern er erhielt, wie er selbst schreibt, wichtige Impulse für seine eigene Forschung („Fünfzig Jahre IDS – aus persönlicher Sicht" 2014). Insbesondere waren dies die frühen angloamerikanischen sozio- und pragmalinguistischen Ansätze, die er für onomastische Fragestellungen etablierte.

Studierende und Doktoranden schätzten ihn als Hochschullehrer nicht nur wegen seiner hohen fachlichen Kompetenz, sondern wegen seiner freundlich zugewandten und stets positiv unterstützenden Art. Im Kieler Dekanat fiel schon mal nach Beantwortung der Frage, wer der Doktorvater sei, die Antwort: „ach Debus – ein charmanter Mann".

Lange bevor Diversität, Interkulturalität und Weltoffenheit zu Schlagwörtern von universitären Profilen wurden, betreute er zahlreiche internationale Studierende und Doktoranden mit größtem Engagement und gab ihnen ein wissenschaftliches Zuhause. Auch nach der Promotion verfolgte er den weiteren wissenschaftlichen und beruflichen Weg seiner „Doktorkinder" mit Interesse und stand beratend zur Seite.

So war und bleibt er wie für viele andere, auch für die Verfasserin dieser Zeilen, „der Inbegriff des deutschen Professors" im besten Sinne und ein Vorbild für das eigene Forschen und Lehren.

Erfurt   *Andrea Bambek*

Arend Mihm (1936–2023)

Am 24. Mai 2023 verstarb unser Vereinsmitglied Prof. Dr. Arend Mihm im Alter von 86 Jahren. Er war seit 1982 Mitglied des VndS.

Arend Mihm absolvierte von 1957 bis 1963 ein Studium der Germanistik, Klassischen Philologie und Philosophie an den Universitäten München, Köln und Hamburg. In Hamburg promovierte er 1964 zum Dr. phil. mit einer vielbeachteten Arbeit zur „Überlieferung und Verbreitung der Märendichtung im Spätmittelalter" (erschienen 1967 bei Winter in Heidelberg). Bis 1969 war Mihm als Assistent und Dozent am Germanischen Seminar der Universität Hamburg tätig (von 1967 bis 1969 als Stipendiat der deutschen Forschungsgemeinschaft), bevor er dann 1969 die Professur für Germanistik/Linguistik an der Pädagogischen Hochschule in Duisburg (ab 1972: Gesamthochschule, dann Universität-Gesamthochschule und ab 1994 Gerhard-Mercator-Universität Duisburg) übernahm, die er bis 2002 besetzte. Mihm war von 1982 bis 1987 Konrektor der Universität Duisburg und seit 1998 Mitglied der Kommission für das Deutsche Rechtswörterbuch der Heidelberger Akademie der Wissenschaften.

Die 1970er Jahre waren auch in den neu eingerichteten Hochschulen des Ruhrgebiets eine Zeit des Aufbruchs und des Wandels von einer noch stark mediävistisch-philologisch geprägten Sprachwissenschaft hin zu einer modernen Linguistik. Arend Mihm beteiligte sich an dieser Entwicklung mit großem Elan, zunächst mit sprachdidaktischen Beiträgen zur Evaluation und qualitativen Verbesserung schulischer Lehrbücher, danach auf dem Feld der Soziolinguistik. In diesem Kontext entstand, basierend auf einem Drittmittelprojekt, seine Studie zu „Sozialen Sprachvarietäten im niederrheinischen Industriegebiet" (1981). In den Folgejahren wandte er sich vor allem dem „Ruhrdeutschen" zu, also den Regiolekten des Ruhrgebiets, die bis dahin kaum als würdiger Gegenstand der Sprachwissenschaft erachtet worden waren. Mit seinen stets empirisch gestützten Studien (meist am Beispiel der Stadtsprache Duisburgs) wirkte er daran mit, verbreitete Annahmen zur Entstehung des Ruhrdeutschen, etwa die These, es handle sich um das Resultat von Sprachmischung mit dem Polnischen oder um eine Art restringierten Code bildungsferner Schichten, zu korrigieren und trug damit wesentlich zur Entwicklung einer unideologischen, korpusbasierten und methodisch fundierten Regionalsprachforschung und Variationslinguistik bei. In diesem Zusammenhang war es ihm ein besonderes Anliegen, auch einer breiteren Öffentlichkeit deutlich zu machen, dass die typischen Regiolektmerkmale auf das Niederdeutsche zurückgehen und dass das Ruhrdeutsche von den in dieser Region weitgehend verschwundenen niederdeutschen Mundarten die Funktion als informelle Varietät im Familien- und Freundeskreis übernommen hat. Auf seine am Beispiel Duisburgs erstellte Liste sprachlicher Nonstandardmerkmale aus dem Beitrag „Die Realität des Ruhrdeutschen – soziale Funktion und sozialer Ort einer Gebietssprache" (1995, in 2. Aufl 1997) wird auch heute noch gerne zurückgegriffen, wenn es um die linguistische Charakterisierung des Ruhrdeutschen geht, so etwa im ersten Band des NOSA („Norddeutscher Sprachatlas") von 2015 (S. 29). Die beiden von Mihm betreuten Dissertationen von Beate Scholten (1988: „Standard und städtischer Substandard bei Heranwachsenden im Ruhrgebiet") und Kerstin Salewski (1998: „Zur Homogenität des Substandards älterer Bergleute im Ruhrgebiet") sind bis heute wichtige Referenzarbeiten für die moderne Dialektologie und Variationslinguistik, und mit der Konferenz „Sprache an Rhein und Ruhr" und dem daraus resultierenden Tagungsband von 1985 gab Mihm der Regionalsprachforschung auch darüber hinaus wichtige Impulse. Einen vorläufigen Abschluss fand Mihms Beschäftigung mit den rezenten Regiolekten in seinem grundlegenden Artikel zur „Rolle der Umgangssprachen seit der Mitte des 20. Jahrhunderts" im zweiten Band des HSK-Handbuchs „Sprachgeschichte" (2000).

Arend Mihms Ruhrdeutsch-Studien gründeten in der Überzeugung, dass ein tieferes Verständnis der heutigen Sprachverhältnisse nur vor dem Hintergrund der sprachhistorischen Zusammenhänge zu erlangen sei – eine Sichtweise, die er auch in seiner akademischen Lehre nachdrücklich vertrat. So konnte es nicht überraschen, dass er sich seit den 1980er Jahren immer stärker der regionalen Sprachgeschichte des Spätmittelalters und der Frühen Neuzeit zuwandte. Den Anfang markierte die von ihm besorgte Edition und Übersetzung der „Chronik des Johann Wassenberch" (1981), der später noch zwei weitere Texteditionen folgen sollten (1990: „Das Duisburger Stadtrecht 1518" und 2007–2008 gemeinsam mit Margret Mihm: „Mittelalterliche Stadtrechnungen im historischen Prozess. Die älteste Duisburger Überlieferung (1348–1449)"). Vor allem ab den 1990er Jahren befasste sich Mihm in zahlreichen Aufsätzen mit der Entwicklung der Sprachverhältnisse im Rheinmaasraum. Seine sprachhistorischen Arbeiten sind teils der historischen Textlinguistik zuzuordnen, etwa bei seinen Studien zur Genese historischer Textsorten wie Stadtrecht oder Stadtrechnung, teils der historischen Pragmatik, wie z.B. im Falle seiner Untersuchung zur Funktion von Beschimpfungen im Rahmen frühneuzeitlicher Gerichtsprotokolle. Ein Schwerpunkt seines Oeuvres liegt in den graphematischen Analysen, die auf die Erschließung historischer Lautgegebenheiten und lautlichen Wandels abzielten. Besondere Aufmerksamkeit widmete Mihm der Rekonstruktion des norddeutschen Sprachwechsels in der Frühen Neuzeit, für den er – entgegen den gängigen Auffassungen – die Mündlichkeit der städtischen Oberschichten als entscheidenden Katalysator ansah, wie etwa in seinen Aufsätzen „Gesprochenes Hochdeutsch in der norddeutschen Stadt" (1999) und „Oberschichtliche Mehrsprachigkeit und ,language shift' in den Städten des 16. Jahrhunderts" (2001). Als Leiter zweier DFG-Forschungsprojekte konnte er seine Thesen zum Schreibsprachwandel in vormoderner Zeit (Projekt „Niederrheinische Sprachgeschichte. Diachronische Untersuchungen zur historischen Schreibsprache am Niederrhein", 1994–1999) und zur „Entstehung der deutsch-niederländischen Sprachgrenze im Rheinmaasraum" (1999–2002) auf einer breiten empirischen Basis erproben und verfeinern. Aus den beiden Projekten gingen neben einigen Aufsätzen (z. B. 2006: „Neuhochdeutsche und neuniederländische Standardisierungsprozesse im Rheinmaasraum der frühen Neuzeit") auch zwei Monografien seiner Schüler hervor (Elmentaler 2003, Stichlmair 2008). Die wichtigsten sprachhistorischen Aufsätze von Arend Mihm bis 2005 sind in dem Band „Sprachwandel im Spiegel der Schriftlichkeit" (2007) gesammelt, erschienen zu Ehren seines 70. Geburtstags.

Mihms enorme Produktivität auch weit über seine Emeritierung hinaus zeigt sich darin, dass er seit Erscheinen des genannten Sammelbandes noch 17 weitere Beiträge zu sprachhistorischen Themen veröffentlichte. Dabei bezog er neben den historischen Schreibsprachen nun auch die Druckersprachen verstärkt mit ein und dehnte zudem auch den räumlichen

Radius seiner Untersuchungen sukzessive vom Rheinmaasraum auf andere Regionen aus, z.b. mit Arbeiten zu den spätmittelalterlichen und frühneuzeitlichen Sprachverhältnissen in Köln, Erfurt, Straßburg, Augsburg, Nürnberg und Greifswald. Auch thematisch erschloss er sich hierbei immer neue Interessengebiete. So trat immer stärker sein Interesse an den komplexen Verhältnissen der städtischen Mehrsprachigkeit in der Frühen Neuzeit hervor und damit auch seine Orientierung an genuin kontaktlinguistischen Fragestellungen, wie der Frage nach dem Verhältnis der damaligen High und Low Varieties (die er als vertikale Schichtung von Basilekten, Mesolekten und Akrolekten modellierte) und der Funktion von Codeswitching. Ein Leitthema war darüber hinaus die frühmoderne Sprachstandardisierung und deren „soziodialektale Sprachdynamik", die er an kontrovers diskutierten Sprachwandelphänomenen wie der Auslautverhärtung exemplarisch reflektierte. In seinem letzten, 2022 in den „Beiträgen zur Geschichte der deutschen Sprache und Literatur" (PBB) publizierten Aufsatz wandte er sich schließlich noch einmal einem aktuellen Problemfeld zu, nämlich dem geschlechtsspezifischen Sprachgebrauch, wobei er in seiner Analyse des umfangreichen Briefwechsels des Nürnberger Patrizierehepaars Paumgartner aus dem späten 16. Jahrhundert an Ergebnisse der aktuellen Gendersprachforschung anknüpfte.

Die beeindruckende Vielfalt von Arend Mihms Werk zeigt, dass er aktuellen Ideen stets aufgeschlossen war, wodurch es ihm immer wieder gelang, der sprachwissenschaftlichen Forschung neue, überraschende Impulse zu geben. Zugleich zeichnen sich alle seine Arbeiten durch eine solide korpuslinguistische Fundierung, eine große handwerkliche Sorgfalt und eine wohldurchdachte Argumentation und Beweisführung aus. Mit seinen Studien hat er die Sprachgeschichtsforschung, Variationslinguistik und Regionalsprachforschung des Deutschen über mehr als vier Jahrzehnte entscheidend mitgeprägt. Bis ins hohe Alter nahm er regelmäßig als Vortragender und engagierter Diskutant an den Jahrestagungen des Vereins für niederdeutsche Sprachforschung und des Arbeitskreises Historische Stadtsprachenforschung teil. Nicht vergessen werden sollten auch seine Verdienste als Lehrender an der Universität Duisburg, der es verstand, den Studierenden auch als ‚schwierig' geltende sprachhistorische oder soziolinguistische Themen nahezubringen und sie zu eigenen korpusbasierten Untersuchungen anzuregen, lange bevor „Forschungsbasiertes Lehren und Lernen" zu einem bildungspolitischen Schlagwort wurde.

Im Niederdeutschen Korrespondenzblatt wurden Arend Mihms wissenschaftliche Verdienste bereits zweimal gewürdigt, anlässlich seines 70. und 80. Geburtstags (Nd. Kbl. 114/1, 2007 und 124/1, 2017). Wir werden ihn als einen exzellenten Sprachwissenschaftler, als akademischen Lehrer und Fachkollegen in dankbarer Erinnerung behalten.

Kiel   *Michael Elmentaler*

Zur Erinnerung an Heinrich Thies (1938–2023)

Im Alter von 85 Jahren ist Heinrich Thies am 10. Juli 2023 in seinem langjährigen Wohnort Glinde im südlichen Schleswig-Holstein verstorben. Als Bearbeiter des niederdeutsch-hochdeutschen und hochdeutsch-niederdeutschen Gebrauchswörterbuchs „Der neue SASS", das 2023 in neunter Auflage mit inzwischen über 10.000 Lemma-Ansätzen erschien, und als Autor der ebenfalls unter dem Dach des geschützten Markenna-mens SASS agierenden „Plattdeutschen Grammatik", die 2021 in vierter Auflage erschien, ist Heinrich Thies nach 2002 auch über Schleswig-Holstein hinaus als Sprachförderer und Sprachgestalter des Niederdeut-schen bekannt geworden. Die erste Auflage des „Neuen SASS" erschien 2002 und wurde von Heinrich Kahl (1921–2010) zusammen mit Thies erarbeitet. Nach Kahls Tod übernahm Thies die alleinige Verantwortung für das Wörterbuch, das bis 2023 im Wachholtz Verlag erschien und dort 2014 zudem durch den Band „Der kleine SASS" als schmalere Auswahl aus dem niederdeutschen Wortschatz ergänzt wurde. Ausgangspunkt der beiden Wörterbücher ist das erstmals 1957 erschienene „Kleine plattdeut-sche Wörterbuch" von Johannes Saß, das bis 1989 in 14 Auflagen erschien und vornehmlich der Illustration der dort ebenfalls erläuterten Recht-schreibregeln für das Niederdeutsche nach Saß diente. Ihm wurde 1992 das „Kleine hochdeutsch-plattdeutsche Wörterbuch" von Hans Werner Gondesen an die Seite gestellt. Kahl und Thies führten beide Publikatio-nen im „Neuen SASS" zusammen, etablierten die Bezeichnung SASS unter dieser Schreibweise als geschützte Markenbezeichnung für Sprach-lehrmaterial zum Nordniederdeutschen und prägten auch die charakteristi-sche orangefarbige Umschlaggestaltung, die sich auch in der Internetprä-senz sass-platt.de fortsetzt. Im Kern blieben die in diesen Publikationen vertretenen und erläuterten Rechtschreibregeln der Ausgangspunkt. 2014 widmete Thies allein diesen Regeln eine umfängliche Broschüre.

Die Wirksamkeit dieses Prozesses kann nicht hoch genug eingeschätzt werden, da dem von einem sprachfördernd tätigen Verein, der Fehrs-Gilde, herausgegebenen Wörterbuch binnen kurzer Frist hohe Verbind-lichkeit in der niederdeutschen Kulturszene des schleswig-holsteinischen, hamburgischen und nordniedersächsischen Raumes zuerkannt wurde, was auch zu entsprechenden Empfehlungen in offiziellen Handreichungen der

Bildungspolitik zum Niederdeutschunterricht und zur Übernahme der im Wörterbuch vermittelten grammatischen Formen und orthografischen Regeln in niederdeutsches Lehrmaterial führte. Damit sind das Wörterbuch und seine Anschlusspublikationen als Elemente in einem dynamischen Prozess zu begreifen, der im Anschluss an die Aufnahme der niederdeutschen Mundarten als Regionalsprache Niederdeutsch in die Europäische Charte der Regional- oder Minderheitensprachen entstand. Nicht von ungefähr hatte Heinrich Thies diesen Prozess zwischen 1992 und 1999 aktiv begleitet und durch das Sammeln von über 18.000 Unterschiften gesellschaftlichen Rückhalt für die Idee einer geschützten Regionalsprache Niederdeutsch organisiert. Dieses Engagement nahm für Thies stets einen hohen Stellenwert ein. Getragen wurde es institutionell vom Verein Fehrs-Gilde, der das Wörterbuch, die Grammatik und die zugehörige Internetpräsenz herausgibt und finanzielle Mittel für die weitere Betreuung der Vorhaben einwirbt. Heinrich Thies war von 1997 bis 2007 Vorsitzender und nach 2007 Ehrenvorsitzender der Fehrs-Gilde. Er gestaltete die literarische Namengesellschaft mit wechselhafter Geschichte maßgeblich zu einer „Gesellschaft für niederdeutsche Sprachpflege, Literatur und Sprachpolitik", so ihr Namenzusatz, um und machte die SASS-Publikationen zu einer Hauptaufgabe der Vereinigung.

In den zwei Jahrzehnten seit dem Erscheinen der ersten Auflage des „Neuen SASS" brachte der chartagestützte Ausbau schulischer Vermittlungsstrukturen in den Nordländern auch neue Notwendigkeiten der sprachbezogenen Unterstützung dieser Prozesse mit sich. Heinrich Thies erwies sich neuen Informationstechnologien gegenüber stets besonders aufgeschlossen und förderte früh die Bereitstellung von Daten im Internet. Während eine Onlineversion der Grammatik mit Unterstützung der schleswig-holsteinischen Landesregierung bereits 2014 erschien, wurde eine Onlineversion des Wörterbuchs erst am 1. September 2022 nach langjähriger Vorbereitung mit ungefähr 180.000 Lemma-Ansätzen veröffentlicht. Technisches Vorbild ist das Ostfriesische Online-Wörterbuch der Ostfriesischen Landschaft. Während das Online-Angebot seitdem umfassend genutzt wird, ist die Bedeutung der gedruckten Ausgabe des Wörterbuchs, das seit 2023 ebenso wie die Grammatik (seit 2021) im kleineren Marless Verlag erscheint, seitdem gesunken. Ausgehend von der Internetpräsenz der SASS-Materialien sass-platt.de, die zudem niederdeutsche Ortsnamen und eine niederdeutsche Schreibhilfe für mobile Endgeräte thematisiert, wird das Angebot weiter ausgebaut. Derzeit wird eine niederdeutsche Rechtschreibhilfe für Word-Programme abgeschlossen, die Heinrich Thies bis zu seinem Tod bearbeitet und fast fertiggestellt hat.

Als geduldiger und stark argumentierender Verfechter seiner Inhalte, in der Regel auf niederdeutsch vorgetragen, brachte Thies seine Anliegen an den verschiedenen zuständigen offiziellen Stellen zu Gehör und zum Erfolg. Er pflegte seine Verbindungen in die schleswig-holsteinische Landespolitik und sprach die Verantwortlichen auf die anstehenden Vorhaben an. Es ist dadurch kaum zu ermessen, welche langfristigen Vorzüge auch der offiziellen Sprachpolitik Schleswig-Holsteins durch die Ideen und Initiativen von Thies erwachsen sind.

In allen diesen Prozessen erwies sich Thies als wirksame Einzelpersönlichkeit, die Gelder einwarb, inhaltliche und technische Unterstützung fand, Zuspruch zu seinen Arbeitsergebnissen von verschiedenen Institutionen einholte, stets offen war für neue Ideen und durch unermüdliche eigene Arbeit an den Projekten zu nachhaltig wirksamen Ergebnissen gelangte. Insbesondere die eigene Auseinandersetzung mit niederdeutschem Sprachmaterial und die Dokumentation dieser Auseinandersetzung im Wörterbuch und in der Grammatik zeichneten Thies aus. Auf diese Weise hat er sich in der jüngeren Entwicklungsgeschichte der nordniederdeutschen Mundarten einen bleibenden Platz als Gestalter von Standardisierungsprozessen sowohl auf sprachpolitischer als auch auf konkreter grammatischer Ebene verschafft. Es ist naheliegend, dass solche auch in die Sprachlichkeit von Varietäten eingreifenden Prozesse grundsätzlich eher außerhalb wissenschaftlicher Diskurse im engeren Sinne verortet sind, da sie sich anderen primären Zielsetzungen verpflichtet sehen und in der Folge anders, auch freier mit dem sprachlichen Material und seiner Präsentation in Nachschlagewerken umgehen. Damit ist keineswegs angedeutet, dass die getroffenen Entscheidungen zur sprachlichen Ausgestaltung nicht nachvollziehbar sind, aber sie sind auch keiner gleichberechtigten Präsentation aller Varianten verpflichtet, wie insbesondere das Netz-Wörterbuch zeigt.

Heinrich Thies war kein Linguist im engeren fachwissenschaftlichen Sinne und auch nicht im eigenen Selbstverständnis, obgleich er im Katalog der Deutschen Nationalbibliothek und an anderen Stellen aufgrund seiner Publikationen als Dialektologe und Linguist geführt wird. Er begegnete dem Sprachmaterial vornehmlich von anderer Warte aus. Sein Studium und das anschließende Berufsleben waren der Jurisprudenz gewidmet, womit sich ein hohes Sprachbewusstsein verbinden musste. Geboren wurde Heinrich Thies am 25. Januar 1938 in Westerrönfeld bei Rendsburg, wo er in einer niederdeutschsprachigen Umgebung aufwuchs. Mit dieser Prägung betrieb Thies seine sprachpflegerische Arbeit und begegnete er dem Niederdeutschen und seiner kodifizierenden Dokumentation, die weniger rein dialektologischen Prinzipien folgte, als dass sie das Niederdeutsche

als lebendige Ausbausprache begriff, die leicht erlernbar und aktuell ge-
halten werden muss. Der Erhalt des Niederdeutschen wurde für Thies
damit zu einem Projekt, für dass es auch die Möglichkeiten politischer
Unterstützung immer wieder auszuloten galt. Auf diesen Feldern hat er
eine starke Wirkung erzielt. In Glinde, wo er lange Jahre mit seiner Familie lebte, machte er sich zudem um die Gründung eines Heimat- und Bür-
gervereins und um ein Museum verdient.

Für sein Engagement wurde Thies mehrfach ausgezeichnet, so im Jahr
2020 mit dem Quickborn-Preis und bereits zuvor mit dem Bundesver-
dienstkreuz am Bande. Dem Verein für niederdeutsche Sprachforschung
gehörte Thies seit 1992 an. Er nahm regelmäßig an den Pfingsttagungen
teil, solange es seine Gesundheit zuließ, und suchte und fand stets den
Kontakt zur niederdeutschen Philologie. Das Fach selbst wiederum hat
seine Publikationen (Wörterbuch und Grammatik) von Beginn an umfassend genutzt und in den Fachdiskurs eingespeist, indem seine Werke als
Quelle sprachlichen Wissens anerkannt und nicht bei jeder Einbindung
bezüglich ihrer eigenen Quellengrundlagen hinterfragt wurden. Auf diese
Weise hat die niederdeutsche Philologie Thies gedankt, dass er die fachliche Auseinandersetzung mit einem Gebrauchswörterbuch und einer Ge-
brauchsgrammatik ausgestattet hat, die auch außerhalb von Fachdiskursen
nachgefragt werden und eine hohe Funktionalität entfaltet haben. Auch aus
diesem Grunde werden die Printausgaben und die Onlinepräsentationen
des Wörterbuchs und der Grammatik im Sinne von Heinrich Thies fortgeführt werden. Im Fach werden seine gut erreichbaren Arbeitsergebnisse
noch lange fortwirken, im nordniederdeutschen Bildungsdiskurs und in der
niederdeutschen Kulturszene ist die Wirkung seiner niederdeutschen
Spracharbeit sehr weitreichend. Heinrich Thies hat den praktischen Umgang mit nordniederdeutschem Sprachmaterial in jüngerer Zeit geprägt
wie kaum eine zweite Persönlichkeit. Dieser Einsatz bleibt auch im Verein
für niederdeutsche Sprachforschung unvergessen.

Flensburg *Robert Langhanke*

Prof. Dr. Vibeke Winge zum 80. Geburtstag

Am 13. April 2023 feierte die Sprachwissenschaftlerin Prof. Dr. Vibeke
Winge ihren 80. Geburtstag.

Schon zu ihrem 70. Geburtstag wurde Vibeke Winge mit einer Gratula-
tion im Nd. Kbl. (120, 2013, S. 69–71) gewürdigt, aber obwohl zehn Jahre
vergangen sind, bestehen ihre wissenschaftliche Neugier und ihre große
Schaffenskraft unverändert. Das lässt sich aus den vielen Arbeitsaufgaben

erkennen, die Vibeke Winge seit vielen Jahren durchführt. Sie hält immer wieder Vorträge, übersetzt und schreibt Aufsätze und Rezensionen.

Vibeke Winge wird fortgesetzt als Fachberaterin und Übersetzerin bei der Herausgabe deutschsprachiger Quellen aus Dänemark des Mittelalters und der frühen Neuzeit hinzugezogen. Vor allem ist sie als Herausgeberin und Konsulentin bei der Gesellschaft für Dänische Sprache und Literatur (DSL) tätig. Darüber hinaus ist sie weiterhin als Lexikografin aktiv, so arbeitet sie z. B. unermüdlich am „Frühneuhochdeutschen Wörterbuch" mit, zu dessen Online-Ausgabe sie mit Ergänzungen bezüglich der Wortbildung und Onomasiologie beiträgt.

Seit vielen Jahren beschreibt Vibeke Winge unter den verschiedensten Aspekten die niederdeutsche und hochdeutsche Sprache in Dänemark, nicht nur am dänischen Hof und in der Verwaltung des dänischen Vielvölkerstaates, sondern auch unter den Bürgern und Kaufleuten in Dänemark. In den vergangenen Jahren hat sie in dem Zusammenhang Aufsätze zum Gebrauch des Niederdeutschen als Kontaktsprache im Ostseeraum (2022) und zur historischen Lexikografie in Dänemark (2022) geschrieben. Darüber hinaus ist ihr bedeutender Beitrag im Werk „Dansk Sproghistorie" (Band 5, 2021, S. 221–234) zum Gebrauch des Deutschen und Niederländischen in Dänemark zu erwähnen.

Der Verein für niederdeutsche Sprachforschung gratuliert der Jubilarin und wünscht ihr viele weitere gute gesunde Jahre voller Schaffenskraft und Freude am fachlichen Austausch.

Kopenhagen   *Sebastian Møller Bak*

Reinhard Goltz zum 70. Geburtstag

Wer in Bremen und umzu gelegentlich am Vormittag Radio hört (oder weltweit übers Internet), kennt die Stimme von Reinhard Goltz. Seit über zwanzig Jahren verliest er dort, im Wechsel mit mehreren Kollegen, mit freundlicher Bestimmtheit die aktuellen Nachrichten auf Niederdeutsch („Bremen een, de Klock is halbig ölben, de Narichten."). Scheinbar keine große Sache, aber doch bedeutsam, denn es öffnet dem Niederdeutschen eine sprachliche Domäne und trägt zu seiner Sichtbarkeit bei. Und ist damit typisch für das, was Reinhard Goltz mit dem Niederdeutschen, seiner Erforschung, aber eben auch seinem alltäglichen Gebrauch, verbindet.

Eigentlich hatte Reinhard Goltz ja Lehrer werden wollen. Er hat, ab 1974, in Hamburg Deutsch und Englisch studiert und das Erste und Zweite Staatsexamen abgelegt, und die Freude daran, jungen Menschen Hilfestellung zu leisten beim Entdecken der Welt, ist ihm bis heute zu eigen (und folgerichtig lehrt er, trotz Pensionierung, noch immer an der Universität Bremen). Doch als mindestens ebenso groß erwies sich die Freude am eigenen Entdecken und Forschen, und so wählte er den Weg in die Wissenschaft, immer allerdings die wahre Welt mit ihren praktischen Erfordernissen im Blick behaltend.

Aufgewachsen ist Reinhard Goltz auf der Hamburger Elbinsel Finkenwerder, und dort fand er auch das Material für seine Dissertation, *Die Sprache der Finkenwerder Fischer*, Hochsee-Feldforschung, nicht jedermanns Sache. An der Universität Kiel war er zunächst Assistent am Lehrstuhl für Niederdeutsch, dann ab 1985 Mitarbeiter an der Arbeitsstelle *Preußisches Wörterbuch*, ab 1992 deren Leiter und Herausgeber des Wörterbuchs. 2003 wechselte er nach Bremen und wurde dort Geschäftsführer am Institut für niederdeutsche Sprache (INS), einer Institution wie für ihn gemacht, an der Schnittstelle von Wissenschaft und praktischer Kulturarbeit; von 2014 bis 2023 war er Vorstand des INS. In dieser Rolle vertrat er das Niederdeutsche auch in etlichen Gremien, etwa im Beirat Niederdeutsch beim Schleswig-Holsteinischen Landtag (1998–2017) oder als Sprecher des Bundesraats för Nedderdüütsch (2002–2016).

Mit ungezählten Vorträgen und Aufsätzen, Interviews und Rundfunkbeiträgen nahm und nimmt Reinhard Goltz nicht nur teil am wissenschaftlichen Diskurs, sondern leistet auch Beachtliches für den Wissenschafts-Transfer, publiziert wissenschaftliche wie populärwissenschaftliche Texte und Bücher. Und er zeigt, dass das Plattdeutsche eine lebendige Sprache ist, nicht zuletzt durch zahlreiche Übersetzungen ins Niederdeutsche (am prominentesten sind wohl die *Asterix*-Übersetzungen, zu nennen wären auch *Donald Duck* und *Popeye*, *Harry Potter* oder *Der Grüffelo* und weitere).

Am 6. November 2023 feierte Reinhard Goltz seinen 70. Geburtstag. Die Mitglieder des Vereins, dem er seit nunmehr 43 Jahren angehört, gratulieren herzlich und wünschen für das nun begonnene achte Lebensjahrzehnt alles Gute!

Mannheim *Albrecht Plewnia*

Ausgewählte studentische Abschlussarbeiten zu Themen der niederdeutschen Philologie, Nr. 7 (2023–2024 + Nachträge)

Bachelorarbeiten

Blankenburg, K.: Vorschläge zur Kartierung des *Schleswig-Holsteinischen Wörterbuchs*. (Flensburg 2023; Langhanke/Bockmann).

Esplör, P. M.: Bielefelderisch – gibt's doch gar nicht! Eine soziolinguistische Untersuchung der Sprache in Bielefeld. (Bielefeld/Hannover 2024; Kutscher/Conrad).

Faistl, M.: ‚Ist das ‚gutes' Hochdeutsch?' – Standarddivergenz und Normativität in der Wahrnehmung regiolektaler Merkmale Norddeutschlands. (Hannover 2024; Ehrlich/Conrad).

Fischer, J.: Gegenseitige Beeinflussung von Hochdeutsch und Niederdeutsch im Gespräch. (Flensburg 2023; Langhanke/Bockmann).

Heitmüller, T.: ‚Och, man hört ja schon raus, wenn's Einbecker sind!' Eine soziolinguistische Untersuchung der Stadtsprache Einbecks (Südniedersachsen). (Hannover 2023; Conrad/Krukenberg).

Katzberg, M.: Spielend lernen im Niederdeutschunterricht. Zur Entwicklung analoger Lernspiele für das Lehrwerk „Paul un Emma un ehr Frünnen". (Flensburg 2023; Langhanke/Bockmann).

Lange, R.: Textsorten des Altsächsischen. (Flensburg 2023; Langhanke/Bockmann).

Listing, K. L.: Die Blätter der Fehrs-Gilde in der Zeit des Nationalsozialismus. Eine exemplarische Analyse der Vereinsschriften. (Hamburg 2023; Schröder/Hettler).

Lost, K.: Digitale Lernspiele im Niederdeutschunterricht. (Flensburg 2023; Langhanke/Bockmann).

Mertens, E.: Geschlechts- und altersspezifische Unterschiede in der Intonation bei Menschen aus Hannover. (Hannover 2024; Conrad/Krukenberg).

Petersen, L.: Förderung des Zweitspracherwerbs durch mehrsprachige Bilderbücher am niederdeutschen Beispiel. (Flensburg 2023; Langhanke/Bockmann).

Raschke, J.: Traditionen in Dithmarschen und das Niederdeutsche. (Flensburg 2023; Langhanke/Bockmann).

Reitel, F.: Zum Einsatz literarischer Texte im Niederdeutschunterricht der Grundschule. (Flensburg 2023; Langhanke/Diercks).

Schacht, N.: Zur Gestaltung regionaler Identität mit niederdeutscher Sprache. (Flensburg 2023; Langhanke/Bockmann).

Scherdin, F.: ‚Moin – genu[x] gesa[x]t!' Eine soziolinguistische Untersuchung der Sprache Bremerhavens. (Münster/Hannover 2023; Seiferheld/Conrad).

Schulle, M.: ‚So spricht meine Nachbarin auch immer.' Eine perzeptionslinguistische Untersuchung der Lokalisierung standardnaher Sprachbeispiele im norddeutschen Raum. (Hannover 2023; Conrad/Ehrlich).

Wybraniec, M.: Regional gefärbt. Eine akustische Vokalanalyse ostfälischer Stadtsprachen. (Hannover 2023; Conrad/Ehrlich).

Masterarbeiten / Magisterarbeiten / Staatsexamensarbeiten

Albrecht, H.: Zur Lesekompetenz im Niederdeutschunterricht der Sekundarstufe. (Flensburg 2024; Langhanke/Bockmann).

Costea-Schuster, L.-M.: ‚Das hab ich nich gesagt, weil ich immer alle Laute ausspreche': Apokope und Allegrosprachlichkeit in Hannover. (Hannover 2023; Ehrlich/Conrad).

von der Heyde, J.: Möchten Grundschülerinnen und Grundschüler die niederdeutsche Sprache lernen? Lernmotive und Lernziele. (Flensburg 2023; Langhanke/Bockmann).

Jordt, J.: Das Niederdeutsche in der Landwirtschaft der Region Angeln. Eine exemplarische Bestandsaufnahme zur Sprachförderung. (Flensburg 2024; Langhanke/Bockmann).

Meenken, P.: Ein Sturm aus Bildern und Zeichen. Waltrud Bruhns Poetik der Autoreflexivität und der literarischen Mehrsprachigkeit im Gedichtband „Windlast". (Oldenburg 2023; Brandt/Helduser).

Reppnow, L.: ‚Die haben mir imm[ɔ] gesa[x]t, wir hören uns so ostdeutsch an.' Eine variationslinguistische Untersuchung der städtischen Umgangssprache Kassels. (Hannover 2023; Conrad/Ehrlich).

Schittig, Ch.: Plattdeutsch lernen mithilfe von E-Learning. Didaktische Chancen und Herausforderungen für den Niederdeutschunterricht an Schulen. (Kiel 2024; Elmentaler/Wilcken).

Schröder, M.: ‚Sprechen wir w[ʏ]rklich langweili[ç]?' – Eine soziolinguistische Untersuchung der Aussprache in der Deister-Region. (Hannover 2023; Conrad/Ehrlich).

Schulschenk, T.: ‚Der kann jäö kaan Deutsch!' – Das Missingsch in Hannover. (Hannover 2024; Conrad/Krukenberg).

Siebert, A.: Transferenzen aus dem Russischen und Deutschen auf der lexikalischen, morphologischen und syntaktischen Ebene im Plautdietsch der Orenburger Mennoniten. (Kiel 2023; Elmentaler/Nádeníček).

Stuck, S.: Niederdeutsch in den Printmedien im Amtsgebiet Kropp-Stapelholm. (Flensburg 2023; Langhanke/Bockmann).

Um die Übermittlung bibliographischer Daten ausgewählter Abschlussarbeiten des Studienjahres 2024/2025 sowie von Nachtragsdaten an die Redaktion des Nd. Kbl. für die Ausgabe 132 (2025) wird bis zum 15. Februar 2025 vielmals gebeten.

Flensburg   *Robert Langhanke*
Kiel   *Viola Wilcken*

Niederdeutsche Bibliographie (97)
(Fortsetzung von Nd. Kbl. 130, 2023, S. 149–172)
Koordination: Nadine Wallmeier

Allgemeines und Überblicksdarstellungen

9539. BIEBERSTEDT, Andreas/BRANDT, Doreen/EHLERS, Klaas-Hinrich/ SCHMITT, Christoph: Stationen in der Geschichte der Niederdeutschen Philologie. In: BIEBERSTEDT, Andreas/BRANDT, Doreen/EHLERS, Klaas-Hinrich/SCHMITT, Christoph (Hrsg.): 100 Jahre Niederdeutsche Philologie: Ausgangspunkte, Entwicklungslinien, Herausforderungen. Teil 1: Schlaglichter auf die Fachgeschichte. (Regionalsprache und regionale Kultur, Mecklenburg-Vorpommern im ostniederdeutschen Kontext, 6). Lausanne, Berlin 2023, S. 11–102.

9540. CORNELISSEN, Georg: Der Niederrhein und sein Platt: Prakesiere kömmt van ärme Lüj. Köln 2022, 107 S.

Paderborn   *Nadine Wallmeier*

Sammelschriften

9541. BIEBERSTEDT, Andreas/BRANDT, Doreen/EHLERS, Klaas-Hinrich/SCHMITT, Christoph (Hrsg.): 100 Jahre Niederdeutsche Philologie: Ausgangspunkte, Entwicklungslinien, Herausforderungen. Teil 1: Schlaglichter auf die Fachgeschichte. (Regionalsprache und regionale Kultur, Mecklenburg-Vorpommern im ostniederdeutschen Kontext, 6). Lausanne, Berlin 2023, 484 S.

9542. DAMMEL, Antje/DENKLER, Markus (Hrsg.): Regionale Sprachforschung. 50 Jahre Kommission für Mundart- und Namenforschung Westfalens. (Westfälische Beiträge zur niederdeutschen Philologie, 21). Münster 2023, 260 S.

9543. FÖLLNER, Ursula/LUTHER, Saskia/ROTH, Kersten (Hrsg.): Niederdeutsche Sprachlandschaften in Sachsen-Anhalt. Linguistische und laienlinguistische Perspektiven. Halle/Saale 2022, 160 S.

Paderborn *Nadine Wallmeier*

Bio-Bibliographisches

9544. BRAUN, Angelika: Joachim Göschel (22.12.1931–9.4.2022). In: Nd. Kbl. 130 (2023), S. 131–133.

9545. CHRISTEN, Helen: Walter Haas zum Achtzigsten. In: Nd. Kbl. 130 (2023), S. 144–146.

9546. CÖLLN, Jan: Hermann Teucherts Lehre an der Universität Rostock 1920–1954. In: BIEBERSTEDT, Andreas/BRANDT, Doreen/EHLERS, Klaas-Hinrich/SCHMITT, Christoph (Hrsg.): 100 Jahre Niederdeutsche Philologie: Ausgangspunkte, Entwicklungslinien, Herausforderungen. Teil 1: Schlaglichter auf die Fachgeschichte. (Regionalsprache und regionale Kultur, Mecklenburg-Vorpommern im ostniederdeutschen Kontext, 6). Lausanne, Berlin 2023, S. 269–302.

9547. FISCHER, Christian: Dr. Robert Peters M.A. (1944–2022). In: Nd. Kbl. 130 (2023), S. 134–138.

9548. LEHMBERG, Maik: Martin Johannes Schröder (1955–2022). In: Nd. Kbl. 130 (2023), S. 138–142.

9549. MENKE-SCHNELLBÄCHER, Kirsten: Zum 70. Geburtstag von Ulrich Seelbach. In: Nd. Kbl. 130 (2023), S. 146–147.

9550. RIEGER, Hannah: Dankesrede zum Agathe-Lasch-Preis 2022. In: Nd. Kbl. 130 (2023), S. 108–112.

9551. SCHRÖDER, Ingrid: Agathe-Lasch-Preis 2022. In: Nd. Kbl. 130 (2023), S. 103–108.

9552. STELLMACHER, Dieter: Hermann Teuchert, die Flämingforschung und die niederdeutsche Sprachgeschichte. In: BIEBERSTEDT, Andreas/BRANDT, Doreen/EHLERS, Klaas-Hinrich/SCHMITT, Christoph (Hrsg.): 100 Jahre Niederdeutsche Philologie: Ausgangspunkte, Entwicklungslinien, Herausforderungen. Teil 1: Schlaglichter auf die Fachgeschichte. (Regionalsprache und regionale Kultur, Mecklenburg-Vorpommern im ostniederdeutschen Kontext, 6). Lausanne, Berlin 2023, S. 303–321.

9553. STELLMACHER, Dieter: Dr. Heinrich Kröger zum 90. Geburtstag. In: Nd. Kbl. 130 (2023), S. 143.

Paderborn   *Nadine Wallmeier*

Niederdeutsch in der Öffentlichkeit und im Bildungswesen

9554. ARENDT, Birte/BIEBERSTEDT Andreas: Das interuniversitäre Lehrnetzwerk „Niederdeutsch vermitteln/Plattdüütsch lihren" (LeNie) erhält umfassende Förderung. In: Nd. Kbl. 130 (2023), S. 127–129.

9555. ARENDT, Birte/LANGHANKE, Robert: Dankesworte der Preisträger. In: Bevensen-Jahrbuch 75 (2023), S. 116–120.

9556. BRANDT, Doreen/FRANK, Marina: „Raum für Diskussionen". 1. Sommerakademie Niederdeutsch: Sprache, Literatur, Didaktik. Universität Oldenburg, 5. bis 9. September 2022. In: Nd. Kbl. 130 (2023), S. 121–125.

9557. BRANDT, Doreen: Niederdeutsch macht Schule. Auftaktveranstaltung zum Start der Niederdeutschstudiengänge an der Universität Oldenburg. In: Nd. Kbl. 130 (2023), S. 125–126.

9558. CANTAUW, Christiane: Sammeln für Westfalen: Die Volkskundliche Kommission zwischen 1928 und 1951. In: DAMMEL, Antje/DENKLER, Markus (Hrsg.): Regionale Sprachforschung. 50 Jahre Kommission für Mundart- und Namenforschung Westfalens. (Westfälische Beiträge zur niederdeutschen Philologie, 21). Münster 2023, S. 72–97.

9559. DENKLER, Markus: Öffentlichkeitsarbeit der Kommission für Mundart- und Namenforschung Westfalens. In: DAMMEL, Antje/DENKLER, Markus (Hrsg.): Regionale Sprachforschung. 50 Jahre Kommission für Mundart- und Namenforschung Westfalens. (Westfälische Beiträge zur niederdeutschen Philologie, 21). Münster 2023, S. 224–241.

9560. DITT, Karl: Die Kommission für Mundart- und Namenforschung Westfalens: Vorgeschichte, Geschichte und Gegenwart. In: DAMMEL, Antje/DENKLER, Markus (Hrsg.): Regionale Sprachforschung. 50 Jahre Kommission für Mundart- und Namenforschung Westfalens. (Westfälische Beiträge zur niederdeutschen Philologie, 21). Münster 2023, S. 22–63.

9561. GAUTER, Alicia: Projekttag an einer Grundschule in der Altmark. In: FÖLLNER, Ursula/LUTHER, Saskia/ROTH, Kersten (Hrsg.): Niederdeutsche Sprachlandschaften in Sachsen-Anhalt. Linguistische und laienlinguistische Perspektiven. Halle/Saale 2022, S. 117–131.

9562. EHLERS, Christiane: Blick in die sprachenpolitische Praxis. In: FÖLLNER, Ursula/LUTHER, Saskia/ROTH, Kersten (Hrsg.): Niederdeutsche Sprachlandschaften in Sachsen-Anhalt. Linguistische und laienlinguistische Perspektiven. Halle/Saale 2022, S. 82–94.

9563. FISCHER, Christian: Die Kolloquien der Kommission für Mundart- und Namenforschung Westfalens. In: DAMMEL, Antje/DENKLER, Markus (Hrsg.): Regionale Sprachforschung. 50 Jahre Kommission für Mundart- und Namenforschung Westfalens. (Westfälische Beiträge zur niederdeutschen Philologie, 21). Münster 2023, S. 190–215.

9564. LUTHER, Saskia: Laudatio Johannes-Sass-Preis. In: Bevensen-Jahrbuch 75 (2023), S. 113–115.

9565. METT, Johanna: Die Bibliothek der Kommission für Mundart- und Namenforschung Westfalens. In: DAMMEL, Antje/DENKLER, Markus (Hrsg.): Regionale Sprachforschung. 50 Jahre Kommission für Mundart- und Namenforschung Westfalens. (Westfälische Beiträge zur niederdeutschen Philologie, 21). Münster 2023, S. 216–223.

9566. NENZ, Cornelia: Fritz-Reuter-Literaturpreis 2022 an Birte Arendt und Robert Langhanke. Laudatio. In: Quickborn 113,1 (2023), S. 25–30.

9567. NIEBAUM, Hermann: Die Publikationen der Kommission für Mundart- und Namenforschung Westfalens, In: DAMMEL, Antje/DENKLER, Markus (Hrsg.): Regionale Sprachforschung. 50 Jahre Kommission für Mundart- und Namenforschung Westfalens. (Westfälische Beiträge zur niederdeutschen Philologie, 21). Münster 2023, S. 180–189.

9568. SCHRÖDER, Ingrid: Netzwerke – Die Rostocker Niederdeutsche Philologie und der Verein für niederdeutsche Sprachforschung. In: BIEBERSTEDT, Andreas/BRANDT, Doreen/EHLERS, Klaas-Hinrich/SCHMITT, Christoph (Hrsg.): 100 Jahre Niederdeutsche Philologie: Ausgangspunkte, Entwicklungslinien, Herausforderungen. Teil 1: Schlaglichter auf die Fachgeschichte. (Regionalsprache und regionale Kultur, Mecklenburg-Vorpommern im ostniederdeutschen Kontext, 6). Lausanne, Berlin 2023, S. 189–224.

9569. SEIFERHELD, Maila: Die Archive der Kommission für Mundart- und Namenforschung Westfalens. In: DAMMEL, Antje/DENKLER, Markus (Hrsg.): Regionale Sprachforschung. 50 Jahre Kommission für Mundart- und Namenforschung Westfalens. (Westfälische Beiträge zur niederdeutschen Philologie, 21). Münster 2023, S. 98–115.

9570. SPINDLER, Nicholas/TIEMANN, Sarah: Niederdeutsch für die Kleinsten. In: FÖLLNER, Ursula/LUTHER, Saskia/ROTH, Kersten (Hrsg.): Niederdeutsche Sprachlandschaften in Sachsen-Anhalt. Linguistische und laienlinguistische Perspektiven. Halle/Saale 2022, S. 132–138.

9571. STERN, Ulrike: Das Kompetenzzentrum für Niederdeutschdidaktik der Universität Greifswald. In: Nd. Kbl. 130 (2023), S. 1–4.

Paderborn *Nadine Wallmeier*

Altsächsisch

9572. BARÐDAL, Jóhanna: Oblique Subjects in Germanic. Their Status, History and Reconstruction. (Studies in Language Change, 21). Berlin/Boston 2023, 389 S.

9573. BOHNERT, Niels/NIEVERGELT, Andreas/TIEFENBACH, Heinrich: Vergilglossen in einer Budapester Handschrift. In: PLATE, Ralf/BOHNERT, Niels/SONDER, Christian/TRAUTH, Michael (Hrsg.): Auf den Schwingen des Pelikans. Studien und Texte zur deutschen Literatur des Mittelalters. (ZfdA, Beiheft 40). Stuttgart 2022, S. 103–162.

9574. BRAUNE, Wilhelm: Althochdeutsche Grammatik I. Phonologie und Morphologie. 17. Aufl. von Frank HEIDERMANNS. (Sammlung kurzer Grammatiken germanischer Dialekte, A. Hauptreihe, 5.1). Berlin/Boston 2023, 605 S.

9575. DÜWEL, Klaus/NEDOMA, Robert: Runenkunde. 5. Aufl. Berlin 2023, 371 S.

9576. DÜWEL, Klaus/NEDOMA, Robert/OEHRL, Sigmund: Die südgermanischen Runeninschriften. Mit Beiträgen von Moritz PAYSAN, Peter PIEPER, Diana SAUER und Frauke STEIN. Teil 1: Einleitung und Edition. (Ergänzungsbände zum Reallexikon der Germanischen Altertumskunde, 119, Runische Schriftlichkeit in den germanischen Sprachen, 1). Berlin/Boston 2020, 1102 S.

9577. GOBLIRSCH, Kurt: Lenition in North Sea Germanic. In: LAKER, Stephen/NIELSEN†, Hans Frede (Hrsg.): Early history of the North Sea Germanic languages. (NOWELE, 74, 1). Amsterdam 2021, S. 116–130.

9578. HELLGARDT, Ernst (Hrsg.): Vom St. Galler Abrogans zum Erfurter Judeneid: Frühe deutsche Prosa von ca. 800 bis ca. 1200. Texte, Übersetzungen, Einführungen und Erläuterungen. 2 Bde. Berlin/Boston 2022, 1412 S.

9579. LUXNER, Bernhard: Die althochdeutschen Adjektive auf *-aht(i)/-oht(i)*. Eine diachron- und synchron-vergleichende Untersuchung. (Althochdeutsches Wörterbuch, Beiband). Berlin/Boston 2022, 392 S.

9580. NEDOMA, Robert: Die frühe voraltsächsische und voraltfriesische Runenüberlieferung. Stationen der Sprachgeschichte. In: LAKER, Stephen/NIELSEN†, Hans Frede (Hrsg.): Early history of the North Sea Germanic languages. (NOWELE, 74, 1). Amsterdam 2021, S. 27–65.

9581. NIEVERGELT, Andreas/WICH-REIF, Claudia: Ermittlung, Edition und Auswertung der althochdeutschen und altsächsischen Griffelglossen. In: BERGMANN, Rolf/STRICKER, Stefanie (Hrsg.): Glossenstudien. Ergebnisse der neuen Forschung. (Germanistische Bibliothek, 70). Heidelberg 2020, S. 87–97.

9582. NORTON, Juliana/SAPP, Christopher D.: Dialectal Variation in Old Saxon and the Origins of the *Hêliand* Manuscripts. In: Journal of English and Germanic Philology 120 (2021), S. 516–544.

9583. QUAK, Arend: Geographische Bezeichnungen in einer Leidener Handschrift. In: Beiträge zur Namenforschung, NF. 57 (2022), S. 231–241.

9584. RÜBEKEIL, Ludwig: Did the Saxons really speak Saxon (in the 5th century)? In: LUDOWICI, Babette/PÖPPELMANN, Heike (Hrsg.): New Narratives for the First Millennium AD? Alte und neue Perspektiven der archäologischen Forschung zum 1. Jahrtausend n. Chr. (Neue Studien zur Sachsenforschung, 11). Wendeburg 2022, S. 133–147.

9585. SCHMID, Hans Ulrich: Althochdeutsche Grammatik II. Grundzüge einer deskriptiven Syntax (Sammlung kurzer Grammatiken germanischer Dialekte, A. Hauptreihe, 5.2). Berlin/Boston 2023, 325 S.

9586. SODMANN, Timothy (Hrsg.): Heliand. De Oudsaksische tekst. Assen 2022, 284 S.

9587. VERSLOOT, Arjen P.: Traces of a North Sea Germanic Idiom in the Fifth-Seventh Centuries AD. In: HINES, John/IJSSENNAGGER-VAN DER PLUIJM, Nelleke (Hrsg.): Frisians of the Early Middle Ages. Woodbridge 2021, S. 339–405.

9588. WAGNER, Norbert/SCHUHMANN, Roland: Zu Otachar im Hildebrandslied. Im Anhang: asckim (V. 63). In: Amsterdamer Beiträge zur älteren Germanistik, 83 (2023), S. 320–326.

Jena   *Christoph Hössel*

Mittelniederdeutsch

9589. BAISCH, Martin/RATZKE, Malena/TOEPFER, Regina (Hrsg.): Von Widukind zur ‚Sassine'. Prozesse der Konstruktion und Transformation regionaler Identität im norddeutschen Raum. (Forschungen zu Kunst, Geschichte und Literatur des Mittelalters, 4). Wien [u. a.] 2023, 280 S.

9590. BAISCH, Martin/RECKER, Anabel: Ein Traum von arthurischer *sælde*. Die Leidener *Wigalois*-Handschrift (Leiden, Universiteitsbibliotheek, Ltk. 537, Sigle B). In: BAISCH, Martin/RATZKE, Malena/TOEPFER, Regina (Hrsg.): Von Widukind zur ‚Sassine'. Prozesse der Konstruktion und Transformation regionaler Identität im norddeutschen Raum. (Forschungen zu Kunst, Geschichte und Literatur des Mittelalters, 4). Wien [u. a.] 2023, S. 99–130.

9591.   BASTERT, Bernd/DE BRUIJN, Elisabeth/MASSE, Marie-Sophie:
        Chapitre V. *Flos unde Blankeflos*. Version en moyen bas alle-
        mand, fin XIVe-début XVe siècle. In: LODÉN, Sofia/OBRY, Va-
        nessa (Hrsg.): *Floire et Blancheflor en Europe: Anthologie*. (Col-
        lection Moyen Âge européen). Grenoble 2022, S. 139–151.

9592.   BICK, Martina: Musikausübung in Beginenhöfen. Ein Überblick.
        In: MÜLLER, Barbara/MÜLLER, Monika E. (Hrsg.): Die Hambur-
        ger Beginen bei St. Jacobi im Kontext ihrer Handschriften und
        Kultur. (Hamburger Studien zu Gesellschaften und Kulturen der
        Vormoderne, 21). Stuttgart 2022, S. 261–279.

9593.   BIEBERSTEDT, Andreas/BRANDT, Doreen: Art. ‚Hansesprache'.
        In: Wörterbücher zur Sprach- und Kommunikationswissenschaft
        (WSK) Online. Hrsg. v. Stefan J. Schierholz. Berlin/Boston 2022.
        www.degruyter.com/database/WSK/entry/wsk_id_wsk_artikel_ar
        tikel_16309/html (1. 3. 2024).

9594.   BRANDT, Doreen: Mit Mittelniederdeutsch auf dem Weg zur
        Niederdeutschen Philologie: August Lübben (1818–1884) und die
        frühe Forschung zum Niederdeutschen. In: BIEBERSTEDT, Andre-
        as/BRANDT, Doreen/EHLERS, Klaas-Hinrich/SCHMITT, Christoph
        (Hrsg.): 100 Jahre Niederdeutsche Philologie: Ausgangspunkte,
        Entwicklungslinien, Herausforderungen. Teil 1: Schlaglichter auf
        die Fachgeschichte. (Regionalsprache und regionale Kultur,
        Mecklenburg-Vorpommern im ostniederdeutschen Kontext, 6).
        Lausanne, Berlin u. a. 2023, S. 143–187.

9595.   BRANDT, Doreen: Bibliographie zur Mittelniederdeutschen Lite-
        ratur. Bestand, Geschichte, Forschung. 2., ergänzte Ausgabe,
        2022. Rostocker Dokumentenserver:
        https://doi.org/10.18453/rosdok_id00004035 (1. 3. 2024).

9596.   BREITBARTH, Anne/FARASYN, Melissa/WITZENHAUSEN, Elisa-
        beth: An den Grenzen des Systems. Vom Wert von Psalmenüber-
        setzungen für die Erforschung der mittelniederdeutschen Syntax.
        In: Beiträge zur Geschichte der deutschen Sprache und Literatur
        144,3 (2022), S. 327–367.

9597.   BRÖSCH, Marco: *Ja, dat is grote woldait, de sinen evenen kerste-
        nen warnet vor der helle pine*. Rezeptions- und literaturgeschicht-
        liche Betrachtungen zu Arnt Buschmanns Mirakel. In: PLATE,
        Ralf/BOHNERT, Nils/SONDER, Christian/TRAUTH, Michael
        (Hrsg.): Auf den Schwingen des Pelikans. Studien und Texte zur

deutschen Literatur des Mittelalters, in Verbindung mit der Wissenschaftlichen Bibliothek der Stadt Trier. (Zeitschrift für deutsches Altertum und deutsche Literatur, Beihefte, 40). Stuttgart 2022, S. 509–546.

9598. BÜLTERS, Timo/SCHULTZ-BALLUFF, Simone: Code-Mixing in den Lüneburger Frauenklöstern. In: GLASER, Elvira/PRINZ, Michael/PTASHNYK, Stefaniya (Hrsg.): Historisches Codeswitching mit Deutsch. Multilinguale Praktiken in der Sprachgeschichte. (Studia Linguistica Germanica, 140). Berlin/Boston 2020, S. 175–210.

9599. BÜTHE-SCHEIDER, Eva: Niederländisch – Niederrheinisch – Kölnisch? Zum Gebetbuch Inv. M 718 (Köln, Museum Schnütgen). In: Rheinische Vierteljahrsblätter 84 (2020), S. 1–24.

9600. CHRISTENSEN, Birgit: Niederdeutsch, Hochdeutsch und Südjütländisch in der Stadtverwaltung und der Kirche zu Aabenraa/Apenrade im 17. Jahrhundert – Hochdeutsch als Hochsprache. In: JUST, Anna/OWSIŃSKI, Piotr A. (Hrsg.): Das sprachliche Handeln in den kleinen Kanzleien. Akten der 10. Tagung des Internationalen Arbeitskreises Kanzleisprachenforschung, Warschau, 9. bis 10. September 2019. (Schriftenreihe Philologia, 256). Hamburg 2021, S. 65–82.

9601. CHRISTENSEN, Birgit: Lidt om sprogene i Aabenraa i 1600-tallet. In: Sønderjysk Månedsskrift 4 (2023), S. 149–157.

9602. DAUVEN-VAN KNIPPENBERG, Carla: Subjektivierung religiöser Wissensvermittlung. In: RIDDER, Klaus/LÜBKE, Beatrice von/NEUMAIER, Michael (Hrsg.): Religiöses Wissen im mittelalterlichen und frühneuzeitlichen Schauspiel. Berlin 2021, S. 369–394.

9603. DENKLER, Markus: V+N-Komposita und ihre Fugenelemente im Mittelniederdeutschen. In: GANSLMAYER, Christine/SCHWARZ, Christian (Hrsg.): Historische Wortbildung. Theorien — Methoden – Perspektiven. (Germanistische Linguistik, 252–254). Hildesheim/Zürich/New York 2021, S. 293–318.

9604. DREESSEN, Katharina/IHDEN, Sarah: Syntaktische Annotation in und mit dem Referenzkorpus Mittelniederdeutsch/Niederrheinisch (1200–1650). In: SCHULZ, Matthias/KÜTT, Lukas (Hrsg.): Sprachgeschichte vor Ort. Stadtsprachenforschung im Spannungsfeld zwischen Ortspunkt und

Sprachraum. (Germanistische Bibliothek, 74). Heidelberg 2022, S. 103–127.

9605. DROST-ABGARJAN, Armenuhi: Die Chronik des Franziskaner Lesemeisters Detmar und Armenien. In: AMMER, Jessica/MEISER, Gerhard/LINK, Heike (Hrsg.): "In vriuntschaft als es was gedâht": Freundschaftsschrift für Hans-Joachim Solms. Berlin 2020, S. 473–485.

9606. ELBING, Bernhard: Der mittelniederdeutsche *nyge kalender* von 1519 und seine Rezeption In: Nd. Kbl. 130 (2023), S. 4–22.

9607. FISCHER, Christian/MEYER, Johanna (Hrsg.): Die *Gemeyne Bicht* des Daniel von Soest. Ein gegenreformatorisches Schauspiel des 16. Jahrhunderts mit drei Liedern. (Westfälische Beiträge zur niederdeutschen Philologie, 22). Münster 2023, 308 S.

9608. GANINA, Natalija/KÖNITZ, Daniel/SQUIRES, Catherine/WOLF, Jürgen (Hrsg.): Deutsche Kultur in russischen Buch- und Handschriftenbeständen. (Akademie gemeinnütziger Wissenschaften zu Erfurt, Sonderschriften, 52; Deutsch-russische Forschungen zur Buchgeschichte, 5). Erfurt 2022, 272 S.

9609. GLUCHOWSKI, Carolin/LÄHNEMANN, Henrike: *Salve festa dies*-Bearbeitungen in den Medinger Andachtsbüchern. In: KULAGINA, Pavlina/LALLINGER, Franziska (Hrsg.): Vom Hymnus zum Gebet. Gattungs- und Gebrauchswechsel liturgischer Lieder in Mittelalter und Früher Neuzeit. (Liturgie und Volkssprache, 6). Berlin 2022, S. 127–158.

9610. HOLTZHAUER, Sebastian: Die mittelniederdeutschen Brandaniana. Eine überlieferungs-, text- und kulturgeschichtliche Untersuchung zum hl. Brandan und seinen Zeugnissen im norddeutschen Raum des Spätmittelalters und der Frühen Neuzeit. In: BAISCH, Martin/RATZKE, Malena/TOEPFER, Regina (Hrsg.): Von Widukind zur 'Sassine'. Prozesse der Konstruktion und Transformation regionaler Identität im norddeutschen Raum. (Forschungen zu Kunst, Geschichte und Literatur des Mittelalters, 4). Köln 2023, S. 185–220.

9611. HOLZNAGEL, Franz-Josef: Die Erforschung des *Rostocker Liederbuchs* von den Anfängen bei Bruno Claußen bis zur Neuedition im Rahmen einer Medienkulturgeschichte weltlicher Liederbücher. In: BIEBERSTEDT, Andreas/BRANDT, Doreen/EHLERS, Klaas-Hinrich/SCHMITT, Christoph (Hrsg.): 100 Jahre Niederdeutsche Philologie: Ausgangspunkte, Entwicklungslinien, Herausforderungen. Teil 1: Schlaglichter auf die Fachgeschichte. (Regionalsprache und regionale Kultur, Mecklenburg-Vorpommern im ostniederdeutschen Kontext, 6). Lausanne, Berlin 2023, S. 225–267.

9612. IHDEN, Sarah: Musterhaftigkeit in Texten der Wissensvermittlung – Eine datengeleitete Analyse am Beispiel des Mittelniederdeutschen. In: Nd. Jb. 146 (2023), S. 7–36.

9613. IHDEN, Sarah: The Present Participle with *Wērden* and *Wēsen* in Middle Low German: A Corpus-Based Analysis of Structure and Meaning. In: Journal of Germanic Linguistics 35,4 (2023), S. 409–446.

9614. IHDEN, Sarah/SCHNELLE, Gohar/SCHRÖDER, Ingrid/ZEIGE, Lars Erik: Der Verbund ‚Deutsch Diachron Digital – Referenzkorpora zur deutschen Sprachgeschichte'. Strategien der Erschließung, Analyse und nachhaltigen Nutzung historischer Sprachdaten. In: KUPIETZ, Marc/SCHMIDT, Thomas (Hrsg.): Neue Entwicklungen in der Korpuslandschaft der Germanistik: Beiträge zur IDS-Methodenmesse 2022. (Korpuslinguistik und interdisziplinäre Perspektiven auf Sprache, 11). Tübingen 2023, S. 11–31.

9615. IHDEN, Sarah/SCHNEE, Lena/SCHRÖDER, Ingrid: Korpusdaten als Basis für eine neue mittelniederdeutsche Grammatik – Möglichkeiten und Herausforderungen quantitativer Auswertungen. In: BRAUN, Christian/SCHERR, Elisabeth (Hrsg.): Methoden zur Erforschung grammatischer Strukturen in historischen Quellen. Vom Einzelfall zum System. (Lingua Historica Germanica, 28). Berlin/Boston 2023, S. 11–37.

9616. IHDEN, Sarah/SCHRÖDER, Ingrid: Variation in der mittelniederdeutschen Substantivflexion. Empirische Untersuchung und grammatikographische Darstellung. In: LASCH, Alexander/ROTH, Kerstin/HETJENS, Dominik (Hrsg.): Historische (Morpho-)Syntax des Deutschen. (Jahrbuch für Germanistische Sprachgeschichte, 14). Berlin/Boston 2023, S. 11–34.

9617. KAMENZIN, Manuel: Königsmorde, Pferde und eine Hypothese. Zur Datierung der Bremer Bilderhandschrift der Sächsischen Weltchronik. In: Bremisches Jahrbuch 100 (2021), S. 40–51.

9618. LÄHNEMANN, Henrike: Armbrust und Apfelbaum. Eine lateinisch-niederdeutsche Hoheliedauslegung (Mscr.Dresd.A.323). In:

PLATE, Ralf/BOHNERT, Nils/SONDER, Christian/TRAUTH, Michael (Hrsg.): Auf den Schwingen des Pelikans. Studien und Texte zur deutschen Literatur des Mittelalters, in Verbindung mit der Wissenschaftlichen Bibliothek der Stadt Trier. (Zeitschrift für deutsches Altertum und deutsche Literatur, Beihefte, 40). Stuttgart 2022, S. 403–430.

9619. LÄHNEMANN, Henrike/SCHLOTHEUBER, Eva: Unerhörte Frauen. Die Netzwerke der Nonnen im Mittelalter. Berlin 2023, 224 S.

9620. LÖFFLER, Anette: Inkunabelfragmente im Archiv der Hansestadt Wismar. Neue Funde und alte Bekannte. In: Gutenberg-Jahrbuch 96 (2021), S. 164–173.

9621. LORENTZEN, Tim: Die erste lutherische Vollbibel auf der ersten lutherischen Kanzel. Lübeck 1534. In: OEHMING, Stefan/RHEIN, Stefan (Hrsg.): Wittenberger Bibeldruck der Reformationszeit. (Schriften der Stiftung Luthergedenkstätten in Sachsen-Anhalt, 24). Leipzig 2022, S. 163–189.

9622. MATTHEWS, Alastair: *Man secht uan deme schatte, den he rouede, dat he were mere wan twige hundert male dusent gulden wert.* Scandinavian Treasures in Northern German Chronicles. In: GLASNER, Peter [u.a.] (Hrsg.): Ästhetiken der Fülle. Basel/Berlin 2021, S. 257–264.

9623. MERTEN, Marie-Luis: Intra-individual Variation from a Historical Perspective: Towards a Usage-based Model of Constructional Change and Variation. In: WERTH, Alexander [u.a.] (Hrsg.): Intra-individual Variation in Language. (Trends in Linguistics. Studies and Monographs, 363). Berlin/Boston 2021, S. 347–378.

9624. MEYER, Johanna: Mittelniederdeutsche Frühdrucke digital. Projektabschlussbericht. In: Nd. Kbl. 130 (2023), S. 76–86.

9625. MIHM, Arend: Codeswitching in der deutschen Sprachgeschichte: Erscheinungsformen und Erkenntniswert. In: GLASER, Elvira/PRINZ, Michael/PTASHNYK, Stefaniya (Hrsg.): Historisches Codeswitching mit Deutsch. Multilinguale Praktiken in der Sprachgeschichte. (Studia Linguistica Germanica, 140). Berlin/Boston 2020, S. 38–74.

9626. OHLENDORF, Wiebke/TOEPFER, Regina: Die Löwenstadt als Lehr-/Lernraum. Digitale Bildung und regionale Zugehörigkeit. In: BAISCH, Martin/RATZKE, Malena/TOEPFER, Regina (Hrsg.): Von Widukind zur ‚Sassine‘. Prozesse der Konstruktion und Transformation regionaler Identität im norddeutschen Raum. (Forschungen zu Kunst, Geschichte und Literatur des Mittelalters 4). Wien [u. a.] 2023, S. 257–277.

9627.   OSTERMANN, Christina: Verse verfolgen. Überlegungen zu einer Zusatzepisode in der Lübecker Handschrift von Bruder Philipps Marienleben. In: BAISCH, Martin/RATZKE, Malena/TOEPFER, Regina (Hrsg.): Von Widukind zur 'Sassine'. Prozesse der Konstruktion und Transformation regionaler Identität im norddeutschen Raum. (Forschungen zu Kunst, Geschichte und Literatur des Mittelalters, 4). Köln 2023, S. 131–152.

9628.   PAIRET, Ana: From Lyons to Antwerp. Paris et Vienne in the Low Countries. In: Queeste 28,1 (2021), S. 117–136.

9629.   PETERS, Robert (†): Nathan Chytraeus' *Nomenclator Latinosaxonicus* (Rostock 1582) und dessen Lemgoer Bearbeitungen (1585 und 1590). In: BIEBERSTEDT, Andreas/BRANDT, Doreen/EHLERS, Klaas-Hinrich/SCHMITT, Christoph (Hrsg.): 100 Jahre Niederdeutsche Philologie: Ausgangspunkte, Entwicklungslinien, Herausforderungen. Teil 1: Schlaglichter auf die Fachgeschichte. (Regionalsprache und regionale Kultur, Mecklenburg-Vorpommern im ostniederdeutschen Kontext, 6). Lausanne, Berlin 2023, S. 103–141.

9630.   RAAG, Nicolaus Janos: Im Spannungsfeld zwischen hochdeutscher Norm und niederdeutscher Sprachkompetenz. Codemixing in einem niederdeutschen Brief des beginnenden 17. Jahrhunderts. In: Amsterdamer Beiträge zur älteren Germanistik 81,2 (2021), S. 237–275.

9631.   REICHLIN, Susanne: Wunderbare Sichtbarkeit. Transformationen eines Altväter-Exempels. In: BUTZ, Magdalena/KELLNER, Beate/REICHLIN, Susanne/RUGEL, Agnes (Hrsg.): Sündenerkenntnis, Reue und Beichte. Konstellationen der Selbstbeobachtung und Fremdbeobachtung in der mittelalterlichen volkssprachlichen Literatur. (Zeitschrift für deutsche Philologie, Sonderheft zum Band 141). Berlin 2022, S. 121–148.

9632.   RIEGER, Hannah: Familiengeschichte(n). Genealogische Modelle im ›Reynke de Vos‹ (1498). In: LUKASCHEK, Kathrin/WALTENBERGER, Michael/WICK, Maximilian (Hrsg.): Die Zeit der sprachbegabten Tiere. Ordnung, Varianz und Geschicht-

lichkeit (in) der Tierepik. (Beiträge zur mediävistischen Erzählforschung, Themenhefte, 11). Oldenburg 2022, S. 313–349.

9633. RIEGER, Hannah: In der Höhle der Äffin. Zum Fuchs als Lehr-
meister der Hypokrisie im *Reynke de Vos* (1498) und zu dessen
Rezeption bei Burkard Waldis. In: DOERING, Pia Claudia (Hrsg.):
Verstellungskünste. Die literarische Kritik religiöser und politischer Heuchelei. Bielefeld 2022, S. 151–173.

9634. SAHM, Heike: Lesen, vorlesen und aussprechen. Sterbevorberei-
tung für Laien in niederdeutschen *artes moriendi*. In: HENKEL,
Nikolaus/NOLL, Thomas/REXROTH, Frank (Hrsg.): Reichweiten.
Dynamiken und Grenzen kultureller Transferprozesse in Europa.
(Abhandlungen der Akademie der Wissenschaften zu Göttingen
NF). Berlin 2019, S. 217–246.

9635. SCHAFFERT, Jan Christian: Die Darstellung sächsischer Identität
in den *Cronecken der sassen*. Ein netzwerkanalytischer Ansatz.
In: BAISCH, Martin/RATZKE, Malena/TOEPFER, Regina (Hrsg.):
Von Widukind zur 'Sassine'. Prozesse der Konstruktion und
Transformation regionaler Identität im norddeutschen Raum.
(Forschungen zu Kunst, Geschichte und Literatur des Mittelalters,
4). Köln 2023, S. 233–256.

9636. SCHILLING, Michael: Wege der Wissensaggregation in der deutschen Tierepik des 16. Jahrhunderts. In: HERWEG, Mathias/KIPF,
Johannes Klaus/WERLE, Dirk (Hrsg.): Enzyklopädisches Erzählen
und vormoderne Romanpoetik (1400–1700). (Wolfenbütteler
Forschungen, 160). Wiesbaden 2019, S. 231–242.

9637. SCHLUSEMANN, Rita: Transcultural Reynaert. Dissemination and
Peritextual Adaptations between 1479 and 1800. In:
SCHLUSEMANN, Rita/BLOM, Helwi/RICHTER, Anna Kathari-
na/WIERZBICKA-TRWOGA, Krystyna (Hrsg.): Top Ten Fictional
Narratives in Early Modern Europe. Translation, Dissemination
and Mediality. Berlin/Boston 2023, S. 161–190.

9638. SCHMIDT, Christian: Zeilenfüllselgebete. Materialphilologische
Überlegungen zum Verhältnis von Legendarik, Liturgie und An-
dachtspraxis am Beispiel der Reimprosalegende *Sunte Elizabeten
passie*. In: Zeitschrift für Literaturwissenschaft und Linguistik
52,2 (2022), S. 253–273.

9639. SCHRÖDER, Ingrid: Textlinguistische Zugänge zur historischen
Stadtsprache. In: SCHULZ, Matthias/KÜTT, Lukas (Hrsg.):

Sprachgeschichte vor Ort. Stadtsprachenforschung im Spannungsfeld zwischen Ortspunkt und Sprachraum. (Germanistische Bibliothek, 74). Heidelberg 2022, S. 129–153.

9640. SCHRÖDER, Ingrid: Schreibsprachenwahl als Identitätsmarker. Zwischen Latein und Mittelniederdeutsch. In: BAISCH, Martin/RATZKE, Malena/TOEPFER, Regina (Hrsg.): Von Widukind zur ‚Sassine‘. Prozesse der Konstruktion und Transformation regionaler Identität im norddeutschen Raum. (Forschungen zu Kunst, Geschichte und Literatur des Mittelalters, 4). Wien [u. a.] 2023, S. 25–42.

9641. SCHWARZBACH-DOBSON, Michael: Wiederholung als Differenz. Paradoxien der Entzeitlichung im ›Reynke de Vos‹ (1498). In: LUKASCHEK, Kathrin/WALTENBERGER, Michael/WICK, Maximilian (Hrsg.): Die Zeit der sprachbegabten Tiere. Ordnung, Varianz und Geschichtlichkeit (in) der Tierepik. (Beiträge zur mediävistischen Erzählforschung, Themenhefte, 11). Oldenburg 2022, S. 351–374.

9642. SEEBALD, Christian: Exemplum und Universalgeschichte. Herrscherdarstellung und narrative Sinnstiftung in der ›Sächsischen Weltchronik‹ C. In: ALBERT, Mechthild/BECKER, Ulrike (Hrsg.): Die Figur des Herrschers in der Exempelliteratur – transkulturelle Perspektiven. (Studien zu Macht und Herrschaft, 8). Göttingen 2020, S. 213–234.

9643. STEINER, Alyssa: *Jn disen spiegel sollen schonen | All gschlecht der menschen mann vnd frowen.* Die europäischen Narrenschiff-Bearbeitungen und ihre intendierten Leserinnen und Leser. In: BÜCHLI, Lysander/STEINER, Alyssa/TERRAHE, Tina (Hrsg.): Sebastian Brant, das ›Narrenschiff‹ und der frühe Buchdruck in Basel. Zum 500. Todestag eines humanistischen Gelehrten. Basel 2023, S. 341–366.

9644. STENZIG, Philipp: Die ‚Marientiden‘ der Hamburger Beginen (Hamburg, SUB, Cod. conv. 2) und die zugrunde liegenden Elemente der ‚offiziellen‘ (lateinischen) Liturgie. In: MÜLLER, Barbara/MÜLLER, Monika E. (Hrsg.): Die Hamburger Beginen bei St. Jacobi im Kontext ihrer Handschriften und Kultur. (Hamburger Studien zu Gesellschaften und Kulturen der Vormoderne, 21). Stuttgart 2022, S. 65–217.

9645. STERN, Heidi: Niederländische und niederdeutsche Sprachvarietäten bei Johannes Drusius dem Älteren. In: Amsterdamer Beiträge zur älteren Germanistik 82,2 (2022), S. 242–271.

9646. STORK, Hans-Walter: Vera icon. Zu einigen Pilgerandenken der 'Veronica' in einer Handschrift der Staats- und Universitätsbibliothek Hamburg und weiteren im norddeutschen Raum. In: PLATE, Ralf/BOHNERT, Nils/SONDER, Christian/TRAUTH, Michael (Hrsg.): Auf den Schwingen des Pelikans. Studien und Texte zur deutschen Literatur des Mittelalters, in Verbindung mit der Wissenschaftlichen Bibliothek der Stadt Trier. (Zeitschrift für deutsches Altertum und deutsche Literatur, Beihefte, 40). Stuttgart 2022, S. 473–508.

9647. UNZEITIG, Monika: Text- und Bildräume im niederdeutschen Bibeldruck des 15. Jahrhunderts. In: BAISCH, Martin/RATZKE, Malena/TOEPFER, Regina (Hrsg.): Von Widukind zur ‚Sassine'. Prozesse der Konstruktion und Transformation regionaler Identität im norddeutschen Raum. (Forschungen zu Kunst, Geschichte und Literatur des Mittelalters, 4). Wien [u. a.] 2023, S. 153–184.

9648. WALLMEIER, Nadine/WICH-REIF, Claudia: Vergleichskonstruktionen im Mittelniederdeutschen. In: HETJENS, Dominik/LASCH, Alexander/ROTH, Kerstin (Hrsg.): Historische (Morpho-)Syntax des Deutschen. (Jahrbuch für Germanistische Sprachgeschichte, 14). Berlin/Boston 2023, S. 35–53.

9649. WEHRLI-JOHNS, Martina: Die Gebetskultur der Hamburger Beginen vor dem Hintergrund der spätmittelalterlichen Reformbewegungen. In: MÜLLER, Barbara/MÜLLER, Monika E. (Hrsg.): Die Hamburger Beginen bei St. Jacobi im Kontext ihrer Handschriften und Kultur. (Hamburger Studien zu Gesellschaften und Kulturen der Vormoderne, 21). Stuttgart 2022, S. 219–242.

9650. WEINERT, Jörn: Zur sprachlichen Reichweite des «Sachsenspiegels» im deutschsprachigen Raum des späten Mittelalters. In: HENKEL, Nikolaus/NOLL, Thomas/REXROTH, Frank (Hrsg.): Reichweiten. Dynamiken und Grenzen kultureller Transferprozesse in Europa. (Abhandlungen der Akademie der Wissenschaften zu Göttingen NF). Berlin 2019, S. 113–128.

9651. WOLF, Jürgen: Frühe Handschriften des Lübischen Rechts. Identitätsstiftung via Buch- und Textgestalt. In: EICHENBERGER, Nicole/LUTZ, Eckart Conrad/PUTZO, Christine (Hrsg.): Bücher und

Identitäten. Literarische Reproduktionskulturen der Vormoderne. Wiesbaden 2020, S. 105–120.

9652.	ZELDENRUST, Lydia/LODÉN, Sofia: Valentin and his Wild Brother in European Literature: How French is a Medieval French Romance? In: Interfaces 9 (2022), S. 144–179.

Oldenburg   *Doreen Brandt*
Rostock   *Annika Bostelmann, Hellmut Braun*

Neuniederdeutsch – Sprache

9653.	ARENDT, Birte: Forschungsansätze zum Niederdeutschen am Beginn des 21. Jahrhunderts – Institutionalisierung, New Speakers und Digitalisierung. In: FÖLLNER, Ursula/LUTHER, Saskia/ROTH, Kersten (Hrsg.): Niederdeutsche Sprachlandschaften in Sachsen-Anhalt. Linguistische und laienlinguistische Perspektiven. Halle/Saale 2022, S. 11–35.

9654.	BRANDT, Doreen: Plattdeutsch in Berlin? Überlegungen zur Sprachwahl der moralischen Wochenschrift „De Platt-Dütsche". In: Nd. Jb. 146 (2023), S. 37–60.

9655.	BREDER BIRKENES, Magnus /PHEIFF, Jeffrey: The Classification of Dutch Dialects Revisited. Eine dialektometrische Annäherung an den „Kleinen Niederländischen Sprachatlas" (KNSA). In: GANSWINDT, Brigitte/HETTLER, Yvonne/SCHRÖDER, Ingrid (Hrsg.): Niederdeutsche Dialektologie. Themenheft der Zeitschrift für Dialektologie und Linguistik 89/2–3, Stuttgart 2022, S. 153–199.

9656.	BUURKE, Raoul Sergio Samuel Jan/SEKERES, Hedwig G./HEERINGA, Wilbert/KNOOIHUIZEN, Remco/WIELING, Martijn: Estimating the level and direction of aggregated sound change of dialects in the northern Netherlands. In: Taal en Tongval 74/2 (2022), S. 183–214.

9657.	CIRKEL, Philipp: Funktionale und formale Eigenschaften von der- und die-Artikelformen im Ruhrdeutschen. Eine korpusbasierte Analyse. In: Nd. Jb. 146 (2023), S. 132–168.

9658.	CONRAD, François: Lautliche Variation norddeutscher (Klein-)Städte im Vergleich. Ein Beitrag zu einer städtebasierten Regionalsprachenforschung. In: Muttersprache 133/1–2 (2023), S. 53–81.

9659. CONRAD, François/EHRLICH, Stefan/SCHLOBINSKI, Peter: „Hannover – Zentrum des Hochdeutschen." Einschätzung zum „besten" Hochdeutsch in Deutschland. Eine repräsentative Umfrage, durchgeführt von forsa. Berlin 2021, 20 S.

9660. EHLERS, Klaas-Hinrich: Die Entwicklung der (nieder)deutschen Dialektologie in der DDR – beleuchtet an Planung, Durchführung und Vergessen der ,Tonaufnahmen der deutschen Mundarten'. In: BIEBERSTEDT, Andreas/BRANDT, Doreen/EHLERS, Klaas-Hinrich/SCHMITT, Christoph (Hrsg.): 100 Jahre Niederdeutsche Philologie: Ausgangspunkte, Entwicklungslinien, Herausforderungen. Teil 1: Schlaglichter auf die Fachgeschichte. (Regionalsprache und regionale Kultur, Mecklenburg-Vorpommern im ostniederdeutschen Kontext, 6). Lausanne, Berlin 2023, S. 429–451.

9661. EHLERS, Klaas-Hinrich: Geschichte der mecklenburgischen Regionalsprache seit dem Zweiten Weltkrieg. Varietätenkontakt zwischen Alteingesessenen und immigrierten Vertriebenen. Teil 2: Sprachgebrauch und Sprachwahrnehmung. (Regionalsprache und regionale Kultur. Mecklenburg-Vorpommern im ostniederdeutschen Kontext, 5). Berlin u. a. 2022, 685 S.

9662. EHRLICH, Stefan: »Denn wir in Hannover ßprechen das raanste Deutsch.« Der hannoversche Sprachgebrauch aus subjektiver Perspektive. In: Muttersprache 133/1–2 (2023), S. 124–138.

9663. ELMENTALER, Michael: Standard – Regiolekt – Dialekt aus norddeutscher (Stadt-)Perspektive. In: Muttersprache 133/1–2 (2023), S. 32–52.

9664. ELMENTALER, Michael/LANGHANKE, Robert: Niederdeutsch zwischen Sprachverlust und Sprachvermittlung. In: EGGERT, Elmar/PETER, Benjamin (Hrsg.): Kultur(en) der regionalen Mehrsprachigkeit. Kontrastive Betrachtung und Methoden ihrer Untersuchung und Bewertung. (Sprache – Identität – Kultur, 23). Berlin u. a. 2022, S. 335–368.

9665. FALKSON, Johanna: Dialektwandel in Ostfriesland. Eine vergleichende Untersuchung schriftlicher Dialektproben von 1879/80 und 2020. In: Nd. Kbl. 130 (2023), S. 58–75.

9666. FLEISCHER, Jürg: Die Berliner Wenker-Materialien: Anlage und Ergebnisse von Georg Wenkers Erhebungen in einem urbanen Raum. In: Nd. Jb. 146 (2023), S. 80–102.

9667. FÖLLNER, Ursula/LUTHER, Saskia: Das Projekt NiSA – Forschungen zum Niederdeutschen in Sachsen-Anhalt, Bestand und Neuansätze. In: FÖLLNER, Ursula/LUTHER, Saskia/ROTH, Kersten (Hrsg.): Niederdeutsche Sprachlandschaften in Sachsen-Anhalt. Linguistische und laienlinguistische Perspektiven. Halle/Saale 2022, S. 139–159.

9668. FRANK, Marina/ROHLOFF, Marina/PETERS, Jörg: Effects of cognitive load on vowel production in bilingual speakers of High and Low German. In: SKARNITZL, Radek/VOLÍN, Jan (Hrsg.): Proceedings of the 20th International Congress of Phonetic Sciences. Prag 2023, S. 2815–2819.

9669. GAENSE, Sabrina/HILLIG, Luisa: Aktuelle Einstellungen zum Niederdeutschen in der Altmark. In: FÖLLNER, Ursula/LUTHER, Saskia/ROTH, Kersten (Hrsg.): Niederdeutsche Sprachlandschaften in Sachsen-Anhalt. Linguistische und laienlinguistische Perspektiven. Halle/Saale 2022, S. 108–116.

9670. GOLL, Sabrina/HÖDER Steffen: Stolz und Vorurteil: Zwischen Minderheitenpolitik, divergierenden Einstellungen und tatsächlichem dänischem Sprachgebrauch in Südschleswig. In: EGGERT, Elmar/PETER, Benjamin (Hrsg.): Kultur(en) der regionalen Mehrsprachigkeit. Kontrastive Betrachtung und Methoden ihrer Untersuchung und Bewertung. (Sprache – Identität – Kultur, 23). Berlin u. a. 2022, S. 399–418.

9671. HABERMANN, Mechthild: *Gebüsch, Büschezeug, Gebüschete.* Kollektivbildungen in deutschen Sprachvarietäten in Geschichte und Gegenwart. In: DENKLER, Markus/MÄHL, Stefan (Hrsg.): Beiträge zur historischen Wortbildung des Niederdeutschen. (Niederdeutsche Studien, 61). Wien/Köln 2022, S. 151–172.

9672. HETTLER, Yvonne: Wahrnehmung und Bewertung regionalsprachlicher Medien in Norddeutschland. In: FÖLLNER, Ursula/LUTHER, Saskia/ROTH, Kersten (Hrsg.): Niederdeutsche Sprachlandschaften in Sachsen-Anhalt. Linguistische und laienlinguistische Perspektiven. Halle/Saale 2022, S. 36–60.

9673. HETTLER, Yvonne/SCHRÖDER, Ingrid: Kontakt, Variation, Distanz. Sprachliche Repertoires von Niederdeutsch-Sprecherinnen. In: GANSWINDT, Brigitte/HETTLER, Yvonne/SCHRÖDER, Ingrid (Hrsg.): Niederdeutsche Dialektologie. Themenheft der Zeitschrift für Dialektologie und Linguistik 89/2–3, Stuttgart 2022, S. 200–230.

9674. HÖDER, Steffen: Nyt lys på gamle data: Georg Wenkers sønderjyske spørgeskemaer som kontaktlingvistisk ressource. In: *Målbryting* 13 (2022), S. 29–51.

9675. HOEKSTRA, Jarich: From Naming Verb to Copula: The Case of Wangerooge Frisian *Heit*. In: Journal of Germanic Linguistics 35 (2023), S. 97–147.

9676. HOEKSTRA, Jarich/HANDKE, Valerie/ROHLF, Nele: Das Fugenelement *-e-* in NN-Komposita im Mooringer Friesisch als Stammerweiterung. In: Us Wurk 71 (2022), S. 137–172.

9677. IKENAGA, Hana: »Ich kann nichts anderes als Hochdeutsch.« Sprachliche Variation in Hannover. In: Muttersprache 133/1–2 (2023), S. 116–123.

9678. KAUFMANN, GÖZ/DURAN, Daniel: Of *snoidels* and *hofdüütsch*. Einige (standarddeutsche) Schlüssel zum Verständnis der phonetischen Variation in Pomerano. In: GANSWINDT, Brigitte/HETTLER, Yvonne/SCHRÖDER, Ingrid (Hrsg.): Niederdeutsche Dialektologie. Themenheft der Zeitschrift für Dialektologie und Linguistik 89/2–3, Stuttgart 2022, S. 231–282.

9679. JAKOBS, Marlena: Die niederdeutsche Dialektologie im Nationalsozialismus – Verbindungen von Wissenschaft und Propaganda in den Arbeiten der Sprachwissenschaftlerin Anneliese Bretschneider (1898–1984). In: BIEBERSTEDT, Andreas/BRANDT, Doreen/EHLERS, Klaas-Hinrich/SCHMITT, Christoph (Hrsg.): 100 Jahre Niederdeutsche Philologie: Ausgangspunkte, Entwicklungslinien, Herausforderungen. Teil 1: Schlaglichter auf die Fachgeschichte. (Regionalsprache und regionale Kultur, Mecklenburg-Vorpommern im ostniederdeutschen Kontext, 6). Lausanne, Berlin 2023, S. 361–390.

9680. LANWERMEYER, Manuela: Das regionalsprachliche Spektrum in Oldenburg aus produktions- und perzeptionslinguistischer Perspektive. In: GANSWINDT, Brigitte/HETTLER, Yvonne/SCHRÖDER, Ingrid (Hrsg.): Niederdeutsche Dialektologie. Themenheft der Zeitschrift für Dialektologie und Linguistik 89/2–3, Stuttgart 2022, S. 283–319.

9681. NEUMANN, Lara/SCHRÖDER, Ingrid: »'N büschen breit, nä.« Wahrnehmung und Bewertung des Hamburgischen. In: Muttersprache 133/1–2 (2023), S. 139–155.

9682. NEUMANN, Lara/SCHRÖDER, Ingrid: Jugendsprache Niederdeutsch? Einstellungen Hamburger Jugendlicher zum Niederdeutschen. In: Nd. Jb. 146 (2023), S. 103–131.

9683. PETERS, Jörg/FRANK, Marina/ROHLOFF, Marina: Vocal fold vibratory patterns in bilingual speakers of Low and High German. In: SKARNITZL, Radek/VOLÍN, Jan (Hrsg.): Proceedings of the 20th International Congress of Phonetic Sciences. Prag 2023, S. 1731–1735.

9684. PHEIFF, Jeffrey: Definite Articles in Low Saxon Dialects. A Case Study in Grammaticalization. (Zeitschrift für Dialektologie und Linguistik, Beihefte 191). Stuttgart 2023, 245 S.

9685. PÖTZSCH, Melvin: *Intra-village variation*: Variablenlinguistische Studien zum westfälischen Ortsdialekt Lutterbergs (Teil II). In: Nd. Kbl. 130 (2023), S. 23–43.

9686. SPIEKERMANN, Helmut/SCHÜRMANN, Timo: Das Lahner Platt. In: KESSENS-HAUSHERR, Agnes (Hrsg.): Leben im Dorf. Lahn auf dem Hümmling. Werlte 2022, S. 113–115.

9687. THARINCHAROEN, Jirayu: Der syntaktische Wandel der Mittel- und Neuniederdeutschen *je–desto*-Konstruktionen. In: SPEYER, Augustin/DIENER, Jenny (Hrsg.): Syntax aus Saarbrücker Sicht 5. Beiträge der SaRDiS-Tagung zur Dialektsyntax. (Zeitschrift für Dialektologie und Linguistik, Beihefte 192). Wiesbaden, Stuttgart 2023, S. 209–228.

9688. VORBERGER, Lars: Niederdeutsch in Hessen – Phonetisch-phonologische Auswertungen niederdeutsch intendierter Wenkersätze aus Hessen. In: GANSWINDT, Brigitte/HETTLER, Yvonne/SCHRÖDER, Ingrid (Hrsg.): Niederdeutsche Dialektologie. Themenheft der Zeitschrift für Dialektologie und Linguistik 89/2–3, Stuttgart 2022, S. 320–335.

9689. WALKER, Alastair: Wie sichtbar ist die Mehrsprachigkeit Nordfrieslands. In: Zwischen Eider und Wiedau 2023, S. 111–121.

9690. WALKER, Alastair: Regional Multilingualism in North Frisia, Germany. In: EGGERT, Elmar/PETER, Benjamin (Hrsg.): Kultur(en) der regionalen Mehrsprachigkeit. Kontrastive Betrachtung und Methoden ihrer Untersuchung und Bewertung. (Sprache – Identität – Kultur, 23). Berlin u. a. 2022, S. 369–398.

9691. WENNER, Ulrich: Laienlinguistische Aspekte im Korpus des Mittelelbischen Wörterbuchs. In: FÖLLNER, Ursula/LUTHER, Saskia/ROTH, Kersten (Hrsg.): Niederdeutsche Sprachlandschaften in Sachsen-Anhalt. Linguistische und laienlinguistische Perspektiven. Halle/Saale 2022, S. 61–81.

9692. WICH-REIF, Claudia: Ruhrdeutsch und/oder Stadtsprachen. Dortmund und Essen im Vergleich. In: Nd. Kbl. 130 (2023), S. 44–58.

9693. WINTER, Christoph: Der Kompass der Nordfriesen. Sprachliche Kodierung absoluter Orientierung am Beispiel der Himmelsrichtungen und Richtungspartikeln im Nordfriesischen. (Zeitschrift für Dialektologie und Linguistik, Beihefte 194). Stuttgart 2023, 559 S.

9694. ZIEGLER, Evelyn: Praktiken des Stancetaking: Politische Graffitis in der Metropole Ruhr. In: *Kunst und Politik* 24 (2023), S. 47–65.

Münster *Stephanie Sauermilch*

Neuniederdeutsch – Literatur

9695. APPENZELLER, Gerrit: Freudenthal-Auszeichnung 2023 für Hermann May. Laudatio. In: Soltauer Schriften. Binneboom 29 (2023), S. 34–36.

9696. BÄSTLEIN, Ulf: Gustav Jenner, Klaus Groth und Theodor Storm. In: Schriften der Theodor-Storm-Gesellschaft 70 (2021), S. 56–62.

9697. BERNHART, Toni: Bauernkomödie als literarische Gattung? In: DENKLER, Markus/ELMENTALER, Michael (Hrsg.): Bauernkomödien des 17. Jahrhunderts als sprachhistorische Quellen. (Niederdeutsche Studien, 62). Münster 2022, S. 21–30.

9698. BREMER, Kai: „ein Bauer [...] muß den Accent fuhren, wie er im gemeinen Leben angetroffen wird." Der Bauer im lutherischen Schuldrama Christian Weises. In: DENKLER, Markus/ELMENTALER, Michael (Hrsg.): Bauernkomödien des 17. Jahrhunderts als sprachhistorische Quellen. (Niederdeutsche Studien, 62). Münster 2022, S. 31–43.

9699. BRUN, Hartmut: „... ick heww binah luter ihrliche Lüd' in Däms kennen lihrt. Fritz Reuters Aufenthalte in der Elbestadt. In: SCHEUERMANN, Barbara/SCHWICHTENBERG, Jakob/STELLMACHER, Dieter (Hrsg.): Festungstiden. Gefangenschaft durch Literatur – Literatur durch Gefangenschaft. (Beiträge der Fritz-Reuter-Gesellschaft, 32). Rostock 2023, S. 18–30.

9700. DIRKS, Carl-Heinz: Calles schöönste Gedichte (19). Moritz Jahn: Über niederdeutsche Dichtkunst. In: Quickborn 113,1 (2023), S. 37–40.

9701. DIRKS, Carl-Heinz: Calles schöönste Gedichte (20). Otto Groote: Över dat gröne Land. In: Quickborn 113,2 (2023), S. 61–63.

9702. DIRKS, Carl-Heinz: Calles schöönste Gedichte (21). Gertrud Cramer und die Einsamkeit. In: Quickborn 113,3+4 (2023), S. 33–35.

9703. GERWANSKI, Bernd: Theodor Storm und andere Persönlichkeiten in Ostholstein und auf Fehmarn. [Fritz Grasshoff, Klaus Groth, Wilhelm Jensen, Christian Cay Lorenz Hirschfeld, Moritz Momme Nissen, Johannes Stricker, Julius Stinde, Conradine Stinde, Christian Müller, Ludolf Wienbarg]. Bad Langensalza 2022, 60 S.

9704. GOLTZ, Reinhard: Wack'r Meken ben yck. Justus Möser und das Plattdeutsche. In: Vorstand der Averbeck-Stiftung (Hrsg.): Averbeck-Stiftung 2018–2021. Bad Iburg 2021, S. 135–171.

9705. GOLTZ, Reinhard: Mit nix as Spaaß. Boy Lornsen als plattdeutscher Autor. In: Literaturhaus Schleswig-Holstein (Hrsg.): Boy Lornsen. Festschrift zum 100. Geburtstag. Kiel 2022, o. S. [4 Seiten].

9706. GOLTZ, Reinhard/PLEWNIA, Albrecht: Les troupes de théâtre amateur comme facteur de stabilisation d'une langue régionale. Le cas du bas allemand. In: Les Cahiers du plurilinguisme européen 14 (2022). Plurilinguismes et langues en devenir. DOI 10.57086/cpe.1510. https://www.ouvroir.fr/cpe/index.php?id=1510 (1. 3. 2024).

9707. HEINING, Gerhard/SCHRÖDER, Achim: Plattdeutsch schreiben - Platt for future. Ein Werkstattbericht. In: Historisches Jahrbuch für den Kreis Herford 31 (2023), S. 106–114.

9708. HÄNSELMANN, Matthias C.: „Worüm up plattsütsch ok nich'n lütt Sonett?" – Gründe und Hintergründe der Entstehung des niederdeutschen Sonetts im 19. Jahrhundert. In: Nd. Jb. 146 (2023), S. 61–79.

9709. HOLM, Volker: Verleihung der Hans-Henning-Holm-Preises am 18. September 2022. Laudatio für Martha-Luise Lessing In: Quickborn 112,4 (2022), S. 15–18.

9710. HÜCKSTÄDT, Arnold: Fritz Reuter und sein Biograf Adolf Wilbrandt. Zur Entstehungsgeschichte einer Lebensbeschreibung. In: SCHEUERMANN, Barbara/SCHWICHTENBERG, Jakob/STELLMACHER, Dieter (Hrsg.): Festungstiden. Gefangenschaft durch Literatur – Literatur durch Gefangenschaft. (Beiträge der Fritz-Reuter-Gesellschaft, 32). Rostock 2023, S. 52–63.

9711. KRÖGER, Heinrich: Wilhelm Bornemann (1766–1851). Der erste plattdeutsche Dichter aus der Altmark In: Quickborn 112,1 (2022), S. 25–28.

9712. LANGHANKE, Robert: Aufbruch, Experiment, Kontinuität. Niederdeutsche Literatur zwischen 1950 und 1980 und ihre sprachliche Selbstverständlichkeit. In: [EHLERS, Marianne] (Red.): To Gast in't Leven. Vun't Wünschen un Freuen. Rutgeven vun de Fehrsgill. Hamburg 2023, S. 99–110.

9713. LANGHANKE, Robert: Laudatio bi de Vergaav vun den Klaus-Groth-Pries an'n 11. 6. 2023 [an Gerd Constapel]. In: Quickborn 113, 3+4 (2023), S. 17–22.

9714. LOHMEIER, Dieter: Der Briefwechsel zwischen Klaus Groth und Karl Müllenhoff. Ein Werkstattbericht. In: Mitteilungen aus dem Storm-Haus 36 (2023), S. 58–60.

9715. MÖLLER, Ulrike: Freudenthal-Preis 2023 für Reinhard F. Hahn. Laudatio. In: Soltauer Schriften. Binneboom 29 (2023), S. 24–26.

9716. NISSEN, Peter: Laudatio op Heinke Hannig. Nedderdütsche Literaturpries vun de Stadt Kappeln, 3. November 2023. In: Blätter der Fehrs-Gilde 86 (2023), S. 12–16.

9717. SAUL, Nikos: „Mien Mönster" – „min land" – „dien Duorp". Zum Regionalbezug niederdeutscher Texte aus Westfalen der letzten 20 Jahre. In: BOCH, Michael/PREUß, Tim/SCHWIND, Alexandra (Hrsg.): Regionale Texte. Kulturpoetische Perspektiven auf Regionalität am Beispiel NRWs. Bielefeld 2023, S. 153–180.

9718. SCHEUERMANN, Barbara/SCHWICHTENBERG, Jakob/STELLMA-CHER, Dieter (Hrsg.): Festungstiden. Gefangenschaft durch Literatur – Literatur durch Gefangenschaft. (Beiträge der Fritz-Reuter-Gesellschaft, 32). Rostock 2023, 112 S.

9719. SCHEUERMANN, Barbara: „Werwolf Böcking"? Der Bonner Jurist und Philologe Eduard Böcking (1802–1870) als Freund von Klaus Groth und Fritz Reuter. In: SCHEUERMANN, Barbara/SCHWICHTENBERG, Jakob/STELLMACHER, Dieter (Hrsg.): Festungstiden. Gefangenschaft durch Literatur – Literatur durch Gefangenschaft. (Beiträge der Fritz-Reuter-Gesellschaft, 32). Rostock 2023, S. 64–84.

9720. THOMSEN, Heiko: Dor büst platt! Zu den Übersetzungen der „Langen Grete" ins Niederdeutsche In: Jahrbuch der Gesellschaft der Arno-Schmidt-Leser 2019/2020, S. 89–131.

Oldenburg   *Gabriele Diekmann-Dröge*
Flensburg   *Robert Langhanke*

Lexikologie / Lexikographie

9721. APPENZELLER, Gerrit: „Aber ich will ‚das Feuer hüten'". Zur Situation der niederdeutschen Großlandschaftswörterbücher während des zweiten Weltkriegs. In: In: BIEBERSTEDT, Andreas/BRANDT, Doreen/EHLERS, Klaas-Hinrich/SCHMITT, Christoph (Hrsg.): 100 Jahre Niederdeutsche Philologie: Ausgangspunkte, Entwicklungslinien, Herausforderungen. Teil 1: Schlaglichter auf die Fachgeschichte. (Regionalsprache und regionale Kultur, Mecklenburg-Vorpommern im ostniederdeutschen Kontext, 6). Lausanne, Berlin 2023, S. 391–427.

9722. BRANDES, Ludwig: Der niederdeutsche landwirtschaftliche Wortschatz im märkischen Sauerland. (Niederdeutsche Studien, 63). Köln, Wien 2022, 511 S.

9723. DAMME, Robert: Das „Westfälische Wörterbuch" im Spiegel der anderen Dialektwörterbücher Westfalens. In: DAMMEL, Antje/DENKLER, Markus (Hrsg.): Regionale Sprachforschung. 50 Jahre Kommission für Mundart- und Namenforschung Westfalens. (Westfälische Beiträge zur niederdeutschen Philologie, 21). Münster 2023, S. 116–149.

9724. Mittelniederdeutsches Handwörterbuch, begründet von A. LASCH und C. BORCHLING. Mit Unterstützung der BAT-Stiftung der Universität Hamburg. Hrsg. von Ingrid SCHRÖDER. Bd. III, Teil 2, 44. Lfg.: upgesacht bis upwerpen. Bearbeitet von Jürgen MEIER unter redaktioneller Mitarbeit von Sabina TSAPAEVA. Kiel/Hamburg 2023, Sp. 783-910.

9725. Pommersches Wörterbuch (vgl. Nr. 4139). 2. Bd., 12. Lfg.: utfränseln bis vullstännig. Hrsg. von Matthias VOLLMER. Berlin 2023, 64 S.

9726. PIERCE, Marc/BROWN, Collin: Altsächsische Lexikographie von Gallée bis Tiefenbach: Eine vorläufige Übersicht. In: BIEBERSTEDT, Andreas/BRANDT, Doreen/EHLERS, Klaas-Hinrich/SCHMITT, Christoph (Hrsg.): 100 Jahre Niederdeutsche Philologie: Ausgangspunkte, Entwicklungslinien, Herausforderungen. Teil 1: Schlaglichter auf die Fachgeschichte. (Regionalsprache und regionale Kultur, Mecklenburg-Vorpommern im ostniederdeutschen Kontext, 6). Lausanne, Berlin 2023, S. 453–473.

9727. SCHMITT, Christoph: „Wossidlo-Teuchert" online. Potentiale einer korpusbasierten digitalen Präsentation des *Mecklenburgischen Wörterbuchs* vor dem Hintergrund seiner Entstehungsgeschichte. In: BIEBERSTEDT, Andreas/BRANDT, Doreen/EHLERS, Klaas-Hinrich/SCHMITT, Christoph (Hrsg.): 100 Jahre Niederdeutsche Philologie: Ausgangspunkte, Entwicklungslinien, Herausforderungen. Teil 1: Schlaglichter auf die Fachgeschichte. (Regionalsprache und regionale Kultur, Mecklenburg-Vorpommern im ostniederdeutschen Kontext, 6). Lausanne, Berlin 2023, S. 323–359.

9728. SEIFERHELD, Maila: Kolloquium „Großlandschaftliche Dialektwörterbücher zwischen Linguistik und Landeskunde" vom 28. bis 29. Oktober 2021 in Münster. In: Nd. Wort 61/62 (2021/2022), S. 211–214.

Hamburg   *Sabina Tsapaeva*

Namenkunde

9729. ASCHER, Diana: Die Familiennamen der Meistermannschaft von
        1966/67. In: ANDRASCHKE, Joachim/LOGA, Kristin: „Über Na-
        men gibt's immer was zu sagen". Festschrift für Jürgen Udolph
        zum 80. Geburtstag. Priesendorf 2023, S. 33–49.

9730. BAUER, Sieglinde: Der Name „Harlingerode". In: Uhlenklippen-
        Spiegel 37 (2022), S. 26–33.

9731. BAUNE, Bernhard: Straßennamen als Teil der Erinnerungskultur.
        In: Heimat-Hefte für Dorf und Kirchspiel Ankum 25 (2022), S.
        79–95.

9732. BRUNS, Wilhelm: Werpup – Namensherkunft. Hat das adelige
        Geschlecht der Werpups etwas mit dem anrüchigen Pupsen zu
        tun? In: De Bistruper. Mit Berichten, Geschichten und Gedichten
        aus der Gemeinde Bissendorf 45 (2021), S. 20–23.

9733. CASEMIR, Kirstin/FLÖER, Michael: 80 + 20 + 28 x 25 = ∞? In:
        ANDRASCHKE, Joachim/LOGA, Kristin: „Über Namen gibt's im-
        mer was zu sagen". Festschrift für Jürgen Udolph zum 80. Ge-
        burtstag. Priesendorf 2023, S. 83–93.

9734. CASEMIR, Kirstin/OHAINSKI, Uwe: Die Ortsnamen des Kreises
        Gifhorn. (Niedersächsisches Ortsnamenbuch XI). Bielefeld 2023,
        320 S.

9735. CASEMIR, Kirstin/UDOLPH, Jürgen: Die Bedeutung des Baltischen
        für die niedersächsische Ortsnamenforschung. In: CASEMIR, Kirs-
        tin/OHAINSKI, Uwe: Namen – Zeugen der Geschichte. Heidelberg
        2023, S. 319–333.

9736. CASEMIR, Kirstin: Volkssprache versus Lingua franca oder wie
        die Wahl der Sprache die Anthroponyme und die mit ihnen gebil-
        deten Toponyme beeinflusst. In: CASEMIR, Kirstin/GEUENICH,
        Dieter/REITZENSTEIN, Wolf-Armin Frhr. von: Deutsche Namen-
        forschung auf sprachgeschichtlicher Grundlage. Band 4: Ortsna-
        men. Hildesheim/Zürich/New York 2021, S. 117–144.

9737. DEGENHARDT, Mathias: Eichsfelder Orts- und Flurnamendeutun-
        gen. In: Eichsfeld-Journal. Zeitschrift für eichsfeldische Ge-
        schichte, Kultur und Natur. Heilbad Heiligenstadt 2 (2023), S.
        30–35.

9738. DERKS, Paul: Das älteste Lahre: sein Alter und sein Name. In: Emsländische und Bentheimer Familienforschung 33 (2022), S. 6–20.

9739. DOLLE, Josef/FLÖER, Michael: Die Ortsnamen des Kreises Celle. (Niedersächsisches Ortsnamenbuch XIV). Bielefeld 2023, 310 S.

9740. DOLLE, Josef/FLÖER, Michael: Die Ortsnamen des Kreises Uelzen. (Niedersächsisches Ortsnamenbuch XVI). Bielefeld 2023, 416 S.

9741. ESPENHORST, Martin: Mythos Artland. Zur Dechiffrierung eines Raumbegriffs. In: Osnabrücker Mitteilungen 126 (2021), S. 9–26.

9742. FLICK, Andreas: Die Celler Fundumstraße müsste eigentlich Fondoumestraße heißen. Bereits 1761 ist der Name „Fundums Gasse" belegt. In: Celler Chronik 28 (2021), S. 17–32.

9743. FLÖER, Michael: Die Ortsnamen der Stadt Dortmund und der Stadt Hagen. (Westfälisches Ortsnamenbuch 15). Bielefeld 2021, 320 S.

9744. FÖLLNER, Ursula/LUTHER, Saskia: Familiennamenforschung an der Otto-von-Guericke-Universität Magdeburg – Ein Erfahrungsbericht zu 20 Jahren. In: ANDRASCHKE, Joachim/LOGA, Kristin: „Über Namen gibt's immer was zu sagen". Festschrift für Jürgen Udolph zum 80. Geburtstag. Priesendorf 2023, S. 95–102.

9745. GEHMLICH, Klaus: Flurnamen Stadt Seesen. Sammlung, Kartierung, Erklärung von Flur-, Gewässer- Orts- und Straßennamen. Clausthal-Zellerfeld 2021, 268 S.

9746. GLEICHSTELLUNGSBÜRO STADT GÖTTINGEN: Frauen auf die Göttinger Straßen(schilder). Aktualisierung Göttingen 2021, 85 S.

9747. HEIMATVEREIN MEPPEN: „Wer war Blanken Nölli?" Meppener Straßen und ihre Namensgeber. Meppen 2021, 159 S.

9748. HEINZE, Axel: Die Flurnamen in den Moorkolonaten des Alten Amtes Esens. In: HERMANN, Michael: Ostfriesland im „langen" 19. Jahrhundert. Festschrift für Paul Weßels. Aurich 2023, S. 91–98.

9749. IBBEKEN, Cornelia/JOOSTEN, Reinald: Die Flächenmaße in der Flurnamensammlung der Ostfriesischen Landschaft und ihre Verbreitung. In: Emder Jahrbuch für historische Landeskunde Ostfrieslands 102 (2022), S. 219–230.

9750.   JÜRGENS, Werner: Leberwurst und Hünenschloot. In: Ostfrees-
        land – Kalender für Ostfriesland 105 (2022), S. 145–147.

9751.   JUST, Ekkehard: Die Hindenburgstraße in Northeim - „nun bleibt
        alles wie seit 1933". In: Northeimer Jahrbuch 86 (2021), S. 151–
        162.

9752.   KERSTING, Jens: Die Ortsnamen des Kreises Oldenburg, der Stadt
        Oldenburg und der Stadt Delmenhorst. (Niedersächsisches Orts-
        namenbuch XVII). Bielefeld 2023, 433 S.

9753.   KERSTING, Jens: Zur Bestimmung der Produktivitätszeit von
        Ortsnamentypen. Ein multifaktorieller Ansatz auf Grundlage nie-
        dersächsischer Ortsnamen. (Niederdeutsche Studien 64).
        Wien/Köln 2023, 332 S.

9754.   KORSMEIER, Claudia Maria: Das Güterverzeichnis der Grafen von
        Dale: Nicht ganz Neues zur Datierung. In: ANDRASCHKE,
        Joachim/LOGA, Kristin: „Über Namen gibt's immer was zu sa-
        gen". Festschrift für Jürgen Udolph zum 80. Geburtstag. Priesen-
        dorf 2023, S. 103–110.

9755.   KORSMEIER, Claudia Maria: Die Ortsnamen des Kreises Borken.
        (Westfälisches Ortsnamenbuch 17). Bielefeld 2022, 368 S.

9756.   KORSMEIER, Claudia Maria: Die Ortsnamen des Kreises Graf-
        schaft Bentheim. (Niedersächsisches Ortsnamenbuch XV). Biele-
        feld 2023, 272 S.

9757.   KORSMEIER, Claudia Maria: Die Ortsnamen des Kreises Güters-
        loh. (Westfälisches Ortsnamenbuch 19). Bielefeld 2022, 368 S.

9758.   KORTZFLEISCH, Albrecht von: Flurnamen dokumentieren Ge-
        schichte – gaben Köhler dem Harz den Namen? In: KNOLLE,
        Friedhard/JURANEK, Christian: Bilanz und Perspektiven der Harz-
        Forschung Teil 1. Berlin 2021, S. 301–310.

9759.   LOGA, Kristin: Betrachtung einzelner Ortsnamen im Kirchspiel
        Neuenkirchen. In: ANDRASCHKE, Joachim/LOGA, Kristin: „Über
        Namen gibt's immer was zu sagen". Festschrift für Jürgen U-
        dolph zum 80. Geburtstag. Priesendorf 2023, S. 127–137.

9760.   LUTHER, Saskia: Zur Entstehung von Familiennamen anhand
        mittelalterlicher und frühneuzeitlicher Stadtbücher. In: Familien-
        forschung heute 35 (2021), S. 34–39.

9761. LUTHER, Saskia/SADEL, Christian: Identität und Tradition durch Sprache. Aktuelles zu niederdeutschen Orts- und Flurnamen. In: Sachsen-Anhalt-Journal 32.1 (2022), S. 32.

9762. MAAK, Ute/SANDERS, Karl: Woher stammt der Name „Stempelsbuche"? In: Unser Harz: Geschichte und Geschichten, Kultur und Natur aus dem gesamten Harz 71 (2023), S. 183–185.

9763. MEINEKE, Birgit: Die Ortsnamen der Stadt Hamm und des Kreises Unna. (Westfälisches Ortsnamenbuch 15). Bielefeld 2021, 544 S.

9764. MEINEKE, Birgit: Die Ortsnamen des Kreises Recklinghausen, der Stadt Bottrop und der Stadt Gelsenkirchen. (Westfälisches Ortsnamenbuch 18). Bielefeld 2021, 480 S.

9765. MEINEKE, Birgit: Die Ortsnamen des Kreises Siegen-Wittgenstein. (Westfälisches Ortsnamenbuch 20). Bielefeld 2023, 496 S.

9766. MUNDERLOH, Bernd H./SCHOHUSEN, Friedrich: Die Oldenburger Straßennamen: kurz erklärt und aktualisiert. Oldenburg 2022, 178 S.

9767. MUNDERLOH, Bernd: Die Straßennamenvergabe in Oldenburg nach dem 2. Weltkrieg. In: Der Oldenburgische Hauskalender 196 (2022), S. 27–31.

9768. OHAINSKI, Uwe: Von Bassum nach Buchholz (Petershagen). Aus der Arbeit an den Hoyaer Ortsnamen. In: ANDRASCHKE, Joachim/LOGA, Kristin: „Über Namen gibt's immer was zu sagen". Festschrift für Jürgen Udolph zum 80. Geburtstag. Priesendorf 2023, S. 139–160.

9769. PAKE, Otto: Streit um den „Kattenbogen" im Neubaugebiet Westerode. In: Uhlenspiegel-Klippen 37 (2022), S. 46–49.

9770. RENZE, Alfred: Namentlich „Ankum". In: Heimat-Hefte für Dorf und Kirchspiel Ankum 25 (2022), S. 63–65.

9771. ROOLFS, Friedel Helga: Der Ortsname „Grasdorf". In: Das Bentheimer Land 233 (2022), S. 70-72.

9772. ROOLFS, Friedel Helga: Die Familiennamenforschung in den Veröffentlichungen der Kommission für Mundart- und Namenforschung Westfalens. In: DAMMEL, Antje/DENKLER, Markus (Hrsg.): Regionale Sprachforschung. 50 Jahre Kommission für

Mundart- und Namenforschung Westfalens. (Westfälische Beiträge zur niederdeutschen Philologie, 21). Münster 2023, S. 158–179.

9773. SADEL, Christian: Niederdeutsche Ortsbezeichnungen als Ausdruck laienlinguistischer Positionen. In: FÖLLNER, Ursula/LUTHER, Saskia/ROTH, Kersten (Hrsg.): Niederdeutsche Sprachlandschaften in Sachsen-Anhalt. Linguistische und laienlinguistische Perspektiven. Halle/Saale 2022, S. 95–107.

9774. SCHOPPE, Siegfried G.: Deutsches Namenbuch: Personennamen: Vor- und Nachnamen in Deutschland. Hamburg 2023, 2100 S.

9775. SPANNHOFF, Christof: Wie der „Teutoburger Wald" zu seinem Namen kam. In: Heimatjahrbuch Osnabrücker Land (2022), S. 148–151.

9776. TÖNSMEYER, Hans Dieter: Fränkische Hochadelige im nördlichen Altsachsen: Cuxhaven, Otterndorf und Esesfeld (Itzehoe) und ihre Namengeber. In: Zeitschrift der Gesellschaft für Schleswig-Holsteinische Geschichte 147 (2022), S. 39–70.

9777. UDOLPH, Jürgen: Alteuropäische Hydronymie und urslavische Gewässernamen. In: CASEMIR, Kirstin/OHAINSKI, Uwe: Namen – Zeugen der Geschichte. Heidelberg 2023, S. 335–374.

9778. UDOLPH, Jürgen: Baltisch, Slavisch, Germanisch – Kontakte und Beziehungen aus onomastischer Sicht. In: CASEMIR, Kirstin/OHAINSKI, Uwe: Namen – Zeugen der Geschichte. Heidelberg 2023, S. 375–404.

9779. UDOLPH, Jürgen: Die Landnahme Englands durch germanische Stämme im Lichte der Ortsnamen. In: CASEMIR, Kirstin/OHAINSKI, Uwe: Namen – Zeugen der Geschichte. Heidelberg 2023, S. 183–223.

9780. UDOLPH, Jürgen: Die Ortsnamen auf *-ithi*. In: CASEMIR, Kirstin/OHAINSKI, Uwe: Namen – Zeugen der Geschichte. Heidelberg 2023, S. 125–181.

9781. UDOLPH, Jürgen: Nordisches in deutschen Ortsnamen. In: CASEMIR, Kirstin/OHAINSKI, Uwe: Namen – Zeugen der Geschichte. Heidelberg 2023, S. 225–235.

9782. UDOLPH, Jürgen: Ortsnamen und Siedlungsgeschichte in Ostfalen. In: CASEMIR, Kirstin/OHAINSKI, Uwe: Namen – Zeugen der Geschichte. Heidelberg 2023, S. 237–257.

9783. UDOLPH, Jürgen: Suffixbildungen in alten Ortsnamen Nord- und Mitteldeutschlands. In: CASEMIR, Kirstin/OHAINSKI, Uwe: Namen – Zeugen der Geschichte. Heidelberg 2023, S. 259–298.

9784. UDOLPH, Jürgen: Zogen die Hamelner Aussiedler nach Mähren? Die Rattenfängersage aus namenkundlicher Sicht. In: CASEMIR, Kirstin/OHAINSKI, Uwe: Namen – Zeugen der Geschichte. Heidelberg 2023, S. 407–462.

9785. UDOLPH, Jürgen: Zu neuen Ufern – Namenforschung heute und morgen. In: CASEMIR, Kirstin/OHAINSKI, Uwe: Namen – Zeugen der Geschichte. Heidelberg 2023, S. 13–22.

Münster *Kirstin Casemir*

Ostniederländisch / Nedersaksisch

9786. BARTELDS, Martijn: Representing Low-Resource Languages and Dialects: Improved Neural Methods for Spoken Language Processing [dissertatie Rijksuniversiteit Groningen 2023], 201 S. https://pure.rug.nl/ws/portalfiles/portal/812185121/Complete_thesis.pdf (1. 3. 2024).

9787. BLOEMHOFF, Henk: In de Middelhof van et Ooldsaksisch: an de haand van de variëteiten van Vriezenvene, Dalfsen, Hasselt, Epe en Niekark. In: Jaorboek Nedersaksisch 3 (2022), S. 95–108 [ersch. 2023].

9788. BLOEMHOFF, Henk: In de Middelhof van et Ooldsaksisch: an de haand van de variëteiten van Vriezenvene, Dalfsen, Hasselt, Epe en Niekark. In: Jaorboek Nedersaksisch 3 (2022), S. 95–108 [ersch. 2023].

9789. BLOEMHOFF-DE BRUIJN, Philomène, Krijgt de Taalatlas van Oost-Nederland na 60 jaar toch nog een vervolg? In: Jaorboek Nedersaksisch 3 (2022), S. 42–48 [ersch. 2023].

9790. BOER, Wim de/BLOEMHOFF, Henk: Veldnaemen van Stellingwarf diel VIII Berkoop. M.m.v. BERKENBOSCH, Karst/DRAGT, Roelof/JONG, Pieter de. Berkoop/Oldeberkoop: Stellingwarver Schrieversronte 2023, 48 S.

9791. BUURKE, Raoul/WIELING, Martijn: Sound Change Estimation in Netherlandic Regional Languages: Reducing Inter-Transcriber

Variability in Dialect Corpora. In: Taal en Tongval 75,1 (2023), S. 7–28.

9792. DARWINKEL, Abel/KLAUCKE, Rik/NIJKEUTER, Henk (Red.): As Paosen en Pinkstern op ien dag valt. Voorjaarstradities in Drenthe. Assen: Uitgeverij Koninklijke Van Gorcum 2023.

9793. NIJEN TWILHAAR, Jan: Nieuwe Nedersaksische vertalingen van de Heliand. In: Jaorboek Nedersaksisch 3 (2022), S. 81–94 [ersch. 2023].

9794. NIJKEUTER, Henk: *De rannies met het rooie haor.* De Reynaertvertaling van Jan Naarding. In: Jaorboek Nedersaksisch 3 (2022), S. 110–125 [ersch. 2023].

9795. PATTISON, Melody: Rural and Non-Rural Variation between [U] and [Y] in the Achterhoeks dialect (2017). https://www.york.ac.uk/language/ypl/ypl2/15/YPL2-15-01-Pattison.pdf (1. 3. 2024)

9796. SCHOLTMEIJER, Harrie: De dominee en het dialect. Over het werk van Heering en Schuurmans. In: Jaorboek Nedersaksisch 3 (2022), S. 26–37 [ersch. 2023].

9797. SIEWERT, Janine/WIELING, Martijn/SCHERRER, Yves: Changing usage of Low Saxon auxiliary and modal verbs. https://www.martijnwieling.nl/files/Siewert2023.pdf (1. 3. 2024).

9798. STERKEN, Arjan: De Ambigue Doden: Naolopers en heur onzekere alliantie in Noord-Nedersaksische Volksvertellings In: Jaorboek Nedersaksisch 3 (2022), S. 53–80 [ersch. 2023].

9799. WILLEMSEN-HÄÖVELINK, Gerrie/BRIL, Gerrit/SCHAARS, Lex: Zutphens: klip en klaör. Doetinchem, Erfgoedcentrum Achterhoek en Liemers/Mr. H.J. Steenbergenstichting 2023.

Oldeberkoop, NL   *Henk Bloemhoff*
Osnabrück   *Hermann Niebaum*

(Fortsetzung im nächsten Heft)

Protokoll der 135. Jahresmitgliederversammlung des Vereins für niederdeutsche Sprachforschung am 30. Mai 2023 in Greifswald

Ort: Alfried Krupp Wissenschaftskolleg, Greifswald
Zeit: Dienstag, 30. Mai 2023, 12.25 bis 13.30 Uhr
Leitung: Prof. Dr. Michael Elmentaler (Vorsitzender)
Teilnehmer: 39
Protokollant: Robert Langhanke (Schriftführer)

Der Vorsitzende Prof. Dr. Michael Elmentaler begrüßt die teilnehmenden Vereinsmitglieder zur 135. Jahresmitgliederversammlung des VndS, zu der fristgerecht eingeladen wurde.

Zu Beginn der Versammlung nimmt Prof. Dr. Ingrid Schröder die Totenehrung vor und erinnert an die verstorbenen Vereinsmitglieder Dr. Gerd Backenköhler, Prof. Dr. Friedhelm Debus, Prof. Dr. Tette Hofstra, Prof. Dr. Bernd Ulrich Kettner, Prof. Dr. Arend Mihm, Dr. Robert Peters, Dr. Heinz Werner Pohl, Dr. Martin Schröder und Dr. Ommo Wilts.

Tagesordnungspunkt 1: Festlegung der Tagesordnung
Es werden keine Ergänzungen zur vorgelegten Tagesordnung vorgenommen.

Tagesordnungspunkt 2: Bericht des Vorsitzenden
Die in Kiel verbliebenen Altbestände der Zeitschriften Nd. Jb. und Nd. Kbl. wurden inzwischen auf je drei Exemplare pro Jahrgang reduziert. Da der Wachholtz Verlag nun noch zahlreiche Bände der Jahrgänge 2014 und 2016 bis 2021 an den Verein gegeben hat, können diese kostenfrei weitergegeben werden. Eine entsprechende Übersichtsliste wird online gestellt.

An der Universität Oldenburg wurden neue Niederdeutschstudiengänge eingerichtet. Prof. Dr. Doreen Brandt berichtet, dass Bachelorstudiengänge für die Lehrbefähigung im Niederdeutschen an Haupt- und Realschulen sowie an Gymnasien zum Wintersemester 2023/2024 beginnen werden. Im Wintersemestersemester 2026/2027 folgen die entsprechenden Masterstudiengänge für das Haupt- und Realschullehramt und das gymnasiale Lehramt. Über eine Eröffnungsveranstaltung wurde im Nd. Kbl. 130 (2024) berichtet. Derzeit ist an der Universität Oldenburg eine volle und unbefristete Mitarbeiter:innenstelle für das Arbeitsgebiet Niederdeutschdidaktik ausgeschrieben, in deren Rahmen Spracherwerb und Sprachvermittlung thematisiert und Begleitveranstaltungen zu Schulpraktika gestaltet werden soll. Die Universität Oldenburg bietet die ersten BA-Studiengänge für das Fach Niederdeutsch an.

PD Dr. Birte Arendt und Prof Dr. Andreas Bieberstedt berichten vom Lehrnetzwerk Niederdeutsch (LeNie), dessen Kooperationspartner der VndS ist. Über einen erfolgreichen Projektantrag bei der Siftung Innovation in der Hochschullehre konnten Fördergelder in Höhe von über 500.000 Euro eingeworben werden und in Folge Mitarbeiter:innenstellen des Projekts besetzt werden. Zudem werden drei Winterkademien für Studierende – 2024 in Hannover, 2025 in Greifswald und 2026 in Flensburg – finanziert. Die breite Querschnittsaufgabe Weiterbildung wird auch über Workshops für die Dozierenden des Faches verfolgt. Für den VndS können umfangreiche Mittel für die Neugestaltung der Vereinshomepage zur Verfügung gestellt werden, die zu einer Austauschplattform werden soll. Über dieses Projekt erweist sich die niederdeutsche Philologie als impulsgebendes Moment für eine innovative und auch digital orientierte Hochschuldidaktik.

Im vergangenen Jahr wurden verschiedene Preise und Auszeichnungen erzielt. Dr. Sarah Ihden erhielt im Juli 2022 den Nachwuchspreis der IGDD und im September 2022 den Peter-von-Polenz-Preis der GGSG für ihre Dissertation zu mittelniederdeutschen Relativsätzen. PD Dr. Klaas-Hinrich Ehlers erhielt im September 2022 den Fritz-Reuter-Preis der Carl-Toepfer-Stiftung für seine Monografien zur jüngeren mecklenburgischen Sprachgeschichte. Im November 2022 erhielten PD Dr. Birte Arendt und Robert Langhanke den Fritz-Reuter-Literaturpreis der Stadt Stavenhagen und des Fritz-Reuter-Literaturmuseums für die Herausgabe des Sammelbandes „Niederdeutschdidaktik". Im März 2023 erhielt Prof. Dr. Marie-Luis Merten den Hugo-Moser-Preis des Instituts für deutsche Sprache zur Förderung ihrer Forschungsarbeit über Kommentierungen in den sozialen Medien. Ebenfalls im März 2023 wurde Dr. Hannah Rieger der Agathe-Lasch-Preis 2022 für ihre Dissertation zum „Reynke de vos" verliehen.

An der diesjährigen Tagung nehmen 52 Gäste in Präsenz und 19 Gäste online teil. Dr. Stefan Mähl und Dr. Robert Damme lassen die Versammlung herzlich grüßen. Am Mittwochabend wird Ministerpräsidentin Manuela Schwesig die Eröffnung der 3. Plattdeutschen Wochen und den Abendvortrag von PD Dr. Klaas-Hinrich Ehlers besuchen, so dass wegen der Sicherheitsvorkehrungen ein zeitiges Erscheinen zur Veranstaltung vor 18.00 Uhr ratsam ist. Ministerpräsidentin Schwesig und der Vorsitzende des Heimatverbands Mecklenburg-Vorpommern Dr. Martin Buchsteiner werden Grußworte halten. Nach dem Abendvortrag von PD Dr. Klaas-Hinrich Ehlers wird es eine Diskussion und einen Empfang für die Tagungsgäste geben.

Der Mitgliederstand des VndS zeigt derzeit 350 Mitglieder, die sich auf 275 Einzelmitglieder, 53 Institutionen und 22 Schriftentauschvereinbarungen verteilen. Im Berichtsjahr ist ein Verlust von 13 Mitgliedern zu verzeichnen, da neun Mitglieder verstarben und vier Austritte, darunter zwei Institutionen, gemeldet wurden. Dieser Entwicklung steht jedoch auch der Eintritt von 13 Einzelmitgliedern gegenüber, der unter anderem den Aktivitäten des Nachwuchskolloquiums zu verdanken ist. Dadurch ist der Mitgliederstand konstant.

Tagesordnungspunkt 3: Aussprache
Es haben sich keine Nachfragen und Anmerkungen ergeben.

Tagesordnungspunkt 4: Bericht des Schatzmeisters
Schriftführer Robert Langhanke stellt in Vertretung von Schatzmeister Prof. Dr. Helmut Spiekermann, der nicht in Greifswald sein kann und herzlich grüße lässt, den Jahresabschluss 2022 vor. Über Mitgliedschaftsbeiträge, Verkauserlöse, Zuschüssen und Tagungsgebühren ergaben sich Einnahmen in Höhe von 13.773,70 Euro. Die Ausgaben betrugen 2022 in der Summe 17.073,96 Euro und entfielen auf die Geschäftsführung, die Pfingstagung und insbesondere die Publikationen, die 13.140,26 Euro betrugen. Finanziert wurden das bei Wachholtz erschienene Nd. Jb. 2021 und das im Husum Verlag erschienene Nd. Kbl. 2022. Die fehlenden 3.300,26 Euro wurden dem Postbankguthaben des Vereins entnommen, das dann am Jahresende noch 2.792,22 Euro aufwies.

Für das Jahr 2023 kann unter Hinzunahme des verbliebenen Bankguthabens ein ausgeglichener Finanzierungsplan vorgelegt werden, obwohl die beiden Jahrbücher 2022 und 2023 finanziert werden müssen. Das ist umstzbar, da die Kosten für das Nd. Jb. durch den Wechsel vom Wachholtz Verlag zum Husum Verlag im Jahr 2022 deutlich gesunken sind. Sie liegen nun bei 3.000 bis 3.500 Euro pro Jahrbuch und lagen zuvor bei 7.000 bis 7.500 Euro pro Jahrbuch. Antizipierten Einnahmen in Höhe von 16.442,22 Euro unter Einbezug des Postbankkontos stehen Ausgaben in Höhe von 16.106,76 Euro gegenüber, wovon 12.5006,76 Euro auf zwei Jahrbücher und ein Nd. Kbl. entfallen. Die Pfingstagung und die Nachwuchstagung und deren Veröffentlichungen sind weitere Kostenpunkte. Durch die günstigeren Publikationskosten wird sich die Finanzsituation in den kommenden Jahren erholen können, da zuünftig ein Überschuss verbleiben wird. Die Erstellung der Publikationen kann fortgesetzt finanziert werden.

Tagesordnungspunkt 5: Bericht der Kassenprüfer
Dr. Nicole Palliwoda und Maila Seiferheld, die den Bericht der Kassenprüferinnen vor Ort vorstellt, haben eine fehlerfrei geführte Vereinskasse vorgefunden. Die Kassenprüfungen fanden unabhängig voneinander statt,

und alle Rechnungen und Buchungen lagen vollständig vor und konnten sorgfältig geprüft werden. Es haben sich keinerlei Beanstandungen ergeben, so dass der Versammlung eine Entlastung des Vorstands empfohlen wurde.

Tagesordnungspunkt 6: Entlastung des Vorstandes
Prof. Dr. Ingrid Schröder beantragt die Entlastung des Vorstands. Die Entlastung des Vorstands wird von der Versammlung einstimmig unter Enthaltung des Vorstands angenommen.

Tagesordnungspunkt 7: Wahl der Kassenprüfer 2022/23
Maila Seiferheld und Dr. Nicole Palliwoda, die nicht anwesend sein kann, aber im Vorfeld ihre Bereitschaft zur Kandidatur sowie zur Annahme einer möglichen Wahl schriftlich mitgeteilt hat, treten erneut zur Wahl an. Beide werden von der Versammlung einstimmig in das Amt der Kassenprüferin gewählt und nehmen die Wahl an.

Tagesordnungspunkt 8: Tagungsorte 2024 und 2025
Für die Pfingsttagung im Jahr 2024 werden einstimmig der Tagungsort Gent und das Thema mittelniederdeutsche Sprache und Literatur bestätigt. Prof. Dr. Anne Breitbarth wird die Tagungsorganisation vor Ort unterstützen. Bis zum 1. Oktober 2024 sollen Vortragsvorschläge gesammelt werden, so dass der Tagungsaufruf nach der Pfingsttagung bald veröffentlicht werden wird.

Die Pfingstagung 2025 soll in Hamburg stattfinden, um dort an die erste Pfingsstagung 175 Jahre zuvor zu erinnern. Wegen des Jubiläums sollen die Vereinsgeschichte und die Wissenschaftsgeschichte der niederdeutschen Philologie das Tagungsthema sein. Ort und Thema werden von der Versammlung einstimmig bestätigt.

Die Gründung des Vereins am 25. September 1874 soll mit einem Festakt am 25. September 2024 in Hamburg gewürdigt werden. Zu diesem Anlass wird ein Sonderheft des Nd. Kbl. mit der von Fridjof Gutendorf verfassten Geschichte der ersten 50 Jahre des Vereins (1874–1924) erscheinen. Gutendorf hat die Frühgeschichte des Vereins akribisch aufgearbeitet. Zu dem bereits online gestellten Gründungsprotokoll des Vereins sollen bis 2024 zahlreiche weitere frühe Vereinsdokumente als Onlinebereitstellung treten.

Dr. Peter Rosenberg fragt, weshalb bisher nur die ersten 50 Jahre der Vereinsgeschichte aufgearbeitet wurden und somit auch die NS-Zeit ausgelassen wurde. Die Bearbeitung der weiteren Vereinsgeschichte ist eine Aufgabe der Zukunft. Prof. Dr. Ingrid Schröder verweist auf den Nachlass von Prof. Dr. Conrad Borchling und lädt zur weiteren Mitwirkung an der

Aufarbeitung der Vereinsgeschichte ein. Das Gutendorf-Projekt war bewusst nur der frühen Phase gewidmet. Für alle Phasen der der Vereinsgeschichte besteht ein Forschungsbedarf. Zu diesen Themen werden Vorträge auf der Pfingsttagung 2025 möglich sein.

Prof. Dr. Simone Schultz-Balluff schlägt Halle an der Saale als Tagungsort für das Jahr 2026 vor.

Tagesordnungspunkt 9: Nachwuchskolloquien
Im 28. September 2022 fand das 11. VndS-NwK als digitale Konferenz von Hannover aus statt. Wegen zahlreicher Terminüberschneidungen mit anderen Tagungen erwies sich das digitale Treffen als beste Realisierungsoption. Das Forum Sprachvariation war wegen des IGDD-Kongresses 2022 in Salzburg nicht beteiligt, doch wird vom 6. bis zum 8. September 2023 wieder eine gemeinsame Tagung als Präsenzveranstaltung in Bern ausgerichtet werden, der Aufruf läuft noch bis zum 1. Juni 2023. Verschiedene Tagungsbände zu vergangenen Nachwuchskolloquien werden derzeit bearbeitet.

Tagesordnungspunkt 10: Berichte über die Veröffentlichungen
Im Nd. Jb. 146 (2023) werden sechs Aufsätze zur Dortmunder Pfingsttagung erscheinen, für die Dr. Sarah Ihden, Prof. Dr. Doreen Brandt, Dr. Matthias C. Hänselmann, Prof. Dr. Jürg Fleischer, Lara Neumann sowie Prof. Dr. Ingrid Schröder und Philipp Cirkel gewonnen werden konnten. Zudem wurden zahlreiche Rezensionen verteilt, so dass eine Reihe von Berichten erscheinen sollte, an deren Erstellung bald noch einmal erinnert werden wird.

Das Nd. Kbl. 130 (2023) ist erschienen und bringt neben sechs Aufsätzen, auch mit Bezug zur vorherigen Pfingsttagung, zahlreiche Würdigungen und Berichte.

Auch die Fortsetzung der Niederdeutschen Bibliographie ist im Nd. Kbl. erschienen. Dr. Nadine Wallmeier bittet darum, eventuell notwendige Nachträge für die Bibliogafie mitzuteilen.

Ein Sammelband zum Nachwuchskolloquium in Vechta steht kurz vor dem Erscheinen, ebenso werden Sammelbände zu den Kolloquien in Bonn und Oldenburg bearbeitet. Zum Kolloquium des Vorjahres in Hannover wird es keinen eigenständigen Tagungsband geben, da einige Beiträge bereits an anderer Stelle eingbracht werden.

Tagesordnungspunkt 11: Bericht über die Vereishomepage
Die Homepage wird regelmäßig akualisiert. Die online zur Verfügung gestellte Gesamtbibliografie seit 1970 umfasst inzwischen 648 Seiten.

Auch das Verzeichnis mit den Inhaltsübersichten der Jahrbücher wurde aktualisiert.

Die Unterseite zu den Vereinspublikationen ist noch eine Baustelle. Unter dem Reiter Vereinspublikationen sollen relevante Forschungsarbeiten sichtbarer gemacht und auch die Veröffentlichungsreihen des Vereins gezeigt werden, die mit der Edition des mnd. „Seebuchs" durch Karl Koopmann im Jahr 1876 ihren Ausgang nahmen. Die Daten zu den Publikationen werden stetig erweitert.

Informationen über das Lehrnetzwerkwerk LeNie werden auf der Internetseite ebenfalls geführt und regelmäßig aktualisiert.

Tagesordnungspunkt 12: Antrag von Dr. Heinrich Kröger (Soltau)
Dr. Heinrich Kröger hat am 4. Januar 2023 schriftlich die Durchführung eines Gesprächskreises „Plattdeutsches Idiotikon" auf der diesjährigen Pfingsttagung beantragt. Dieses Treffen wurde für den heutigen 30. Mai 2024 um 15.00 Uhr im Innenhof des Alfried Krupp Wissenschaftskollegs anberaumt und auch bereits in der versendeten Tagesordnung angekündigt. Es dient der Frage, wie die Planung der Erarbeitung eines solchen Idiotikons fortgesetzt werden könnte. Alle interessierten Kolleginnen und Kollegen sind vielmals zur Teilnahme an dem Treffen eingeladen.

Tagesordnungspunkt 13: Verschiedenes
Dr. Werner Voigt regt im Zusammenhang mit den neuen niederdeutschdidaktischen Zielsetzungen eine Zusammenarbeit zum Beispiel mit der türkischen Philologie an. Es kann unter Umständen ratsam sein, für Schülerinnen und Schüler mit Migrationshintergrund sprachliche Merkblätter zum Niederdeutschen in verschiedenen Migrant:innensprachen zu veröffentlichen, die in der Folge zu Sprachvergleichen anregen können und zugleich den besonderen Nutzen der niederdeutschen Mundarten ausweisen.

Es werden keine weiteren Themen aufgerufen. Die Mitgliederversammlung 2023 des VndS wird um 13.30 Uhr geschlossen.

Flensburg *Robert Langhanke*

Spendenaufruf 150 Jahre VndS

Liebe Mitglieder des VndS,

am 25. September 2024 jährt sich der Gründungstag des Vereins für niederdeutsche Sprachforschung zum 150. Mal. Dieses Jubiläum nimmt der Verein zum Anlass, an diesem Tag am Gründungsort Hamburg einen Festakt auszurichten.

Zu Pfingsten 1875 wurde dann die erste Jahresversammlung des VndS in Hamburg durchgeführt. 150 Jahre später wird die 136. Pfingsttagung wieder in Hamburg ausgerichtet werden und die Jubiläumsfeierlichkeiten fortsetzen. Für beide Veranstaltungen werden besondere Beiträge geplant.

Im September 2024 soll ein Sonderheft des *Niederdeutschen Korrespondenzblattes* erscheinen, das die von Fridjof Gutendorf verfasste Geschichte der Gründungsphase und der ersten 50 Jahre des Sprachvereins (1875–1925) enthält. Zur Pfingsttagung 2025 wird in der Hamburger Staatsbibliothek eine Jubiläumsausstellung des VndS zur Geschichte des Niederdeutschen und seiner Erforschung gezeigt werden. Beide Veranstaltungen sollen durch musikalische Beiträge begleitet werden. Zu diesen Jubiläumsfeierlichkeiten sind alle Mitglieder des Vereins herzlich eingeladen!

Leider ist bereits jetzt deutlich, dass der Verein die Mehrausgaben des Jubiläumsjahres nicht aus eigenen Finanzmitteln bestreiten kann. Daher werden nun verschiedene Wege zur Einwerbung weiterer Mittel zur Gestaltung des Jubiläums beschritten. So werden wir verschiedene Stiftungen und öffentliche Förderinstitutionen um Mithilfe bitten.

Eine Bitte zur Unterstützung des Vereinsjubiläums erreicht auch Sie als Vereinsmitglieder. Insbesondere für die Erstellung des Sonderheftes des *Niederdeutschen Korrespondenzblattes (Kbl.)* mit der Darstellung zur Vereinsgeschichte werden zusätzliche Mittel benötigt. Herstellung und Versand werden voraussichtlich ca. 2.000 bis 2.500 Euro kosten. Aus diesem Grunde bitten wir vielmals um **Spenden an den VndS**, die vornehmlich für die Produktion des Sonderhefts des Kbl. eingesetzt werden sollen. Das Heft soll dann wie gewohnt als Vereinspublikation allen Vereinsmitgliedern zugesandt werden und wird zugleich im Buchhandel erhältlich sein. Auch die weiteren Projekte im Zusammenhang mit dem Vereinsjubiläum, insbesondere die Ausstellung, könnten von Ihren Spenden sehr profitieren und dem Verein einen größeren Gestaltungsrahmen geben. Die Spenden werden auf das Vereinskonto erbeten:

Postbank Hamburg
IBAN: DE 18 2001 00 2000 4806 3200
BIC: PBNKDEFF

Bitte geben Sie bei Ihrer Überweisung das Stichwort **„Vereinsjubiläum"** an. Gern stellen wir Ihnen eine Spendenquittung aus. Es würde uns helfen, wenn die Spendenbeiträge **bis zum 15. Mai 2024** auf dem Konto eingehen würden, da wir die weiteren Möglichkeiten besser abschätzen könnten.

Wir freuen uns schon jetzt auf die Jubiläumsveranstaltungen und das damit verbundene Wiedersehen!

Herzliche Grüße senden im Namen des gesamten Vorstands

Michael Elmentaler, Vorsitzender
Helmut Spiekermann, Schatzmeister
Robert Langhanke, Schriftführer

150 Jahre Verein für niederdeutsche Sprachforschung

Einladung zum Festakt am 25. September 2024 in Hamburg

Sehr geehrte, liebe Mitglieder des Vereins für niederdeutsche Sprachforschung,

am 25. September 1874 wurde unser Verein in Hamburg gegründet. 150 Jahre später findet zur Erinnerung an die Vereinsgründung am Mittwoch, den **25. September 2024** um **19.**00 **Uhr** ein Festakt in der Staats- und Universitätsbibliothek Hamburg Carl von Ossietzky statt. Zu diesem Festakt laden wir Sie herzlich ein.

19.00 Uhr: Begrüßung durch den Vorsitzenden des VndS
             Prof. Dr. Michael Elmentaler (Kiel)
19.10 Uhr: Grußworte
19.35 Uhr: Festrede von Prof. Dr. Ingrid Schröder (Hamburg)
20.00 Uhr: Vorstellung der von Fridjof Gutendorf (Hamburg) verfassten Vereinschronik
20.15 Uhr: Präsentation des neuen Internetauftritts des VndS
20.30 Uhr: Empfang

Ihre Teilnahme am VndS-Festakt würde uns sehr freuen. Bitte melden Sie sich bis zum **1. September 2024** unter der E-Mail-Adresse kurre@germsem.uni-kiel.de (Frau Sabine Kurre, Betreff **„Festakt VndS"**) zur Teilnahme an.

Auf ein Wiedersehen anlässlich der Festveranstaltung hofft im Namen des gesamten Vorstands

mit den besten Grüßen

Prof. Dr. Michael Elmentaler

(Vorsitzender des Vereins für niederdeutsche Sprachforschung)

Mitteilungen aus dem Verein

In eigener Sache

Der Hauptredaktionsschluss für das Nd. Kbl. 132 (2025), das im April 2025 erscheinen wird, liegt auf dem 15. Januar 2025. Beitragsvorschläge und Beiträge nimmt die Redaktion gern jederzeit entgegen. Im September 2024 wird ein Sonderheft des Jahrgangs 131 (2024) erscheinen, das Frijof Gutendorfs Darstellung der frühen Vereinsgeschichte bringen wird.

Mitgliedschaftsjubiläen 2024

Bereits seit 60 Jahren ist Dr. Jürgen **Beckmann** (Rauderfehn) Mitglied des Sprachvereins. Die Mitgliedschaft von Hans-Jürgen **Jenkel** (Neukirchen-Vluyn) und Niels-Erik **Larsen** Mag. art. (Hvalsø, Dänemark) dauert bereits seit 50 Jahren an. Dr. Marlies **Carstensen** (Kiel) und Prof. Dr. Ingrid **Schröder** (Hamburg) sind seit 40 Jahren im Sprachverein. Der Verein für niederdeutsche Sprachforschung dankt seinen Mitgliedern für die bereits seit vielen Jahrzehnten während Unterstützung und gratuliert zu den Mitgliedschaftsjubiläen.

Mitgliederstand

Neue Mitglieder: Prof. Dr. Kathrin **Chlench-Priber**, Bonn. – Lisa **Felden**, Münster. – André **Graën**, Oldenburg. – Niklas **Hachmann** B.A., Flensburg. – Hendrik **Harsdorf**, Zickhusen. – Dr. Heike **Hawicks**, Heidelberg. – André **Looijenga** M.A., Leeuwarden/Niederlande. – Dr. Britta **Plaggemeier**, Petershagen. – Dr. Jochen **Rehmert**, Zürich/Schweiz. – Kea-Marie **Wolters** B.A., Uplengen.

Verstorbene Mitglieder: Am 28. Dezember 2021 verstarb im Alter von 84 Jahren Dr. Ommo **Wilts** (Osdorf); er war seit 1967 Mitglied des Vereins. – Am 11. Juni 2022 verstarb im Alter von 93 Jahren Dr. Heinz Werner **Pohl** (Bremen); er war seit 1967 Mitglied des Vereins. – Am 29. Dezember 2022 verstarb im Alter von 75 Jahren Jochem Franz **Reinkens** M.A. (Kalkar), er war seit 1969 Mitglied des Vereins. – Am 10. Januar 2023 verstarb im Alter von 88 Jahren Dr. Gerd **Backenköhler** (Hamburg); er war seit 1962 Mitglied des Vereins. – Am 23. Januar 2023 verstarb im Alter von 83 Jahren Prof. Dr. Bernd Ulrich **Kettner** (Marburg); er war seit 1960 Mitglied des Vereins. – Am 22. Februar 2023 verstarb im Alter von 80 Jahren Prof. Dr. Tette **Hofstra** (Roden / Groningen); er war seit 1970 Mitglied des Vereins. – Am 3. Mai 2023 verstarb im Alter von 91 Jahren Prof. Dr. Friedhelm **Debus** (Schierensee / Kiel); er war seit 1966 Mitglied des Vereins. – Am 24. Mai 2023 verstarb im Alter von 86 Jahren Prof. Dr. Arend **Mihm** (Duisburg); er war seit 1982 Mitglied des Vereins. – Am 10. Juli 2023 verstarb im Alter von 85 Jahren Heinrich **Thies** (Glinde); er war seit 1992 Mitglied des Vereins. – Am 23. August 2023 verstarb im Alter von 72 Jahren Franz-Josef **Schaepers** (Dorsten-Lembeck); er war seit 1979 Mitglied des Vereins. – Der Verein für niederdeutsche Sprachforschung bewahrt seinen verstorbenen Mitgliedern ein ehrendes Andenken.

Der Verein für niederdeutsche Sprachforschung lädt alle an der wissenschaftlichen Erforschung des Niederdeutschen Interessierten zur Mitgliedschaft ein. Unter *www.vnds.de* findet sich ein Antragsformular mit weiteren Informationen.

Der Vereinsvorstand bittet vielmals um die freundliche elektronische Weitergabe von veränderten Adress- oder Kontodaten unter dem Betreff *VndS* (+ Ergänzungen) an den Schriftführer (*robert.langhanke@uni-flensburg.de*).

Flensburg *Robert Langhanke*

Diese Publikation wurde gefördert von:

Redaktion: Robert Langhanke, Institut für Germanistik der Europa-
               Universität Flensburg, Auf dem Campus 1, 24943 Flensburg,
               robert.langhanke@uni-flensburg.de

               Dr. Viola Wilcken, Germanistisches Seminar der Christian-
               Albrechts-Universtät zu Kiel, Olshausenstraße 40, 24098 Kiel,
               wilcken@germsem.uni-kiel.de